AUSTRALIEN FARARNA

Ulf Beijbom har tidigare utgivit:

Swedes in Chicago 1971
Drömmen om Amerika (med Rolf Johansson) 1971
Amerika Amerika 1977
Släkt- och hembygdsforskning 1978
Guldfeber 1979

ULF BEIJBOM

AUSTRALIEN FARARNA

VÅRT MÄRKLIGASTE UTVANDRINGSÄVENTYR

LTs förlag · Stockholm

Formgivning: Jan Bohman
© Ulf Beijbom 1983
AB Boktryck, Helsingborg, 1983
ISBN 91-36-02117-2

INNEHÅLL

GREAT PALM COCKATOO
PROBOSCIGER ATERRIMUS L Hay

FÖRORD

Vilhelm Moberg, historieforskarna och svenskamerikanerna har så fixerat utvandrarhistorien till Amerika att inte många tänker på t ex Australien som ett mål för svenska emigranter. Naturligtvis var utvandringen dit en rännil jämfört med floden av 1,2 miljoner amerikaemigranter, men bakom de ca 25 000 australienfararna anas ett stycke ovanligt fascinerande historia. Kanske var det inte i Amerika utan i Australien som det största av alla utvandringsäventyr utspelades?

Jag minns hur förvånad jag blev när jag 1972 upptäckte att Emigrantinstitutets märkligaste brevsamling liksom några av våra förnämsta emigrantdagböcker hade tillkommit i Australien. Då hade institutets medarbetare Sten Almqvist redan börjat samla uppgifter om svenskar och andra nordbor som utvandrat till Australien.

Forskningen kring denna annorlunda utvandring utvidgades 1974 till Nya Zeeland, där vi fick dåvarande svenska ambassadören i Wellington Sten Aminoff som medarbetare. Hans forskningar kring svenskar i Nya Zeeland har sedan dess givit ett imponerande resultat. Kontakter etablerades också med Olavi Koivukangas i Åbo, som 1972 i Canberra disputerat på en avhandling om skandinaverna i Australien. Dåvarande universitetslektorn i Odense Ivo Holmqvist, museichefen Allan T Nilson i Göteborg och flygkaptenen Carl-Werner Pettersson i Åseda knöts vid sjuttiotalets mitt till det antipodiska forskningsprojektet som samtidigt gjordes skandinaviskt. Men den betydelsefullaste kontakten togs 1980 med svenskaustraliern James Sanderson i Sydney, vilken sedan några år kartlade den nordiska utvandringen till New South Wales, och dåvarande kyrkoherden för Svenska kyrkan i Melbourne teol dr Håkan Eilert. Samma år anslog Nordiska kulturfonden 115 000 danska kronor till fältforskningar i Australien. Koivukangas, Holmqvist och Nilson kunde därmed under sammanlagt ett år intervjua emigranter och samla forskningsmaterial i Australien.

Vid det laget insåg jag att australiensamlingen skulle ge ett förträffligt underlag för en bok om svenskarna i Australien. På sätt och vis var det min plikt att skriva denna bok kring ett totalt okänt kapitel i vår annars så väldokumenterade utvandrarhistoria. Nya impulser fick jag från Sven och Dagmar Saléns Stiftelse som anslog medel till en studieresa genom Australien och forskningar på biblioteken och arkiven i London.

7

Så ter sig förhistorien till denna bok som varit otänkbar utan assistans från de nämnda institutionerna och forskarbröderna. Jag riktar också min tacksamhet till våra landsarkiv och stadsarkiv som bistått med mycken personhistorisk information, sjöfartshistorikern, redaktör Ebbe Aspegren i Stockholm, vår främste specialist på litteraturen om James Cook och Oceanien, Rolf Du Rietz i Uppsala, professorerna John S Martin i Melbourne och R T Appleyard i Perth, mrs Elisabeth Coltman i Aspley, Queensland, folkhögskollärare Kjell Nordqvist i Karlskoga, Emigrant-registret i Karlstad, fru Barbro Levinsson i Hjärnarp, fru Elly Ridhner i Stockholm, köpman Björn-Åke Petersson i Kallinge, docent Hans Norman i Uppsala samt Beryl Petersson, Kerstin Krafft, Tore Hultberg och Yngve Turesson vid Emigrantinstitutet.

Slutligen vill jag nämna att stavning och språk moderniserats i citaten.

Ulf Beijbom

UPPTÄCKT OCH KOLONISERING

Större delen av världen var okänd vid 1700-talets mitt. Man har beräknat att fyra femtedelar av jordens landområden och nio tiondelar av växt- och djurriket ännu väntade på sina upptäckare. Med undantag av Europa tedde sig kontinenternas inre som vita fläckar med obegränsat utrymme för kartritarnas gissningar. Oändliga kuststräckor var okända. Kartorna kunde t ex inte ge några upplysningar om amerikanska Stillahavskusten norr om Kalifornien eller om Asiens östkust norr om Korea. Så sent som 1741 hade Vitus Bering upptäckt sundet mellan Sibirien och Alaska som skulle få hans namn. Några år tidigare hade "den stora nordiska expeditionen" börjat utforska nordöstra Asien och mot slutet av århundradet påbörjades kartograferingen av nordamerikanska västkusten. Japanska öarna tedde sig minst sagt egendomliga på kartan. Övärldarna i Stilla havet var så gott som okända. Australiens västra och södra kustlinje var otydligt markerade. En svag linje föreställde Nya Zeeland och Tasmanien. Nya Guinea troddes hänga ihop med Australien. I övrigt låg Söderhavet öppet för gissningar. Geograferna visste att där fanns mycket mer att kartlägga.

Vetenskapens magra kunskaper om södra halvklotet kom från spanjorernas, portugisernas och holländarnas sjöfärder. Kartografering hade inte varit någon stark sida hos dessa på handel och snabba resor inriktade sjöfolk. 1606 hade således portugisen Torres seglat genom det sund som skiljer Australien från Nya Guinea, sannolikt utan att upptäcka kontinenten i söder. 1642 siktade holländaren Abel Tasman den ö han trodde var en väldig udde och döpte den till Van Diemens land (Tasmanien). Han upptäckte också Nya Zeelands västkust men nöjde sig med att döpa landet till Staten Island och seglade vidare. Minst tre spanska flottexpeditioner hade från Peru korsat Stilla havet under perioden 1567–1607, men de hade hållit sig för nära ekvatorn för att sikta Australien eller Nya Zeeland.

Av sådana orsaker var den urgamla legenden om *Terra Australis Incognita*, den okända sydkontinenten, en realitet för geograferna vid 1700-talets mitt. Sedan antikens dagar hade de lärde spekulerat om en sydlig kontinent, vilken med sina landmassor vägde upp Gamla världen. Denna okända kontinent borde ha en väldig utsträckning, kanske fanns där enorma rikedomar och okända civilisationer som man kunde erövra och exploatera. Söderhavets väldighet och européernas fåtaliga expeditioner genom området ansågs förklara varför landmassan i söder gäckade kunskapen. Att skingra dunklet och hitta Sydkontinenten skulle bli den sista stora upptäckten. Inte att undra på att många politiska tänkare och sjöfarare under det nyttoivrande 1700-talet drömde om att lösa den stora gåtan i Söderhavet!

Holländarnas resor till Nya Holland

I själva verket var Sydkontinenten redan upptäckt. *Terra Australis* dolde sig bakom den gudsförgätna kustlinje som femton- och sextonhundratalens sjöfarare från Spanien, Portugal och Holland då och då siktat i Indiska oceanens vattenöken. På jakt efter Orientens rikedomar hade deras skepp rundat Afrikas sydspets, Godahoppsudden, och sedan korsat Indiska oceanen för att nå lyxvarornas Indien, teets Kina eller Kryddöarna, nutidens Indonesien. Ursprungligen hade man följt Afrikas östkust till Malindi i nuvarande Kenya innan man vågat kors Indiska oceanen. Sedan Kryddöarna vid 1500-talets slut blivit Holländska Ostindien började holländarna använda sig av en sydligare segelled som gick rakt österut från Godahoppsudden. Med områdets eviga västvind i seglen fördes skeppen 5 000 kilometer österut tills de vid ungefär 110 graders longitud måste lägga om kursen och styra rakt norrut till Java och handelsstaden Batavia. För att manövern skulle lyckas måste kaptenen kunna räkna ut när han befann sig söder om Java. Med kompassens hjälp och genom mätning av solhöjden kunde han relativt lätt avgöra avståndet från ekvatorn, men longituden kunde endast beräknas efter en lång rad observationer av sol, måne och fartygets hastighet. Ändå blev resultatet alltid opålitligt. En användbar kronometer hade ännu inte konstruerats och därmed var det omöjligt att veta den för öst—västliga positionsberäkningar nödvändiga *Greenwich Mean Time*.

Holländarnas kryddled gick nära de blåsiga latituder som sjöfarare döpt till *The Roaring Forties*, "de rytande fyrtio-graderna", och som egentligen räknades ända ner till sextionde parallellen. Mellan dessa sydliga breddgrader består världen till 97 % av hav. Jordklotets rotation alstrar här en evig västanvind som inte hindras av land och följaktligen kan utveckla maximal styrka. Utan andra hinder än drivande isberg kunde ett segelfartyg blåsa jorden runt inom *The Roaring Forties*. Den envetna västvinden gjorde sägnen om Flygande holländaren trovärdig för de skeppare som under svällande segel och ylande riggar försökte avgöra rätta tidpunkten för kursomläggning till nord. Det var ofrånkomligt att ett och annat skepp på kryddleden skulle blåsa för långt österut. Hade skepparen dessutom felkalkylerat avståndet till ekvatorn var det lätt hänt att hans fartyg drev in mot Australien. 1627 kom en sådan "flygande holländare" in under Australiens sydkust som han följde under 500 sjömil till trakten av nuvarande Adelaide. Två år senare strandade skeppet Batavia utanför den ödsliga västkusten. De 316 ombordvarande gick hemska öden till mötes. Myteri utbröt och 125 besättningsmän mördades. Andra drunknade eller dog i sjukdomar. Några män tog sig i en öppen båt till Java och kom tillbaka med ett bestyckat skepp.

Två av myteristerna, en 18-årig mässuppassare och en 24-årig soldat, klarade sig från avrättning genom att välja att bli landsatta i ödemarken. Därmed kan man säga att Australiens historia som fångkoloni inleddes.

År 1642 beslöt holländska ostindiekompaniet att börja utforska de kuster man så ofta siktade under färderna till Batavia. Detta ledde till Abel Tasmans tre resor och att två tredjedelar av kusten blev kringseglad. Öst- och nordkusterna förblev okända. Men holländarna hade inte mycket till övers för sina upptäckter. Nya Holland, som de kallade kustlinjen, framträdde som ett ökenartat område utan frukter eller grönsaker med svårfunna vattenkällor och ogästvänliga infödingar. Ett sådant land dög inte ens som bunkringsstation på traden mellan den koloni holländarna 1652 anlagt i Kapstaden och Holländska Ostindien. Tvärtom borde fartygen navigeras så långt bort som möjligt från Nya Hollands kuster. Förrädiska sandrev och stengrund var ständigt att räkna med i dessa okända farvatten.

Detta fick de 235 sjömännen, hantverkarna och militärerna på tremastaren Zeewyk erfara i juni 1727 när fartyget med våldsam kraft gick på ett rev utanför nutidens Västaustralien. Bland de 96 män som räddade sig över på en holme befann sig sannolikt fem av de sex svenskar som under starkt förvanskade namn antecknats i skeppsrullan. Svenska sjömän var vid denna tid vanliga på holländska kölar, varför man vågar gissa att de på Zeewyk inte var de första som skådat Australiens gudsförgätna kuster. Stockholmaren Henric Ahlberg och tio andra fick uppdraget att segla storbåten till Batavia för att hämta hjälp. De hördes aldrig av och i oktober började man bygga en båt av vrakresterna. Med den lyckades nästan alla överlevande nå Holländska Ostindien. Göteborgaren Sweris (Sven) Dirksz hade oturen att dö just som Java kom i sikte, medan Dirk Teunisz och Sweris Pietersz, också de göteborgare, befann sig bland det åttiotal män som sista april 1728 blev den första besättning som av egen kraft lyckats återvända till civilisationen efter ett skeppsbrott i de ökända australiska vattnen.

Impulserna från Linné och Solander

Holländarnas dystra erfarenheter av det land de inte ville veta av ledde till att Nya Holland lämnades utanför spekulationerna om Sydkontinenten. Men nu var man inne i upplysningen, nyttotänkandets och naturforskningens 1700-tal. *Terra Australis* kunde omöjligen förbli en gåta i en tid då naturens tre riken togs i besittning av vetenskapen. De kanske mest lysande företrädarna för 1700-talets forskariver utgjordes av kretsen kring blomsterkungen Carl von Linné i Uppsala. Impulserna från den oansenliga lärdomsstaden i det undanskymda Sverige skulle bli av betydelse också för stillahavsområdets utforskande.

Linnés vetenskap var mer beskrivande än analyserande. Uppgifterna var helt enkelt för många för att ge rum åt teorier och hypoteser. Och hur skulle man annars hinna med att systematisera det förvirrande kaos som kamouflerade den storslagna planritningen i Guds rike? Därför befann sig linneaner på ständiga exkursioner och upptäcktsresor. Oftast gällde forskningen flora och fauna i Sverige men ett stort antal av Linnés lärljungar riktade med tiden intresset mot den stora och okända världen. I det sammanhanget framstår Carl von Linné som en naturvetenskapens Messias vilken sänder ut sina lärjungar i världen och snart leder 1700-talets tävling om jordens utforskande. Således reste Pehr Osbeck till Fjärran Östern. Fredrik Hasselquist åtog sig att utforska Främre Orienten medan Petrus Forsskål förgicks i Lyckliga Arabiens kvalm. Pehr Löfling reste till Sydamerika, Pehr Kalm till Nordamerika och Carl Peter Thunberg ägnade sig åt Kaplandet och Japan. Längst reste stillahavsområdets utforskare Daniel Solander och Anders Sparrman.

Daniel Carlsson Solander kom från en norrländsk präst- och lärdomssläkt och föddes i Piteå 1733. Som sjuttonåring for han till Uppsala där han övergav de humanistiska studierna för naturvetenskapen och professor Linné som så småningom gav honom vitsordet "den quickaste jag haft i min tid". Ingen kunde vara bättre skickad än norrlänningen Solander för fältstudier i Pite lappmark. Exkursionen dit 1753 blev något av hans gesällprov som botanist. För att ytterligare meritera sig och bygga ut kontaktnätet mellan Uppsala och stora världen reste Solander våren 1759 till England, naturvetenskapens förlovade land. "Jag har vårdat honom som en son, under mitt eget tak", skrev Linné om den man som omedelbart började etablera sig i Londons lärda värld. Den utsände aposteln för Linnés sexualsystem fann sig så väl till rätta i England att han tackade nej till erbjudandet 1762 att bli lärofaderns efterträdare i Uppsala. En personlig anledning till att Solander inte återvände till Uppsala kan man ana bakom hans olyckliga kärlek till Linnés dotter Elisabeth Christina, som tydligen aldrig tilläts besvara Solanders låga och 1764 giftes bort med en adlig officer.

Daniel Solander. (Kopparstick National Maritime Museum, Greenwich)

En livsavgörande bekantskap gjorde Solander 1767 då han, troligen på British Museum där han tjänstgjorde som biträdande bibliotekarie, lärde känna Joseph Banks. Denne lärde mecenat hade blivit naturvetenskapens fånge redan under studietiden i Eton, Oxford och Cambridge. Vid Soho Square i London skapade han 1776 ett naturhistoriskt privatmuseum och bibliotek som blev centrum för tidens botanister och zoologer. Linneanen Solander var en betydelsefull kontakt för Banks, vilket ledde till livslång vänskap och den längsta expedition någon svensk dittills deltagit i.

Engelska amiralitetet och det vetenskapliga The Royal Society, som Banks tillhörde, hade vid denna tid börjat planera en expedition till Söderhavet. Den officiella uppgiften var att från jordklotets baksida göra astronomiska observationer av planeten Venus passage över solskivan den 4 juni 1769. Detta unika fenomen skulle, hoppades man, ge exakta kunskaper om avståndet till solen, vilket i sin tur skulle underlätta sjöfararnas nautiska beräkningar. Man kom fram till att mätningarna bäst kunde utföras från Otaheiti eller Stora Tahiti, som den nyss hemvände jordenrunt-seglaren Samuel Wallis beskrev i hänförda ordalag.

Joseph Banks övertalade nu amiralitetet att få utrusta en vetenskaplig kår som skulle medfölja expeditionen. Själv satsade han 10 000 pund och drog ombord på barken Endeavour med nio medhjälpare. Den främste var Daniel Solander. Fyra konstnärer kontrakterades för att rita kartor och avbilda växter och djur. Som skrivare anställdes finländaren Herman Spöring, en professorsson från Åbo som bott elva år i London och bl a försörjt sig som urmakare. Den mångkunnige Spöring skulle bli ovärderlig under resan. Han fungerade inte bara som Banks och Solanders sekreterare utan var också en skicklig tecknare som avbildade många av de sensationella naturfenomen man mötte under resan, bl a kommer de första teckningarna från Nya Zeelands kuster från Spörings hand. Det var dessutom nära att linnélärjungen Henric Gahn kommit med på expeditionen. Joseph Banks hade obegränsat förtroende för naturvetenskapsmännen från Uppsala.

Världsomseglingen med Endeavour

Den 25 augusti 1768 avseglade historiens dittills bäst utrustade vetenskapliga expedition från Plymouth i England. Barken Endeavour under löjtnant James Cook var en renoverad kolskuta från Yorkshire på 33 meters längd och nio meters bredd. Denna flatbottnade och därmed grundgående fartygstyp som Cook lärt känna under sina lärlingsår på Nordsjön, ägde just de egenskaper som krävdes av ett expeditionsfartyg i okända vatten. Ombord befann sig 94 personer och proviant för 18 månader. Trängseln måste ha varit förfärlig och en stor del av utrustningen fick surras ovanpå däcket. Solanders hytt, som dock var en av de rymligaste, mätte 1,7 × 1,7 meter. I officerarnas rum kunde man inte stå upprätt och i manskapets kvarter skulle ett sjuttiotal karlar äta, sova och arbeta på en yta som verkat liten också för ett dussin personer.

13

James Cook. (Efter målning av Nathaniel Dance, 1776)

Endeavours befälhavare var en högrest, brunhårig 40-åring i bästa tänkbara kondition. Cook kände flottan från grunden, ty han var en av de få som arbetat sig upp den långa vägen. Den svåra karriären hade gjort honom principfast och viljestark på gränsen till känslokyla, men Cook var samtidigt tolerant och human i sina relationer till underordnade. Trots att han inte var lärd fungerade hans intellekt som den perfekte vetenskapsmannens. Cook var alltid objektivt iakttagande. Han registrerade omvärlden utan att blanda in känslor. Som befälhavare skulle han kunna liknas vid en havens Karl XII, lika förtegen och tillbakadragen, lika självsäker och ordhållig. Cook hade fått befälet över Endeavour därför att han var flottans bäste navigatör och en av dess skickligaste kartritare. Om inte Cook kunde bestämma ett fartygs position i okända vatten kunde ingen annan det heller, resonerade man. På många sätt var Cook långt före sin tid. Han var en av de första som gjorde positionsberäkningar med hjälp av 1767 års Nautical Almanac, vilken hjälpte navigatören att fastställa longituden med högst en kvarts felmarginal. Särskilt revolutionerande var Cooks åsikt att riklig tillgång på kött och grönsaker skulle hålla den fruktade skörbjuggen från skeppet. Därför förde han med sig väldiga kvantiteter surkål och hotade med spöstraff om inte manskapet åt sin dagliga ranson av grönfodret. Det fantastiska resultatet blev att inte en enda man dog av skörbjugg under den nära treåriga världsomseglingen.

Från England seglade Endeavour till Madeira, varifrån man sneddade Sydatlanten till Rio de Janeiro. Här ankrade man i slutet av november. Portugisiske vicekungen kunde inte begripa att ett så simpelt fartyg representerade engelske kungen och vägrade därför besättningen att gå iland. Enda undantaget gjordes för Solander som iklätt sig titeln skeppsläkare. I sina förhandlingar med de brasilianska myndigheterna konfronterades Cook och Solander med en Elias Chierlin från trakten av Mjölby. Chierlin var för tillfället fortifikationsofficer i vicekungens tjänst. Efter misslyckade studier i Uppsala hade han ägnat sig åt det militära och praktiserat krigskonst och fästningsbyggen på kontinenten. I London hade han stött ihop med äldre kollegan Jacob Funck, som då hade överstelöjtnants grad. Chierlin följde Funck när denne 1764 gick i portugisisk tjänst. Detta ledde till att svenskarna tre år senare förflyttades till de portugisiska kolonierna i Sydamerika, Funck med generals och Chierlin med kaptens rang. I ett brev till sin förre chef i Stockholm, överste J B Virgin, berättade Chierlin om det pinsamma uppdraget att tolka vicekungen när denne nekade engelsmännen att få landstiga. Chierlin insåg att de var vetenskapsmän och inte spioner men vad hjälpte det mot den obildade vicekungens misstänksamhet? "En botaniker är här ett okänt djur", beklagade sig Chierlin i brevet till överste Virgin. Förstod han själv att han för ett ögonblick trätt in i världshistorien? Chierlin kom så småningom att återvända hem. 1781 avled han svagsint och glömd i föräldrahemmet utanför Mjölby.

Cook hade inget annat att göra än att segla vidare mot Kap Horn. I mitten av januari 1769 kastade han ankar vid Eldslandet och Solander gav sig med Banks och några till ut på exkursion i bergen. Trots att det var sommar på södra halvklotet råkade de ut för svår snöstorm. Två män försvann i snöyran och det var på ett hår när att Solander frusit ihjäl i drivorna.

Utan intermezzon nåddes Tahiti där man tillbringade tre ljuvliga månader omgivna av 40 000 lika vänliga som tjuvaktiga infödingar. Längst gick kvinnorna i att hålla engelsmännen på gott humör. Man hade förvarnats av kapten Wallis som åtnjutit detta oförstörda naturparadis fröjder under fem veckor, men de tahitiska kvinnornas oblyghet övergick alla förväntningar. Cook, Banks och Solander var emellertid alltför upptagna av förberedelserna för de astronomiska observationerna för att hinna ägna dessa "kärlekens prästinnor" någon större uppmärksamhet. Ändå höll det hela på att gå i stöpet när man en dag upptäckte att huvudinstrumentet, en kvadrant, stulits av infödingarna. Man fick tillbaka den i bitar. Utan Herman Spörings mekaniska skicklighet hade kvadranten inte kunnat lagas och expeditionens huvuduppgift omintetgjorts.

När venuspassagen avklarats framträdde expeditionens andra syfte, det att försöka upptäcka Sydkontinenten. Sannolikt trodde James Cook inte på någon sådan men han seglade pliktskyldigast i sydvästlig riktning mot fyrtionde breddgraden. På detta sätt återupptäcktes Nya Zeeland i oktober 1769. För att bevisa att det okända landet inte var en nordlig udde av Sydkontinenten använde Cook det närmaste halvåret för att segla runt Nya Zeelands nord- och sydöar. Kustlinjerna kartlades, sundet mellan öarna namngavs efter Cook och man gjorde otaliga strandhugg för att samla växter, djur och stenar eller byta till sig etnografica från landets människo-

Otaheiti (Tahiti). (Kopparstick i A Sparrmans reseskildring)

ätande maorier. Under en av dessa exkursioner anfölls engelsmännen av ett stort antal maorier. Slutet hade mycket väl kunnat bli köttgrytorna om inte ett välriktat skott från Solanders bössa fällt hövdingen och därmed skingrat angriparna. Solanders insatser under utforskandet av Nya Zeeland odödliggjordes av Cook på ett för honom typiskt sätt: en av öarna utanför Sydöns södra kust fick namnet Solander Island. På samma sätt uppkallades en liten ö utanför nordön vid Tolaga Bay på östkusten efter Herman Spöring, Sporings Island.

Australien upptäckes

Sista mars 1770 lade Cook sitt fartyg på västlig kurs mot de områden där han visste att Van Diemens land och Nya Holland låg. Efter tjugo dagar siktades Australiens sydöstra udde och därifrån seglade man mot norr på jakt efter en vik att landstiga i. Den dittills okända baksidan av Nya Holland visade upp en ödslig kust med sandstränder och trädbeväxta sluttningar. Bränningarnas obrutna skumlinje tydde på att landet var fattigt på hamnar. Först efter åtta dagar öppnade sig en djup vik i landmassan. Här ankrade Endeavour och man gjorde i ordning storbåten för att gå iland.

Cook, Banks och Solander framstår som huvudpersoner i den landstigning som skulle medföra Australiens inlemmande i den västliga civilisationen. Operationen dramatiserades av ett tiotal kolsvarta infödingar, män, kvinnor och barn, som slagit läger i några riskojor uppe på stranden och varit sysselsatta med fiske och jakt när

16

tidlösheten stördes av Endeavours ankomst. Vad som hände den vackra höstdagen den 29 april 1770 har Cook själv beskrivit på följande sätt:

"Vi tänkte landa där vi såg folket och började hoppas att de, då de så litet brytt sig om fartygets ankomst, också skulle fästa sig lika litet vid vår landstigning. Härutinnan missräknade vi oss dock, ty så snart vi närmade oss klipporna, kom två av männen ned för att hindra landstigningen, medan de övriga sprang sin väg. Båda kämparna var beväpnade med ungefär tio fot långa spjut. De ropade till oss med mycket hög röst på ett strävt, illa ljudande språk, av vilket vi icke förstod ett ord. De svingade sina vapen och syntes beslutna att försvara sin strand till det yttersta, fastän de var bara två och vi fyrtio. Jag kunde icke annat än beundra deras mod och då jag ej ville öppna strid under så olika styrkeförhållanden, befallde jag båten att vila på årorna.

Vi gjorde så tecken till varandra under ungefär en kvart, och för att visa våra goda

Infödingar. (T Knös, Lifvet i Australien)

avsikter kastade jag till dem spik, pärlband och andra småsaker, vilka de tog upp och syntes belåtna med. Jag gjorde därpå tecken, att jag önskade vatten och bemödade mig på alla sätt att visa dem, att jag icke ville göra dem något ont. De vinkade till sist på oss men då vi ånyo började ro, kom de mot oss för att som det syntes sätta sig till motvärn. Den ene var en yngling på till synes nitton eller tjugo år, den andre en medelålders man. Då jag nu icke hade någon annan möjlighet, avsköt jag ett skott mellan dem. Den yngre tappade i förskräckelsen ett knippe spjut, vilket han dock ögonblickligen åter snappade till sig. En sten kastades mot oss, varpå jag befallde att ett hagelskott skulle avskjutas, vilket träffade den äldre i benen. Han rusade ögonblickligen i väg till hyddorna, men vi hann knappast lämna båten, innan han var åter. Vi förstod då, att han lämnat klipphällen blott för att hämta en sköld. Så snart han kom tillbaka kastade han och hans kamrat var sitt spjut, som föll mitt i vår tätaste flock, men lyckligtvis icke sårade någon. Ett tredje hagelskott avfyrades, varpå en av dem ånyo kastade ett spjut. Därefter sprang båda sin väg."

Denna européernas föga ärorika entré i Australiens historia kom att bli betecknande för de framtida relationerna mellan invandrare och urbefolkning. Med oförståelse och förakt skulle urinvånarna, aboriginerna, drivas undan från sina jaktmarker tills de en dag hotades av svältdöden ute i öknen.

Under en vecka stannade engelsmännen i den vik som de sannolikt på Solanders initiativ döpte till Botany Bay efter alla de botaniska upptäckter som här gjordes. Den södra udden vid infarten till Botany Bay fick namnet Point Solander. För Solander var det som att hamna på en annan planet. Vart han än blickade i detta naturvetenskapens eldorado upptäckte han okända växter och djur. Liksom på Nya Zeeland kunde Solander konstatera att inte bara växtarterna utan också släktena och familjerna var skilda från allt han tidigare skådat. Ingen botanist har varit lyckligare än Daniel Solander vid Botany Bay. Han och Banks gick omkring i ett magnifikt upptäckarrus. Naturen runt havsviken hade livats upp av höstregnen och framalstrat frodig växtlighet och ett intensivt fågelliv med färgsprakande papegojor bland eukalyptusträden och tusentals sjöfåglar kring den udde som nu döptes till Point Solander. Landet omkring Botany Bay verkade beboeligt med sina till synes bördiga grässlätter och välväxta eukalyptusträd. Dessa intryck skulle få stor betydelse arton år senare.

Cook beslöt att fortsätta norrut och därmed kartlägga Australiens ostkust. Man nådde Stenbockens vändkrets och började segla i skydd av Stora Barriärrevet. Klockan elva på kvällen den 11 juni gick Endeavour på grund och fick botten söndersliten. Som genom ett under klarade man sig från förlisning och fartyget drogs iland på en plats vid nutidens Cooktown. Under de två månader reparationen tog gjordes otaliga naturvetenskapliga observationer. Banks och Solanders män studerade mangroveskogar och infödingar med korta träsablar, dvs bumeranger. Här fann de havskrokodiler, sköldpaddor, dingos, flygande hundar etc. Solander fascinerades av manshöga termitstackar som han liknade vid runstenarna på uppsalaslätten och gjorde den första vetenskapliga beskrivningen av kängurun. Beskrivningen, som naturligtvis är på latin, förvaras bland Solanders övriga manuskript på British Museum (Natural History) i London.

Cooks karta över Botany Bay med Point Solander och Endeavour kölhalas 1770 vid Cooktown. (British Museum)

Cook insåg att Endeavour måste komma utanför revet om nya förlisningar skulle undvikas. Som genom ett under lyckades han hitta en ränna som tidvattnet gjorde precis lagom djup för Endeavour att slinka igenom. Inte långt därefter tycktes skeppsbrottet oundvikligt när vind och tidvatten drev fartyget mot korallreven men turen var åter på Cooks sida. Barriärrevet svängde nu i en vid båge ut mot havet vilket omöjliggjorde kartograferingen av kusten. Då överlistade Cook för tredje gången världens största korallrev och fann åter en öppning som fartyget kunde tränga sig igenom. Eftersom man nu befann sig vid Australiens nordligaste udde fortsattes seglatsen genom det sund som öppnade sig mot väster. Därmed upptäcktes Torres sund för andra gången och Cook kunde påvisa att Nya Guinea var skilt från Australien. Innan seglatsen fortsattes genom sundet hade brittiska flaggan placerats på en ö utanför Yorkhalvön och Cook hade tagit Australiens östkust i besittning för engelska kronans räkning. New South Wales var det namn denne historiens främste namngivare valde för de höglänta kuststräckor Endeavour seglat förbi.

Triumfen över framkomsten till Batavia i Holländska Ostindien sordinerades snabbt av de sjukdomar besättningen drog på sig i denna Orientens mest febersmittade stad. Särskilt svår var malarian som under seglatsens sista etapp skördade dödsoffer var och varannan dag. Herman Spöring var en av de många som dog och Solander var nära att stryka med. Den dödslista som börjat föras i Batavia omfattade 38 namn när Endeavour anlöpte engelsk hamn den 12 juli 1771.

Solander i London, Sparrmans resa

Världsomseglingen med Endeavour blev en sensation som gjorde Joseph Banks och Daniel Solander till berömdheter. De mottogs i audiens av George III, Solander promoverades till doktor vid Oxfords universitet och 1773 utsågs han till huvudbibliotekarie eller "Keeper of Printed Books in the British Museum". Kanske ändå betydelsefullare var att svensken blev föreståndare för Banks världsberömda naturaliesamlingar. Som sådan stod han i naturvetenskapens centrum med en given plats vid Banks omtalade torsdagsfrukostar och söndagssupéer, där naturalhistorien kalfatrades av världens vetenskapliga celebriteter. Betecknande för det engelska ståndssamhället är att expeditionens verklige ledare, kapten Cook, kom i bakgrunden för ståhejet kring den lärde ädlingen Banks och hans linnéanska assistent. Det aristokratiska England kunde inte glömma att Cook var en uppkomling som gått långa vägen. Resan med Endeavour var visserligen en bedrift men vad hade denne officer gjort annat än sin plikt? Cook var emellertid inte den som gick omkring och hängde läpp över samtidens otacksamhet. Kanske anade han att namnet James Cook i framtiden skulle överglänsa de flesta av Englands många stora sjöfarare?

Under återstoden av livet hade Solander händerna fulla med att ordna det enorma material som insamlats under världsomseglingen. Han skulle bl a författa texterna till en praktutgåva med 800 magnifika avbildningar av de växter och djur man upptäckt. Med stort intresse följde lärofadern Carl von Linné arbetet med den vetenskapliga redovisningen av expeditionen och han grämde sig ofta över Solanders svårigheter att få ut någonting i tryck. Särskilt upprörd blev Linné när Solander och Banks tänkte följa med Cook på dennes andra expedition till Söderhavet. Materialet från Endeavour kommer då att förstöras och glömmas bort, varnade Linné. Banks var emellertid missnöjd med de kvarter som erbjöds honom på Cooks skepp, varför han och Solander blev kvar på landbacken när Cooks andra världsomsegling inleddes den 13 juli 1772. Efter ett avbrott för en resa till Island kunde Solander fortsätta katalogisera materialet från Endeavour.

Solander distraherades också av de många sociala plikter berömmelsen lagt på hans skuldror. Saken blev inte bättre av att han trivdes i sällskapslivet kring Joseph Banks. Därmed inte sagt att Solander var lat. Fem foliokapslar med manuskript samt otaliga pärmar och lådor med anteckningslappar vittnar om svenskens flit. Däremot låg det stora verket om resan med Endeavour, det som skulle bli hans och Banks magnum opus, ofullbordat när Solander dog den 13 maj 1782 efter ett slaganfall. Mer än hundra år skulle det dröja innan delar av planschverket med Solanders texter publicerades i London.

Medan Daniel Solanders berömmelse breddade vägen för en lång rad svenska naturvetenskapsmän som fick tjänst hos Banks eller på British Museum, övertalades linnélärljungen Anders Sparrman att låta värva sig till Cooks andra expedition. Denne 24-årige prästson från Tensta i Uppland hade då vistats ett halvår i holländska Kaplandet som informator åt guvernörens barn. Men Sparrman var en bättre naturvetenskapsman än lärare och han grep nu tillfället att komma med på den expedition som kanske skulle uppdaga Sydkontinenten. I november 1772 gick

Anders Sparrman därför ombord på Resolution, det ena av expeditionens två skepp och det som Cook själv förde befäl över.

Australiens fastland berördes inte av denna historiens väldigaste upptäcktsfärd som skulle vara i tre år. Däremot landsteg man i oktober 1774 på Norfolkön, där enligt Sparrman "vi var de första människor som från skapelsen beträdde denna jord". Några år senare skulle denna ö få historisk betydelse som satellitkoloni till den första engelska bosättningen på Australiens fastland. Cook gjorde tre försök att forcera ismassorna kring det för honom okända Antarktis, verklighetens Sydkontinent, och den 17 januari 1773 passerades södra polcirkeln för första gången i världshistorien. Ett år senare nådde Cook 71° sydlig bredd, ett rekord som inget fartyg kunnat slå i denna del av Antarktis.

Anders Sparrman. (Svenska män och kvinnor, 1942—55)

När Resolution vände såg Sparrman till att han ställde sig så långt söderut som möjligt. Han kunde ju då skryta med att vara den människa som seglat längst mot söder. I övrigt gjordes nya strandhugg på Nya Zeeland, där tio man av Adventures besättning, expeditionens andra fartyg, blev överrumplade av maorierna och enligt Sparrman "dödade, stekta och uppätna". Kärlekens öar, som Sparrman kallade Tahiti, besöktes på nytt och man kryssade kors och tvärs över Stilla havets vattenvärld på jakt efter den Sydkontinent som Cook äntligen kunde förvisa till fantasins värld. Dagboksanteckningarna från detta storartade äventyr bearbetade Sparrman under en lång följd av år och fick publicerade först 1802 och 1818.

James Cook hade inga högre tankar om det område han givit namnet New South Wales och som sannolikt var den östligaste delen av Nya Holland. Trots sensationen kring Endeavours hemkomst verkade det som om upptäckten av Australiens östkust skulle falla i glömska. Redan efter ett år gav sig Cook ut på en bättre utrustad och mer omfattande expediton medan Solander och Banks hade händerna fulla med att ordna sina växter och anteckningar. Deras beskrivningar av naturparadiset kring Botany Bay eller de märkliga ting de skådat medan Endeavour reparerades kunde njutas som reseberättelser i tidens smak, men väckte knappast några tankar på kolonier och emigration.

Trots detta avseglade en flotta på elva skepp i maj 1787 från Portsmouth i England med Botany Bay som destination. Ombord befann sig ett tusental människor, varav tre fjärdedelar straffångar och resten befäl, sjömän och vaktmanskap, en del med hustrur och barn. Efter åtta månader och en vecka styrde denna "första flotta" in i Botany Bay för att anlägga den första europeiska kolonin i Australien. Expeditionens ledare, kapten Arthur Phillip, fann efter rekognoscering att viken lämpade sig bättre för naturvetenskapsmän än kolonister och gav därför order om att seglatsen skulle fortsättas ytterligare några mil norrut, där en betydligt större vik öppnade sig. Denna världens kanske bästa naturliga hamn döptes till Port Jackson. Längst inne i viken landsteg engelsmännen den 26 januari 1788. Landstigningsplatsen kallades Sydney Cove efter expeditionens upphovsman Lord Sydney. Nu kunde Australiens kedjade pilgrimsfäder lämna sina flytande fängelser för att ta världshistoriens genom tiderna största koncentrationsläger i besittning.

Vad låg bakom dessa egendomliga händelser som verkat otänkbara när James Cook seglade förbi sydneyviken utan att ge sig tid att utforska den? Den vanligaste förklaringen till att Storbritannien började sända straffångar till Australien är att man kort dessförinnan förlorat sina amerikanska besittningar. Dittills hade en stor del av Englands kriminella element deporterats till Amerika, men ett självständigt USA var naturligtvis inte villigt att ta emot fängelsekunder från London. Att deportationslandet i väster stängts resulterade i överfyllda fängelser. Det hjälpte inte att man placerade fångarna i straffarbeten eller låste in dem i avdankade skepp och gamla pråmar på Themsen. Något radikalare måste göras om inte landet skulle översvämmas av fångar. Att se över lagstiftningen och mildra de drakoniska straffen för stölder och småförseelser var tydligen otänkbart, åtminstone bland dem som styrde och ställde i 1780-talets England.

Återstod alltså att finna ett nytt deportationsområde. Problemet borde inte ha varit svårlöst, eftersom England fortfarande ägde Kanada och en rad öar i Västindien. Flera områden i Afrika var också möjliga, t ex Das Voltas Bay nära Orangeflodens mynning. Ändå stannade man för det avlägsna Australien, som dittills endast Cooks män besökt. Redan 1779 hade Banks pekat på möjligheten att deportera straffångar till Botany Bay men bakom ett utbyggt deportationssystem till jordens baksida måste ligga mer än behovet att befria England från fångar som snabbare och billigare kunnat skickas över Atlanten. I sin uppmärksammade bok *The Tyranny of Distance* (1966) pekar den australiske historikern Geoffrey Blainey på några andra motiv som tillsammans med straffångeproblemet riktade intresset mot Australien vid 1780-talets slut.

Under de utdragna krigen mot Frankrike efter franska revolutionen hade sjömakten Englands behov av trä till fartygsbyggen och master, lin till segel och hampa till tackel och tåg blivit alltmer påtagliga. Skeppsvirke, lin och hampa importerades av tradition från Ryssland medan mastvirket i allmänhet kom från Nordamerika. Under det krig som följde på de amerikanska koloniernas frigörelse hindrades emellertid importen av mastvirke. Samtidigt hotades den ryska handelsleden genom Östersjön av kriget med Amerikas bundsförvant Frankrike och östersjöstaternas handelsblockad. Särskilt oroat blev London när en rad östersjöstater, däribland Sverige, 1780 bildade en väpnad neutralitetsallians som hotade den livsviktiga importen av lin och hampa. Sjömakten Englands dilemma har liknats vid följderna av ett oljeembargo i våra dagar.

Nu blev några observationer från Cooks andra världsomsegling aktuella. På Norfolk Island hade han sett ett extremt långfibrigt lin som borde vara starkare än det östeuropeiska. Furorna på ön, Norfolk pines, tävlade med Nya Zeelands om att vara högst och rakast och skulle kunna ge världens bästa mastvirke. Norfolk Island låg visserligen lika långt från Botany Bay som avståndet mellan London och ryska gränsen, men varför inte kombinera fångdeportationerna med kolonier för att säkra tillförseln av råmaterial till Englands flotta? Med en koloni vid Botany Bay och en annan på Norfolkön kunde England också säkra sig mot fransk expansion i Stilla havet. Man skulle samtidigt få en framskjuten bas gentemot de holländska handelsintressena i Orienten. Planen förefaller fantastisk också för vår tid och den skulle sannolikt inte ha kommit till utförande om man prövat det lin och de furor som växte på Norfolkön – de skulle snart visa sig otjänliga för flottans behov. Ingen utom James Cook kunde heller föreställa sig det enorma avståndet till Australien. Ändå ger treenigheten deportering av fångar, import av fartygstillbehör och politisk långtidsplanering bästa förklaringen till "första flottans" avsegling från Portsmouth våren 1787.

Pionjärer i kedjor

"Första flottan" kom inte bara med kedjade kolonister, *convicts*, och deras vakter. Ur lastrummen lämpades redskap, livsmedel, utsäde och kläder. Vissa av fartygen tedde sig som Noaks ark, fyllda som de var av allsköns husdjur. I Kapstaden hade man t ex lastat in höns, kaniner, fyra getter, sju hästar, åtta kor, 28 grisar och 46 får. Lastens mångfald vittnade om att expeditionens organisatörer varit framsynta. Det mesta var dock märkt av den långa sjöresan och för första gången märkte man att ingenting kommer fram till Australien i det skick det lämnat gamla världen. Utsädet hade blivit fördärvat av fukt och hetta, djuren var utmärglade och maten hade börjat surna och mögla. Också manskapet var svårt medtaget. Nu skulle karlarna i den svåra januarihettan börja bygga bostäder och anlägga odlingar.

Banks hade haft rätt när han liknat Australien vid en mager ko med benknotorna utskjutande ur det skabbiga skinnet. Detta land tycktes inte ha någonting annat att bjuda på än hetta, flugor och törst. Inga frukter kunde plockas från träden, inga ätbara grönsaker växte ur den förbrända marken. Inget villebråd som man vågade äta syntes till. Inte ens havet ville erbjuda någonting ätbart. Marken var så hård att spadbladen böjdes medan yxorna studsade mot gummiträdens solida virke. Satte man sig att vila under de skuggfria träden gick omedelbart myror och flugor till angrepp. Var befann sig fåglarna och de prunkande växter Banks och Solander skrivit om? I detta värmedallrande landskap härskade endast tystnad och färglöshet. Stämningen blev inte bättre av att engelsmännen ständigt bevakades av osynliga infödingar. Röken från de svartas eldar steg upp i fjärran men deras närvaro märkte man endast på försvunna får eller kor.

Sannolikt har ingen koloniledare haft en svårare uppgift än Arthur Phillip. Med en handfull officerare och några hundra soldater skulle han klara av en situation som inte varit mycket värre om man landstigit på en främmande planet. Mot sig hade han den australiska naturen och ca 700 straffångar som när som helst kunde göra myteri. Absurt nog var Phillip omgiven av yrkestjuvar i en situation då alla förnödenheter måste ransoneras. Han tvingades också vädja till samarbetsvilja och lojalitet från män och kvinnor som var brännmärkta som samhällets fiender. Det gällde att styra med järnhård hand, se till att det utsäde som kunde gro kom i jorden, att kreaturen placerades i beteshagar och att människorna fick tak över huvudet. Vakterna vågade knappast sova av rädsla för att fångarna skulle göra uppror mot den hårda regim som var alternativet till undergång. Med söndertorkade läppar och hungern rivande i tarmarna började så historiens sällsammaste kolonister bygga upp det första samhället i Australien.

I mars 1790 när nästan en fjärdedel av kolonisterna avlidit, ansågs situationen så kritisk att 281 personer skeppades över till Norfolkön, där en koloni enligt planerna anlagts kort efter landstigningen i Sydney. Samtidigt försökte Phillip nå kontakt med civilisationen. Ett efter ett sände han ut sina skepp med order att leta sig fram till någon söderhavsö, där infödingarna var villiga att sälja livsmedel, eller finna vägen till Kapkolonin eller Kina. Bäst lyckades skotten John Hunter som seglade klotet runt utmed *The Roaring Forties*, nådde Kaplandet och återkom med skeppet fullastat av livsmedel. Andra skepp gick under eller måste vända tillbaka. Dessa seglatser i panik för att skaffa livsförnödenheter blev begynnelsen på Australiens handelsförbindelser. En led gick med västvindarna i seglen jorden runt till Sydafrika, en annan beskrev den enorma halvcirkeln runt Nya Guinea till Batavia, Calcutta eller Canton medan andra handelsvägar sammanknöt Sydney med Fijiöarna och Stilla havets övärld. Indiska och andra skeppare lockades in i detta australiska handelsnät och försåg därmed kolonin med livsmedel under de långa perioder då den tunna navelsträngen med moderlandet verkade avbruten.

När den gamla skorven Lady Juliana anlände från England den tredje juni 1790 visade sig frakten bestå av deporterade kvinnor. Förhållandena var sådana i kolonin att inte ens 200 kvinnor kunde göra kolonisterna glada. Det enda de tänkte på var

Anfall på nybygget. (K S Inglis, The Australian Colonists, 1974)

att kvinnorna var sjuka, utmärglade och således förutbestämda att ligga kolonin till last. Ankomsten av de övriga fyra skeppen i denna "andra flotta" innebar att befolkningen kring sydneyviken fördubblades. Ett år senare fördubblades numerären igen när ett dussintal skepp anlände i tät följd. Därmed var Australiens urkoloni etablerad.

Guvernör Phillip hade svårt att se en framtid för Australien så länge man enbart satsade på deporterade kolonister. Trött och besviken återvände han till England i slutet av 1792. Andra guvernörer tog vid och byggde vidare på Phillips hårdköpta erfarenheter. Man lärde sig överleva under den långa period (1793–1815) då navelsträngen till England blev ändå sprödare genom krigen mot Frankrike. Vildmarken runt Sydney tämjdes, man fick åkrarna att blomstra och boskapen att föröka sig. När det nya seklet inföll visste koloniledningen att de 5 000 människor som befolkade Sydney med omnejd skulle överleva. Men man kunde inte lova att nödåren var slut. Så säker var inte situationen för jordklotets mest isolerade europeiska bosättning. Det har beräknats att kolonin under sina första tolv år kostade moderlandet en miljon pund, en kostnad som skulle ha blivit mycket högre om inte kolonisterna själva upprättat handelsförbindelser med omvärlden.

I början av 1800-talet hade Australien blivit Englands viktigaste förvisningsort. Utsikten att fly från detta Söderhavets Sibirien var minimal. Däremot kunde man arbeta sig till frihet och en bättre tillvaro än den man lämnat bakom sig i England. Redan guvernör Phillip frigav fångar och anvisade land. Erfarenheterna hade lärt honom att hoppet om rehabilitering kunde göra också slavarbetare till lojala medborgare. Inte så få *convicts* slutade som välmående hantverkare eller småbrukare. En ny samhällsklass av frigivna började växa upp i sydneykolonin.

Handelsförbindelser säkrar överlevnaden

Om civilisationen på kustslätten kring Sydney hade börjat rota sig kvarstod svårigheterna att upprätthålla kontakterna med Europa. Det stora problemet var att de fartyg som anlöpte Sydney måste segla därifrån i ballast. Australien hade så lite som omvärlden frågade efter och ullbalarna var ännu inte tillräckligt många för att fylla de returgående skeppen. Tranolja, sälskinn, sandelträ och de andra produkterna från Tasmanien och Söderhavet som lagrades i Sydneys hamnmagasin, räckte heller inte till att fylla lastrummet i ett stort fartyg. För att göra en seglats till Australien ekonomiskt försvarbar måste en skeppare därför fortsätta till Orienten. Från Sydney seglade han vidare till tehamnen Canton i Kina, till Calcutta eller Batavia, där han lastade silke, kryddor och andra för orienten typiska varor. Inte bara engelsmännen upptäckte fördelarna med denna tvåstegshandel. Amerikanska fartyg blev vid 1800-talets början allt vanligare i Sydneys hamn. Dessa "teskepp" kom med livsmedel, trävirke och rom och seglade vidare med ull, fijianskt sandelträ och några tunnor tranolja. En tid kunde de stanna vid Tasmanien för att klubba säl innan seglatsen fortsattes till Kinas tehamnar.

Antagligen hade Australiens handelspolitiska situation varit hopplös utan *The Roaring Forties*, västvindsbältet som lekande lätt blåste fartygen från Kaplandet till Australien och tillbaka därifrån via Sydamerikas Kap Horn. *The Great Circle Route* kallades denna hypersnabba sjöled i de höga latituderna runt Antarktis. Det var stormiga och farliga vatten med vågor höga som berg och landskap av kringflytande isberg. Men dödsföraktande skeppare utnyttjade "the brave west winds" till det yttersta och nådde hastigheter som varit otänkbara utanför området mellan 40:e och 60:e breddgraderna.

En rad geografiska upptäckter kring sekelskiftet 1700/1800 gjorde Australien mer lättillgängligt än tidigare. George Bass och Matthew Flinders visade t ex att Tasmanien var skilt från fastlandet av ett brett sund och Flinders kartlade passagen kring det farliga Barriärrevet och genom sundet mellan Australien och Nya Guinea. Därmed öppnades två segelleder som var avsevärt kortare än de gamla. Tasmanien visade sig vara ett utmärkt jordbruksland vattnat av floder och omgivet av hav som vimlade av val och säl. Detta ledde till kolonisering från 1803 och stora aktiviteter från engelska och amerikanska säl- och valfångstfartyg. 1820 hade Hobart hunnit bli Australiens näst största hamn och en stor del av landets vita befolkning hade flyttat till Tasmanien.

Behovet att utplacera straffångar och sökandet efter goda hamnar som behärskade viktigare flodmynningar blev vägledande när man en bit in på 1800-talet började anlägga dotterkolonier till Sydney. Bland de växande skarorna deporterade fanns alltid ett särskilt hårdkokt och asocialt element. Koloniledningen kom på idén att de oförbätterliga kunde deporteras en andra gång och användas för att bygga upp nya städer. På det sättet uppkom mellan 1803 och 1824 Newcastle, Port Macquarie och Brisbane, vilka alla låg utefter kusten norr om Sydney med Queenslands blivande huvudstad Brisbane längst i norr. Detta ekonomiska radband fick sin viktigaste länk när Melbourne 1835 anlades vid Yarraflodens mynning innanför Port Phillip Bay i Australiens sydöstra hörn. Omkring dessa städer uppstod jordbruksbygder som mest liknade oaser i vildmarken.

En ny typ av kolonier kom till 1829 och 1836 då områdena kring Swanfloden vid dagens Perth i Västaustralien och Adelaide i Sydaustralien började uppodlas. Dessa kolonier grundades av kapitalstarka män som drömde om att skapa jordbrukssamhällen för vanliga emigranter enligt amerikansk modell. Utposterna i söder och väster hade också strategisk betydelse, eftersom de markerade engelsmännens intresse av hela landet — 1820 annekterade Storbritannien hela Australien.

Inlandet öppnas för fåravel

Erövringen av inlandet visade sig betydligt svårare än koloniseringen av kustbygderna. Det avståndens tyranni som Geoffrey Blainey anser så typiskt för Australien, betingades i hög grad av bristen på segelbara vattenleder. Australien har förvisso mäktiga flodsystem och sjöar, men de sinar under de långa torrperioderna. Dessutom är de mestadels för grunda för båtar och pråmar. Ingen segelbar flod bryter sig genom kustbergen mot kontinentens centrum. På den enorma platå som kustbergen omsluter, finns inte några sjösystem. Inga havsvikar eller fjordar tränger in mot kontinentens centrum. Ingenstans har det lönat sig att gräva kanaler. I Australien var det otänkbart att som i Amerika frakta avkastningen från inlandets jordbruksbygder med båt. Inlandets ökenartade beskaffenhet gjorde för övrigt alla tankar på organiserad kolonisation överflödiga. Därför utvecklades Australien till ett land med befolkningen koncentrerad till landets sydöstra delar, "boomerang-kusten", och ett fåtal andra odlingsbygder i Queensland, Västaustralien och på Tasmanien. Så tidigt som 1850 var Australien världens mest urbaniserade land med fyra av tio invånare i kuststäderna.

För att existera måste emellertid kustborna erövra inlandet till en viss del. Denna erövring inleddes när man 1813 överskred Blå bergen, bergskedjan som dittills satt en västlig gräns för sydneykolonin. På andra sidan kustbergen mötte savannliknande grässlätter, som lämpade sig utmärkt för fåravel och boskapsskötsel. 1805 hade den äventyrlige officeren John Macarthur visat vägen genom att anlägga den första stora fårstationen. Han importerade en flock merinofår och visade att man i Australien kunde producera lika bra ull som i Schlesien eller England. Besegrandet av Blå bergen och öppnandet av inlandet gav en fenomenal puff åt den utveckling Macarthur inlett. 1813 fanns det 50 000 får i New South Wales, ett antal som vuxit till 290 000 åtta år senare. 1851 räknade den australiska fårstammen 16 miljoner huvuden. Ullproduktionen stimulerades av textilindustrierna i England som från 1830-talet aldrig tycktes få nog av ullbalar. Fåren var praktiska på så sätt att de bar sin produktion på ryggen. Fåruppfödaren kunde driva flocken ned till kusten innan han gav klartecken åt ullklipparna. Men även om man nöjde sig med att skörda ullen vid fårstationen inne i landet låg ullpriset så högt att transportkostnaden betalade sig. Före guldgrävarepoken ansågs således ull ha ett 10–20 gånger högre värde än spannmål.

Trots att djuren gick ute året runt på landområden som regeringen upplät så gott som gratis var fåraveln ingenting för män utan kapital. Stora investeringar krävdes för att etablera en bärkraftig flock och stängsla betesmarkerna. En ny fåruppfödare kunde få ligga ute med krediter under upp till tre år innan den första ullskörden nått England och betalningen Australien. Fåruppfödaren måste ständigt tänka på att det fanns tillräckligt med bete åt flocken som beräknades fördubbla sig över fem år. Han blev en nomad som alltid ansåg sig ha för små betesmarker. En mer typisk företrädare för extensivt jordbruk är svårt att tänka sig. Fåravelns Australien blev ett land med få grannar och väldiga avstånd mellan fårstationerna. I inlandet fann man sällan de nybyggarenklaver och den gemenskap mellan grannar som var så typiska för Amerika.

Landet bakom Blå bergen var också utmärkt för boskapsuppfödning eller odling av vete och majs, men utvecklingen hämmades av avstånden. Hur skulle man bära sig åt för att frakta kött eller till överkomligt pris köra spannmål till hamnmagasinen? Tidsvinnet blev så stort att köttet förstördes och fraktkostnaderna låg för högt för att det skulle löna sig att köra veteforor. Överproduktionen fick brännas. Av sådana anledningar förblev Australien livsmedelsimportör till in på 1840-talet, då Sydaustralien etablerade sig som landets kornbod. Fram till guldgrävartidens femtiotal förblev ull och fårtalg de enda nämnvärda exportvarorna från Australiens inland.

"Avståndens tyranni" gjorde det alltså under lång tid oekonomiskt att utnyttja inlandet till annat än fåravel. Därmed fördröjdes Australiens utforskande och kustbygdernas ekonomiska dominans förstärktes. Urkolonin Sydneys övertag bestod långt fram i tiden. Så sent som 1821 beräknades 70 % av Australiens får och 80 % av kreaturen beta inom en 64 kilometers zon från Sydney räknat. Endast 2 000 av kontinentala Australiens 30 000 vita bodde då utanför sydneyområdet, ytterligare nära 15 000 fanns på Tasmanien.

Straffångesystemet avvecklas för fri invandring

Utan straffångesystemet skulle Australien haft ytterst få nybyggare när guldrusherna utbröt 1851. Man har beräknat att endast 7 000 fria emigranter anlänt till Australien före 1830, vilket innebär att den överväldigande majoriteten av landets då 70 000 innebyggare antingen var straffångar eller barn till sådana. Av detta följer att man hade kedjefångar att tacka för de flesta framstegen. Fångar eller frigivna vaktade får- och kreaturshjordarna, de byggde vägar och hus, arbetade på kolonins gårdar utanför Sydney eller var utackorderade till enskilda, vilka endast bestod med mat och en säng. Städernas hantverkare och industriarbetare rekryterades från *convicts* eller f d straffångar som också försåg administrationen med skrivare och lägre tjänstemän.

Det är osäkert varför England trots så stora framgångar med straffångeinstitutionen 1840 beslöt att sluta förvisa folk till Australien. Till en viss del kan man ana humanitära motiv, men det troliga är att London ansåg att Australien nu kunde utvecklas med hjälp av sina egna resurser och att dessa räckte till för att attrahera vanliga emigranter. Straffångesystemet avvecklades emellertid inte i en handvändning. Fram till 1852 fortgick deporteringarna till Tasmanien och Norfolkön och 1850—1868 sändes inte mindre än 10 000 manliga fångar till Svanflodskolonin i Västaustralien. När deporteringarna äntligen upphörde 1868 hade i allt 162 000 straffångar skickats till Australien.

Varför skulle en fri man emigrera till Australien när Amerika fanns? En jämförelse mellan de två emigrationsmålen talade onekligen till Australiens nackdel. Resan dit tog flera gånger längre tid än till Amerika och den var tre eller fyra gånger dyrare. Under månader måste emigranterna sitta sysslolösa och utan inkomst. Väl framme erbjöds han om tiderna var goda både arbete och land, men lönerna var lägre än i USA och jordbrukslandet låg inne i den förtorkade bushen. Eftersom jordbruk enligt europeisk modell var omöjligt på de flesta håll måste emigranten köpa får eller boskap för att grunda en station ute i bushen. Som vi sett var emellertid detta en gärning för kapitalister. Därför rekryterades pionjärtidens lantbrukare ofta från engelska medel- eller överklassens söner. Dessa gentlemän kom för att spekulera i billiga betesmarker och billig arbetskraft. De blev storgodsägare i bushen och grundade ett slags aristokrati i vildmarken.

Före guldrusherna kom vanliga emigranter till Australien för att de erbjöds fri resa eller för att de helt enkelt var dåligt informerade och aldrig fått klart för sig hur dåligt Australien var som den fattige mannens alternativ till Amerika. Ändå beräknas 200 000 fria emigranter ha anlänt mellan 1831 och 1850. En sådan invandring hade varit omöjlig om inte Australien lockat med *assisted passage* eller fria resor. Särskilt viktiga i detta sammanhang var de teorier Edward Gibbon Wakefield satt på pränt under en vistelse i Newgate-fängelset i London vid 1820-talets slut. Kanske var det lättnaden över att inte deporteras till Australien som fick honom att fundera över detta lands behov av arbetskraft. Wakefields recept var att sluta dela ut land gratis och istället ta rejält betalt och investera vinsten i passagerartrafiken. Emigranterna skulle med andra ord få resan gratis men måste betala för sitt land. Dessa teorier tilltalade i allra högsta grad storgodsägare och industrifolk som automatiskt skulle förses med billig arbetskraft när emigranterna insåg att de inte orkade med landpriserna.

Wakefields idé sattes först i system i Sydaustralien, där man började sälja land för 12 shillings per acre. Det hela ledde omedelbart till spekulationer i landpriser och de stolta planer man haft för kolonin ströps i sin linda. Det var uppenbart att emigranterna inte kunde konkurrera med kapitalister när det gällde landköp. Ändå infördes systemet i övriga Australien. När så får- och boskapsuppfödarna tvingades börja lösa in betesmarkerna hamnade också de under det ok Wakefield lagt på Australiens lantbruk. Idén om fri invandring i utbyte mot jordbruksmark som kostade pengar gjorde att Australien inte kunde konkurrera med USA om utvandrare som ville skaffa sig egna *homesteads*. De farmaremigranter som hade något förstånd i huvudet avstod från Australien när de fick höra att den antipodiska jorden på 1860-talet kunde vara ända upp till 80 gånger dyrare än Amerikas. De många som var för fattiga för att betala fraktkostnaderna till Amerika, lockades däremot av de billiga resorna till Australien. På annat sätt kan man knappast förklara Wakefield-systemets framgångar — strax före guldrusherna hade flera fria än *convicts* anlänt till Australien. Emigrantsubventioneringen inskränktes emellertid mer och mer. Städernas arbetare var motståndare till fri emigration och röstade därför på politiker som lovat se till att landpengarna istället gick till vägbyggen och skolor. På detta sätt urholkades Wakefields idé om fria resor. De höga landpriserna stod dock kvar och påverkade samhällsutvecklingen fram till våra dagar.

En av tankarna bakom subsidierad invandring var att motverka den sneda könsfördelningen — under straffångeperioden räknades fem män för varje kvinna. Wakefield hoppades nu att gratis passage till Australien skulle locka många familjer och ensamstående kvinnor. På denna punkt tycks han ha kalkylerat riktigt, eftersom man strax före guldrushen 1850 kunde räkna 143 män på 100 kvinnor. Mansöverskottet förstärktes tillfälligt av guldrusherna. Först 1916 skulle Australien uppnå en jämn könsfördelning.

The convicts och samhällets mentalitet

Under Australiens första halvsekel utgjordes som nämnts den största befolkningsgruppen av straffångar. Inget av européerna uppbyggt samhälle kunde uppvisa en märkligare social struktur. Flertalet fångar hade deporterats på 7—14 år eller på livstid. De kom oftast från industrialismens bakgårdar och hade dömts för stölder, förskingringar, dråp eller mord. En och annan irländare hade deporterats av politiska skäl. Ungefär var femte *convict* var kvinna.

De deporterades lidanden varierade med arbetsplatserna. De som hamnade i privat tjänst kunde behandlas som familjemedlemmar men också få utstå hugg och slag. *Convicts* i statlig tjänst hade de likvärdigaste men också strängaste villkoren med nio timmars arbetsdag och vakter som inte lade fingrarna emellan. Flertalet vakter var övertygade om att piskrapp behövdes och att "röd skjorta", dvs en sönderrappad rygg, var fångarnas bästa morot. Av sådana anledningar lär inte mindre än två miljoner piskrapp ha utdömts i New South Wales mellan 1830 och 1837.

De fångar som betraktades som särskilt farliga sammanföstes i gäng, där de fick

Straffångar i arbete. (K S Inglis, The Australian Colonists, 1974)

bära fotbojor och marschera till och från arbetet fastkedjade i varandra. Sådana särskilt påpassade *chain gangs* utförde det hårdaste arbetet som att bygga vägar och bryta upp stubbar. Gjorde sig en fånge besvärlig kunde han dömas till förfärliga piskstraff eller deporteras till de nya kolonierna norr om Sydney. Den mest fruktade deportationsorten var det grymma fånglägret Port Arthur på Tasmanien. Guvernören kunde benåda skötsamma fångar. I annat fall fick fången tjäna ut sitt straff fram till den dag han fick rätt att arbeta för lön men med begränsad rörelsefrihet. Slutligen blev fången en frigiven "emancipist" eller friman som kunde slå sig ned var som helst eller återvända till hemlandet.

Det var ofrånkomligt att straffångeinstitutionen skulle brutalisera mentaliteten i det äldsta Australien. Hatet mellan *convicts* och fångvaktare dallrade i luften betydligt längre än middagshettan. På bägge sidor var man övertygad om att motparten saknade människovärde. Som i alla andra fångläger utvecklade fångarna en egen hederskodex enligt vilken de mest förhärdade och därmed motståndskraftigaste blev de högst ansedda. Dryckenskap och homosexualitet eller övergrepp på kvinnliga medfångar hörde till vanligheterna.

Även bland de fria kolonisterna härskade misstro och moralisk upplösning. Efter den plikttrogne Phillips avgång som guvernör inträdde en period då skrupelfria

31

officerare tog makten och skodde sig så långt det var möjligt i ett utfattigt samhälle. Särskilt stora pengar gjorde officerarna på att lägga under sig försäljningen av bengalisk och amerikansk rom, ölets föregångare som nationaldryck och ett tag t o m gångbar som valuta.

Squatters and selectors

Hatfyllda straffångar och korrumperade officerare gav dålig grogrund för en demokratisk utveckling. Länge verkade det som om den naturnära medborgarfriheten kring odlingsgränsen enbart skulle bli en amerikansk företeelse. Australiens fysiska beskaffenhet tycktes motarbeta nybyggardemokratin. Vi har sett att avstånden och frånvaron av naturliga kommunikationer gjorde det svårt för den traditionelle nybyggaren att klara sig. Den australiska bushen passade inte för intensivt småjordbruk. Detta var ett land för kapitalstarka lantbrukare som kunde bygga upp stora boskaps- och fårhjordar och hade råd att i åratal vänta på utdelning. Skulle man bli veteodlare i Australien gällde det att ha stora reserver för långa torrperioder eller naturkatastrofer som präriebränder eller översvämningar. Av sådana anledningar drogs kapitalstarka engelska bättre-mans-barn till lantbruket i pionjärtidens Australien. Som i moderlandet splittrades landsbygdens befolkning i besuttna och obesuttna.

Den sociala klyftan mellan grupperna var under lång tid för djup för att befrämja samarbete och förtroende. I Australien kallades de besuttna lantbrukarna oftast för *squatters*. De satt på en får- eller boskapsstation som de friköpt och hade skaffat sig en licens som gav dem rätt att utnyttja enorma sträckor kronland till betesmark. Den fria invandringen blåste emellertid under oppositionen mot *squattern* och han beskylldes för att hindra vildmarkens uppodling. Fårfarmaren lämnade endast avbetade buskar, tistlar och bruna fält efter sig, sade man. Allteftersom antalet kapitalsvaga invandrare med håg för jordbruket ökade tvingades politikerna lyssna på småbrukarrörelsen. I ett försök att tillmötesgå vanliga jordbrukare bestämde koloniregeringarna att vilken som helst skulle få rätt att ta upp nybygge i bushen. Dessa *selectors* eller "utväljare av land" står så nära en amerikansk nybyggare som man kan komma i Australien. I allmänhet lade de beslag på 40—320 acres regeringsland som de skulle odla upp och avbetala under 3—20 år. Eftersom också större delen av squatterlandet formellt tillhörde kronan hade en *selector* full rätt att slå sig ned på mark som *squattern* ansåg sig ha förfoganderätt över. Om en *selector* var särskilt illvillig kunde han bygga sitt hus inom synhåll för *squattern*, vilket ledde till svårartade konflikter.

Sett i stort var emellertid *selectorn* en obetydlig fiende till den rike *squattern*. Eftersom han i regel måste erlägga en kontantinsats — den kunde uppgå till femtedelen av farmens pris — var han svårt skuldsatt. Han hade inga reserver för de motgångar som bushen förr eller senare hade till reds för nybyggaren. Om korna dog eller gräshopporna åt upp skörden skulle han inte klara sig till nästa säsong.

32

Även om *selectorn* varit jordbrukare före utvandringen var han novis på australiskt jordbruk och nästan alla jordbrukets göromål var olika mot i Europa. Av sådana anledningar övervann *squattern* ofta sin fiende utan att ens behöva lyfta handen. I staten Victoria misslyckades exempelvis majoriteten av de nybyggare som tog upp land under 1860-talet. De rika arrendatorer och godsägare som gick under beteckningen *squatters* behöll alltså makten även i den fria invandringens Australien.

DRÖMMEN OM AUSTRALIEN

Blomsterkungen i Uppsala måste ha varit bland de första i Sverige som blev närmare informerad om världsomseglingen med Endeavour och landstigningen i Botany Bay. Per korrespondens följde Carl von Linné bearbetningen av expeditionens resultat och han varnade för att de hemförda naturalierna skulle förstöras om de inte omedelbart prepareredes och beskrevs. Utanför professorshemmet i Uppsala förblev emellertid Australien länge okänt, om man undantar de svenskar som råkade läsa tidningarnas notiser om kapten Cooks första resa.

Ändå hörde Australien och Söderhavet till de ämnen som lätt kunde väcka en läsande allmänhets intresse. Reseskildringar var populära i gustavianernas Sverige och berättelser om nyss upptäckta länder, särskilt om de låg på klotets baksida, var förutbestämda att bli läsarnas favoriter. Intresset för reseskildringen blev ännu större under förromantiken, som vid 1700-talets slut gjorde sitt intåg i Sverige. Litteraturälskarna samlades då ofta hos någon välbärgad och vitter dam, där man höll läsesalong, dvs högläste ur någon av tidens bestsellers. Framför hemtrevliga brasor lästes om ädla vildar, eldsprutande vulkaner och andra fenomen som illustrerade filosofernas idéer om naturtillståndet som ideal. Ju längre bort naturparadiset låg, desto större uppmärksamhet kunde läsarinnan räkna med. En god reseskildring från Australien var idealisk i societetsdamens läsesalong.

Daniel Solander, som tidigast av alla borde ha kunnat upplysa landsmännen om sina antipodiska reseäventyr, var som vi sett knappast någon snabbskrivare, varför inga reseskildringar från hans penna var att räkna med. Dessutom hade han för alltid vänt ryggen åt Sverige, inte ens den närmaste familjen höll han kontakt med. Anders Sparrman, linnélärjungen på Cooks andra världsomsegling, hade ett kort avsnitt om denna resa i sin bok om Sydafrika 1783. Först 1818 blev han färdig med en särskild bok om upplevelserna i Söderhavet. Han hade då förekommits av diverse svenska översättningar och sammandrag om Cooks andra resa. Sådana översättningar blev den viktigaste litteraturen för dem som på eget språk ville ta del av de sensationella upptäckterna i söderhavsområdet. En sådan var Martin Eklunds översättning från 1776 av fransmannen de Frévilles *Berättelse Om de nya Upptäckter, som blifwit gjorde i Söderhafvet*, där Cooks första resa avhandlas. I Daniel Djurbergs talrika geografiböcker som började utges samma år, introducerades det fantasieggande maorinamnet Ulimaroa som beteckning på Australien. Djurberg gav också ut ett vackert kartblad över Stilla havet, där Australien bär namnet Ulimaroa.

På 1790-talet utgav linnélärjungen Samuel Ödmann tre resesammandrag, vilka byggde på engelska skildringar från Antipoden. En av dem var John Whites *Resa till Nya Holland, åren 1787 och 1788*. Ödmanns *Resor* blev mycket populära, inte minst bland ungdomen som dessutom kunde läsa om Australiens upptäckt i tysken J H Campes mycket spridda *Geografiskt bibliotek för ungdom* (1804–1816), där tre volymer behandlade resan med Endeavour. Älskarna av reseskildringar fick mellan 1810 och 1815 sitt lystmäte i månadstidskriften *Arkiv för Nyare Resor*, där man ibland stötte på material om New South Wales och Nya Holland.

Den som tyckte att australienlitteraturen på svenska var för tunn kunde gå till originalspråken och t ex beställa John Hawkesworths mycket lästa arbete från 1773 om James Cooks och andras upptäcktsfärder i Söderhavet. Man kunde också vända sig till mer kuriösa arbeten som N H Sjöborgs avhandling på latin *Polynesia detecta*. Denna 1807 i Lund tryckta bok hör till de märkligaste uttrycken för det svenska intresset för upptäckterna i stillahavsområdet.

Romeo och Julia i Australien

I mars 1816 skrev tidningen Allmänna Journalen om den expedition som tre år tidigare gått över Blå bergen i New South Wales och därmed öppnat Australiens inland för kolonisterna kring Sydney. Artikeln inspirerade den unge Carl Jonas Love Almqvist till den lilla romanen *Parjumouf. Saga ifrån Nya Holland* som utkom anonymt i slutet av 1817. Boken visar att författaren läst sig till en hel del om Australien. Namn såsom Botany Bay, Sydney Cove, Port Jackson och Blå bergen förekommer. Almqvist visste också att man seglade förbi stora sandstränder under infarten till Sydney och att trakterna innanför Botany Bay var "förfärande ödsliga". Däremot kände han inte till något om urbefolkningen eller kanske var det så att Australiens antropologi inte passade in i berättelsen om Ulimaroas ädla invånare! Enligt romanen befolkades nämligen landet bortom Blå bergen av ljushyllta indianer som motsvarade alla de krav en romantiker kunde ställa på "den ädle vilden". Ädlast och skönast av alla var den sensuellt barbröstade hjältinnan Parjumouf med "hy och skinn av bländande vithet". Naturförhållandena gick också stick i stäv med ögonvittnesskildringarna. Sedan de romantiskt blå bergen passerats för nämligen Almqvist läsaren in i ett hänförande Arkadien med friska ängar kring porlande vattendrag och ljuvligt skuggande bokskogar. Ingen törst eller torka råder i romantikens Ulimaroa.

I detta paradis spelar Almqvist upp ett drama som man skulle kunna kalla "Romeo och Julia i Australien". Kärleksparet har det lika svårt som hos Shakespeare, men de får hjälp av den kloka prinsessan Parjumouf som lyckas stifta fred mellan de älskandes släkter utan att kärleksparet därför behöver sätta livet till. Därmed ansåg sig Almqvist ha bevisat att en i europeiska ögon oupplyst "vildinna" som Parjumouf var kapabel till storslagna handlingar. Kanske naturtillståndet hellre än den kristna kulturen fostrade kloka och moraliskt högtstående människor, lyder frågan som den 24-årige romantikern Almqvist placerade i Australien. I övrigt är Parjumouf intressant som en första skiss till Tintomara, den ogripbara naturvarelse som i så många gestalter skulle befolka Almqvists framtida produktion. Som australienskildring har boken endast kuriosaintresse. Men den visar att Australien vid 1800-talets början var så okänt att en författare efter behag kunde fantisera om förhållandena därborta.

De första svenska invandrarna?

Hösten 1830 meddelade tidningarna att ett svenskt fartyg skulle avgå till Australien. Denna premiär för våra handelskontakter med det avlägsna landet genomfördes av "Svenska Skeppet Gouverneur Stirling, fört av kapten D E Högman med svensk besättning". Avresan skedde den 13 september och hade föregåtts av en större reparation. Besättningen uppgick till ett tjugotal man och målet var "den nya kolonien vid Svanfloden i Nya Holland". Påpassligt nog var skeppet uppkallat efter Svanflodens engelske upptäckare och Västaustraliens förste guvernör James Stirling. Förste styrman ombord var 20-åringen Carl Eberhard Sjöstedt, brukspatronsson från Bada bruk i Värmland. Längre fram i livet hamnade han på Tasmanien, varifrån han emigrerade till Nya Zeeland och blev stamfader för släkten Suisted.

I lasten ingick "elva här upptimrade hus innehållande från fyra till elva bonings- och andra rum, samt så konstruerade, att de inlastats söndertagna, för att efter nummer å varje del kunna vid framkomsten lätt åter sammansättas". Vår första direkta export till Australien var alltså av förvånansvärt modern karaktär. Monteringsbara trähus till det trädfattiga Västaustralien hade lika gärna kunnat utskeppas 1983 som 1830. Gouverneur Stirling fraktade också bräder, stångjärn, tjära och några roddbåtar. Tidningarna berättade att handelsexpeditionen var förenad med stora ekonomiska risker men att man hoppades på god vinst: "Kolonin skall vara i ett, efter dess ålder, ganska blomstrande tillstånd, landet bördigt och klimatet hälsosamt och behagligt." Den slutgiltiga destinationen var Batavia i Holländska Ostindien.

Gouverneur Stirling hade nio år tidigare byggts i Jakobstad i Finland och ägdes sannolikt av göteborgsfirman D Carnegie och Co. Hon var endast tredjedelen så stor som en normal ostindiefarare — 154 läster — och även mindre än Cooks Endeavour. Efter tre månaders uppehåll i Portsmouth i södra England seglade Stirling vidare i januari 1831. Hon hade då 23 emigranter ombord. Efter en händelselös seglats runt Godahoppsudden gled Stirling uppför Svanfloden i juni 1831. Fartyget var ett av de första som anlände till Västaustralien med emigranter och förnödenheter.

Emigrantgruppens ledare, George Cheyne, förde med sig ett omfattande dött och levande bohag som han efter ankomsten till Svanflodskolonin redogjorde för i en inventarieförteckning. Den förmögne skotten hade bl a med sig 18 merinofår, tre kor, lika många getter och en fårhund. Sensationell är förteckningen över Cheynes fem tjänare. De var alla svenskar och, med undantag för 28-åriga Petronella Strömberg, från Stirling avmönstrade sjömän. De manliga tjänarna var 28-årige jungmannen Börje Andersson från Alingsås, 24-årige jungmannen Peter Nilsson från Båstad, 15-årige skeppsgossen Arthur Edvard Sandström från Göteborg och 30-årige jungmannen Anders Norberg från Torsby i Bohuslän. Andersson blev snickare och var ett tag verksam i Albany i sydvästligaste Västaustralien. Anders Norberg är nämnd i 1836 års folkräkning, census, där han skrevs som ogift sjöman. Australiens sannolikt första svenska kvinna, Petronella Strömberg, till skillnad från de övriga ej antecknad i Stirlings besättningslista, gifte sig 1839 i Albany men dog samma år i barnsäng. Detta är allt vi i skrivande stund vet om de fem personer som inledde den svenska emigrationen till Australien.

Liljevalch, de första världsomseglingarna och tidig svenskaustralisk handel

Den skånskfödde grosshandlaren Carl Fredrik Liljevalch låg bakom vår första organiserade sjötrafik på Australien. Det var ingen tillfällighet att en fantasirik mångsysslare som Liljevalch skulle bli intresserad av Australien. Denne man, som inlett sin karriär i tonåren då han arbetade som handelsombud i St Petersburg och lyckades få audiens hos tsaren, betraktade de flesta näringsfång och handelsområden som potentiella guldgruvor. Liljevalch blev en av Stockholms ledande industriidkare och affärsmän och han lierade sig med en annan stor affärsman, redaktören Lars Johan Hierta, vilkens kamp i Aftonbladet för näringsfrihet och världshandel han stödde.

Liljevalch var en typisk representant för tidens liberala affärsmän. Inte bara utlandet utan också perifera svenska områden som Norrland och Gotland tilldrog sig hans intresse. Han blev en av de ekonomiska "klippens" föregångare i vårt land. Således lånade han pengar av staten och iklädde sig rollen som "Norrlands välgörare" genom att dela ut spannmål till den av missväxt drabbade landsdelen. Liljevalch förstod att utnyttja tacksamheten när han samtidigt gjorde stora investeringar i Norrland. På det sättet erhöll han ett inte föraktligt inflytande över norrländskt näringsliv och engagerade sig i en lång rad företag, främst sågverk och skeppsbyggeri. I Luleå startade Liljevalch skeppsvarvet Oscarsvarv som skulle få stor betydelse för hans rederiverksamhet. Senare i livet satsade han på torvmosseodlingar och kolonisation på Gotland.

Denne dynamiske affärsman utrustade sommaren 1839 den i Luleå byggda skonerten Mary Ann för resa till Australien. Det var ett mycket litet fartyg som endast lastade 63 svåra läster (192 tons lastvikt) och mätte ett tjugotal meter i längd. Liljevalchs bror Olof var vid denna tid verksam i Valparaiso i nutidens Chile, vilket sannolikt ledde till beslutet att låta Mary Ann från Australien fortsätta till Sydamerika och därmed bli den första svenska världsomseglaren. En världsomsegling var

Carl Fredrik Liljevalch.
(Svenska män och kvinnor, 1942—55)

Mary Ann står noterad i hamnjournalen för Sydney
den 1 maj 1840. (Mitchell Library, Sydney)

ett företag i Liljevalchs anda. Sverige var nämligen en av de sista europeiska sjöfartsnationerna som ännu inte sänt ett skepp jorden runt. Liljevalch såg därför till att Mary Ann fick en kraftfull befälhavare som han kunde lita på, nämligen 25-årige sjökaptenen Nils Werngren från Malmö.

Med sitt för en världsomsegling obetydliga fartyg avseglade Werngren från Stockholm den 29 augusti 1839. Besättningen utgjordes endast av nio man, "varav tre gossar", och lasten bestod av typiskt svenska varor som järn, plank och tjära. Efter att ha rundat Godahoppsudden seglade Mary Ann den första maj 1840 in i Sydneys hamn som det första svenska fartyg som någonsin angjort Australiens urkoloni. Sedan lasten lossats seglade Werngren en bit norrut till Newcastle, där australiskt kol lastades för Valparaiso, dit han anlände den 30 augusti 1840. Från Chile förde Mary Ann kopparmalm till England och under den sista etappen från Swansea i Wales till Stockholm skeppades 1 050 tunnor salt. När Werngren den tredje maj 1841 lät förtöja Mary Ann vid Skeppsbrokajen kunde han avlägga en fin rapport också över världsomseglingens affärsmässiga resultat.

Grosshandlare Liljevalch var nöjd, ty han gav omgående Werngren uppdraget att företa en ny resa till Australien. Den snabbseglande brigantinen Bull hade nyss löpt ut från skeppsvarvet i Luleå. Detta stolta fartyg på 77 svåra läster och ungefär 30 meters längd anträdde den andra australienresan för köpmanshuset Liljevalchs räkning den 20 oktober 1841. Lasten bestod av byggnadsmateriel, järn, stål, trävirke, tjära, vagnar och diverse redskap, och manskapet utgjordes av ett tiotal man, varav matrosen O J Pettersson från Luleå drunknade i Biscayabukten. I slutet av mars 1842 angjordes Adelaide och den femte maj Port Phillip, dvs Melbourne, där tre besättningsmän, N P Sjögren, C P Jacobsson och Lars Berting, nu inledde vad som skulle bli svensk sjömanstradition i Australien — de rymde från fartyget. I både Adelaide och Melbourne var Bull sannolikt historiens första svenska skepp. Till Sydney anlände hon den 11 juni.

Typiskt för den expeditionsartade karaktär en handelsresa till Australien hade på denna tid var att Werngren hyrde ut fartyget till en engelskägd firma stationerad i Macao och som handlade med infödingarna i Söderhavet. Under ett halvår förde Werngren sitt fartyg till Nya Caledonien och andra exotiska ögrupper för handel med infödingarna. Mot glasbitar, järnskrot och annat krimskrams bytte man till sig sandelträ, torkade sjögurkor och sköldpaddsskal, allt varor som var eftertraktade i Kina. Under sina vidlyftiga seglatser upptäckte Werngren i ögruppen Carolinerna en rad okända öar som han lätt kunnat ta i besittning för svenska kronans räkning. Men Karl XIV Johans fullmakt för att likt en svensk James Cook grunda svenska kolonier i Söderhavet saknades tyvärr. Sedan varorna avyttrats i Kina anträddes äntligen hemresan. Den andra september 1843 var Bull åter i Stockholm och Liljevalch kunde glädjas åt en ny kommersiell framgång.

Två månader före Bulls avsegling hade ett annat av Liljevalchs fartyg, skeppet Edward, hissat segel för Australien med 15 besättningsmän under befäl av skåningen E P Norman. Grosshandlaren hade nämligen nu utverkat statsunderstöd på 8 000 riksdaler banco för sina antipodiska seglatser mot att han sände minst två med svenska produkter lastade fartyg till Australien. Enligt Stockholms passjournal reste nio passagerare med Edward. De var alla hantverkare eller hantverksgäller, sannolikt från Stockholm. Vi skulle alltså här ha att göra med en andra grupp svenskar som utvandrat till Australien. Bakom emigrationen måste redaren Liljevalch ha stått. Rykten gick om att han tänkte grunda en koloni i Nya Holland och kanske själv utvandra.

Vi vet inget om de planer Liljevalch kan ha haft för de nio emigranterna på Edward. Med undantag för tapetserargesällen Carl Magnus Forssberg som vi skall möta i avsnittet om svenskarna i Sydney, och snickargesällerna Johan Telander och Nils Gustaf Brodien lägrar sig historiens tystnad kring de svenska män som landsteg i Sydney den 13 april 1842 och därmed sannolikt blev pionjärer för den svenska utvandringen till östra Australien. Det sensationella är att denna emigration skedde samtidigt med den första svenska grupputvandringen till USA — Gustaf Unonius emigrerade med hustru och vänner under sommaren 1841.

Förutom de nio passagerarna förde Edward en varierad last som ger oss exempel på vad ett svenskt köpmanshus vid 1840-talets början hade att erbjuda Australien. Utöver timmer, sågade trävaror, tjära, järn och granit lossades ett omfattande styckegods bestående av bl a 57 björkstolar, 72 sängar, fyra soffor, 100 stegar, 360 dörrar, 540 kvarnstenar, fem tunnor rödfärg och för Australien exotiska läckerheter som 132 renstekar och 615 rentungor. I lasten ingick dessutom en monteringsbar skonert. Nu bar det sig inte bättre än att Edwards superkarg eller lastuppsyningsman, Axel Robert Theodor Brunnius, lade beslag på de pengar man fått in på lastens försäljning och lämnade fartyget tillsammans med de nio emigranterna.

Den femte september meddelade Sydney Morning Herald att Brunnius satt segel och givit sig ut på haven med skonerten Sanspareille. Med sig på den vådliga färden hade han Johan Telander och Nils Gustaf Brodien. Mot all rim och reson lyckades de segla till Tahiti, där de ansökte om medborgarskap. I juni 1843 återkom Edward till Stockholm efter att ha avverkat den andra världsomseglingen i svensk sjöfartshistoria.

Liljevalch, som inte tyckte om att bli dragen vid näsan, gav nu trotjänaren Werngren uppdraget att spåra upp Brunnius och hans kumpaner. Detta ledde till den märkligaste världsomseglingen i svenska sjöfartens historia. Med Bull seglade Werngren den femte oktober 1843 med ny besättning och last till Sydney. Sedan man lossat bl a 45 tunnor tjära, 200 tunnor havre, 46 krukor honung, 783 trottoarstenar, 40 kaggar körsbärslikör och en mängd trävaror, inleddes straffexpeditionen mot Brunnius. Via Nya Zeeland seglade Werngren till Tahiti i Sällskapsöarna.

Den förrymde superkargen hittades i högönsklig välmåga i Papeete på Tahitis huvudö, men fransmännen som året innan erövrat öarna, vägrade att utlämna skojaren. I stället satte de Tahitis nyss avsatta drottning ombord på Bull och uppmanade Werngren att lyfta ankar. Efter långt parlamenterande lyckades den prövade kaptenen landsätta drottningen men priset blev att han måste segla vidare med oförrättat ärende. Superkargen Brunnius fick emellertid sitt straff. När han efter några år återvände till Sverige blev han galen och hamnade på Vadstena hospital 1850. Brunnius skall i sina svåraste stunder ha inbillat sig att han var sjörövarkapten. Den stackars mannen avled 1891. Om snickargesällen Telander vet vi endast att han i sin tur skall ha bestulit Brunnius på pengarna från Edward.

Nils Gustaf Brodien, som var född i Uppsala, etablerade sig som affärsman på Tahiti och blev längre fram delägare i en ångpress för framställning av kokosolja. Efter ett besök i hemlandet 1848 återvände han från Stockholm med sjutton unga hantverkare och drängar från olika delar av landet. Den nionde oktober hade Brodien gått i borgen för emigranternas passavgifter enligt anteckning i Stockholms passjournal. Den märkliga utvandrargruppens vidare öden är fortfarande till stor del okända, men en förteckning över dem finns bevarad från ankomsten till Tahiti i oktober 1849. Samma år utnämndes Brodien till svensk konsul i Papeete. Efter en tid på andra öar i Söderhavet gifte han sig med dottern till en engelsk missionär och blev far till många barn. 1887 avled den svenske äventyraren och begravdes i Raiatea på Tahiti.

Under fortsättningen av resan med Bull ägnade sig kapten Werngren åt en synnerligen vidlyftig handelsverksamhet som förde svenskarna tre gånger till Hawaii, förutom till Filippinerna, Kina, Kamtschatka och USA:s väst- och östkuster. Denna historiens förmodligen längsta svenska sjöresa kom att vara i nästan tre år och omfatta 55 000 distansminuter. Som jämförelse kan nämnas att Cooks andra resa, som gått till historien som ett världsrekord, omfattade 70 000 distansminuter. Efter återkomsten till Stockholm lämnade Nils Werngren Liljevalchs tjänst men inte sjön, där han länge än förde svenska fartyg. Som delägare och befälhavare på barken Jenny Lind återkom han till Australien 1854. Denna gång fraktade han 45 tyska emigranter till Sydney, vilket sannolikt är första gången ett svenskt fartyg gått i australisk emigranttrafik.

Grosshandlare Liljevalch fick snart flera konkurrenter i trafiken på Australien. Hösten 1840 seglade t ex den i Karlskrona sjösatta briggen Gurli för firman Kantzows räkning från Stockholm till Sydney. Efter att ha lossat nästan 4 000 tackor järn samt stål, spannmål och trävirke fortsatte hon till Batavia och vände åter till Stockholm. Gurli, som var en av den svenska handelsflottans snabbaste fartyg, genomförde hela resan på 16 månader, vilket ansågs vara en sensationell tid. Detta var den första av en rad resor som Gurli gjorde till Australien.

Sekreteraren för svenska handelskammaren i Sydney, Gustaf Lindergren, som 1931 undersökte stadens äldsta listor över inklarerade fartyg, fann också att barken Caledonia anlände från Göteborg i maj 1842. Redare var firma James Dickson & Co och kapten A Gavin befälhavare för denna premiärsegling mellan Göteborg och Sydney. Lasten bestod av bl a 3 700 järntackor från de värmländska bruken samt en hel del sågat virke och snickeriprodukter. En del av lasten fraktades vidare till Valparaiso, dit Caledonia anlände i slutet av augusti. Med chilensk kopparmalm fortsattes seglatsen till Liverpool, New Orleans och Göteborg. Därmed genomfördes ännu en svensk världsomsegling. Caledonia tycks ha befunnit sig i Sydneys hamn samtidigt som Edward och Bull. Detta märkliga rekord för våra tidigaste handelsförbindelser med Australien sattes i juni 1842. Caledonia kom att göra flera resor till Australien, bl a är hon antecknad i Sydneys skeppslista i juli 1846.

I november 1842 löpte barken Svea från Stockholm in i Sydneys hamn och under 1843 anlände barkarna Flora från Gävle och Svartvik från Göteborg med trälaster. Vid samma tid började svenska flaggan också bli synlig i Melbourne. Seglationen från Sverige till Australien var alltså betydligt livligare under 1840-talets början än man vanligen föreställer sig. Det var en trafik som stimulerades av Liljevalchs och andras förhoppningar att lägga under sig en ny marknad. Typiska svenska varor som trä, tjära och järn var redan på 1830-talet efterfrågade i Australien, vilket också gällde snickerier och andra produkter av svensk hantverksskicklighet. Liksom engelsmännen och amerikanarna kombinerade svenska skeppare exporten till Australien med import från Fjärran Östern. Australiska varor tycks ännu inte ha funnit väg till Sverige, något som före 1849 hindrades av brittiska navigationsakten, vilken förbjöd utförande av australiska varor på icke-brittiska kölar.

Anledningen till att den svenska trafiken på Australien gick ned under 1840-talets slut kan ha varit att fraktkostnaden inte längre ansågs stå i proportion till inkomsterna. Endast fem svenska fartyg har enligt Lindergrens undersökning noterats i Sydneys fartygsrullor under perioden 1845–1853. Melbourne började emellertid nu överta funktionen som Australiens storhamn och under femtiotalet tycks de flesta svenska fartyg i australientrafik ha destinerats till guldgrävarmetropolen. Under 1854 gästades således Melbourne av minst nio svenska fartyg och minst åtta under följande år. Bland de fyra svenska fartyg som anlöpte Sydney 1855 märktes Werngrens Jenny Lind, som då fungerade som emigrantfartyg, och Ebba Brahe, som seglat nära 400 emigranter från Plymouth till Sydney. Flera fartyg var kända från emigranttrafiken på Amerika, t ex barken Charlotte som anlöpte Sydney i maj 1855 och skonaren Minnet som samma höst besökte Sydney och Melbourne.

Endast fem svenska fartyg antecknades i Melbournes skeppsrullor för 1856 men 1857 kom minst sexton, och under vart och ett av de tre åren mellan 1858 och 1860 omkring tjugo. Bristfällig sjöfartsstatistik tillåter oss inte att följa de svensk-australiska sjöfartsförbindelsernas fortsatta utveckling. Det är emellertid uppenbart att det svenska intresset för Australien som handelsområde svalnade lika snabbt som det flammat upp på den dynamiske Carl Fredrik Liljevalchs tid.

Australienfeber i Västergötland

År 1841 hade "den svenska emigrationens fader" Gustaf Unonius utvandrat till Wisconsin i USA och nästan samtidigt hade de nio emigranterna på Edward seglat till Sydney i Australien. Detta vår emigrations egentliga startår surrade av rykten och idéer om lämpliga utvandringsmål. Trots att Australien mest var känt som straffångarnas ogästvänliga land, började det nu omtalas som ett tänkbart invandrarland. Grosshandlare Liljevalchs seglationer på Australien blev mycket uppmärksammade, och det ryktades nu att han tänkte anlägga en svensk koloni därute. Australien som utvandringsmål diskuterades bl a av stockholmstidningen Dagligt Allehanda och i början av 1842 infördes artikeln "Om kolonier", där också Australiens lämplighet i detta sammanhang beskrevs. Andra av Liljevalchs idéer, t ex om svenska valfångstexpeditioner till Nya Zeeland och Australien, togs också upp. Den Liljevalch närstående tidningen Aftonbladet hakade på och publicerade den 23 juni 1842 en insändare där Australien beskrevs som idealiskt för ett svenskt koloniseringsföretag. Vid denna tid gick dessutom rykten om att Liljevalch själv tänkte utvandra till Australien. De överspända förväntningarna på Australien utgör bakgrunden till den emigrationsskandal som Liljevalch invecklades i.

Den 24 februari 1842 berättade Borås Tidning att en mängd västgötar gripits av "stark lust att utflytta till Australien". På uppdrag av "några i Nya Holland bosatta engelsmän" hade en känd ortsbo börjat värva folk till Australien. Denne hade erbjudit västgötarna att teckna femåriga arbetskontrakt på mycket förmånliga villkor, vilket ledde till att "en mängd människor strömmade till från flera församlingar att anmäla sig till utflyttningen". I mars såg sig landshövdingen i Vänersborg föranlåten att utfärda en varning mot den australiska emigrantvärvningen. Trots detta kunde Borås Tidning den sjunde juli meddela att flera hundra personer, "synnerligast i Redvägs härad", hade nappat på betet och sålt sina gårdar eller sagt upp anställningarna i akt och mening att utvandra. Nu hade det emellertid avslöjats att företaget var en stor bluff, iscensatt av brukspatronen Gudmund Magnus Sager på Ryfors och hans ombud, en till namnet okänd korpral. I bakgrunden figurerade grosshandlare Liljevalch, som enligt ryktena själv tänkte leda emigrationen till Australien "och bliva den tillkommande Chefen för den nya kolonin".

42

Med Liljevalchs goda minne hade alltså hundratals människor i en av landets fattigaste bygder förespeglats en lysande framtid i Australien, där de skulle "må som perla i guld: litet arbete och stora förtjänster". Rika landområden skulle "övertagas och uppodlas utan någon penningavgift" i en trakt som välsignades av världens bästa klimat. De många bondpigorna hade lockats med Australiens förmånliga giftermålsmarknad och "vid ankomsten till detta förlovade land skulle friare vid stranden anmäla sig uti ropare hos de sköna, långt innan dessa hunnit landstiga". I och med att den utlovade emigranttransporten, som skulle gått från Jönköping till Stockholm i maj 1842, inte blivit av hade det sent omsider gått upp för västgötarna att de var lurade. Nu drev de omkring utan hem eller arbete och riskerade att bli omhändertagna som lösdrivare, skrev Borås Tidning.

Det är klart att en aktad affärsman som Liljevalch blev illa berörd av de oerhörda beskyllningar som nu löpte genom den svenska pressen. Han försökte urskulda sig i insändare till Borås Tidning och rikstidningarna Aftonbladet och Svenska Biet. Det hela hade endast gällt att för några australiska kolonisters räkning undersöka den fria emigrationens förutsättningar, i en tid då straffängesystemet avvecklades. Liljevalch hade trott att han på detta sätt "skulle bereda en fördel såväl åt en del fattiga lantmän som åt det allmänna", men utvecklingen hade gått honom ur händerna då på kort tid över tusen intresserade hört av sig. Liljevalch hade inte på något sätt fört de emigrationslystna bakom ljuset. Tvärtom hade han avrått och varnat dem och någon egen kolonisationsplan för Australien hade han aldrig haft. Endast 30 personer hade fått löfte att utvandra och det löftet ämnade grosshandlaren också stå för. Att andra blint rusat åstad och sålt sina gårdar på lösa boliner kunde han inte ta ansvaret för.

Trots att skandalens vågor gick höga som under en storm i *The Roaring Forties*, kom Liljevalch undan med blotta förskräckelsen. Den enda räfst som hölls med honom utspelades i tidningarna och dem var han van att tacklas med. Därmed slocknade den västgötska australienfebern. Hur det gick för de många offren vet vi inte. Sannolikt återanpassades de till vardagens stenbundna fattiglunk. Liljevalch själv vände snart ryggen åt både Västergötland och Australien. 1844 reste han till Kina som handelsagent för svenska regeringen och när han efter fyra år återkom ägnade han sig åt helt andra uppgifter än handel och emigration på Australien. Som en påminnelse om de vilda australienplanerna vid fyrtiotalets början seglade emellertid fartyget Australia omkring på haven. Hon hade sjösatts på Liljevalchs varv i Luleå under australienfeberns 1842.

Återstår frågan om det trettiotal västgötar som Liljevalch, enligt vad han själv skrev, lovat befordra till Australien. Allt talar för att deras utvandring inte blev av. Några anteckningar om emigration till Australien från 1840-talets Västergötland har inte påträffats i kyrkböckerna. Inte heller har de 30 västgötarna kunnat spåras i australiskt källmaterial. Det svider lite i emigrationsforskarens hjärta att nödgas avskriva denna emigration som kunde ha blivit den första stora grupputvandringen i svensk 1800-talshistoria.

Tidiga svenskar i Australien

I rullan för den första världsomseglaren Mary Ann står egendomligt nog inte Werngren utan Nils Peter Ringman antecknad som kapten. Denne var född 1800 i Norrköping men hade sedan 1823 burskap som skeppare i Kalmar. Werngren fick befälet när Ringman avskedades för ekonomiska oegentligheter. Saken hade inte varit värd att nämnas om inte samme Ringman under 1838 vistats i Australien. Därmed skulle han vara en av de första svenskarna i detta land. Som besättnings-man på ett amerikanskt fartyg hade han något halvår tidigare strandat på Tahiti, vid denna tid fortfarande ett självständigt kungadöme. Ringman lyckades nu överta-la drottning Pomare IV att satsa pengar på en pärlfiskebåt, som han byggde av vrakdelarna från det amerikanska fartyget. Med detta gick han så i drottningens tjänst och seglade ut bland söderhavsöarna på jakt efter pärlor och pärlemo. Att dyka efter pärlor för tahitiska drottningen var emellertid mycket ansträngande för en svensk skeppare, varför Ringman inte återvände till Papeete efter sin andra expedition. Med båten lastad av Söderhavets rikedomar seglade han istället mot Australien. Utan mätinstrument som han var kom han ur kurs och drev snart omkring utan vatten och mat. Endast Ringman och två besättningsmän var fortfa-rande vid liv när båten upptäcktes utanför Newcastle i New South Wales. Den löjtnant som räddade Ringman och hans män fick vara med och dela på den rika lasten av pärlor och pärlemo. Vad den vidlyftige kalmariten sedan hade för sig i Australien vet vi inget om. Efter mindre än ett år tog han sig till England och därifrån vidare till Stockholm, där han väckte sensation genom att strö pärlor över krogdiskarna och skänka två australiska strutsar, emuer, till kronprinsens söner. Det var givet att grosshandlare Liljevalch skulle få ögonen på denne söderhavsfarare som tycktes klippt och skuren för befälet över Mary Ann. När bankerna vägrade acceptera Ringmans växlar blev emellertid Liljevalch misstänksam och ersatte honom med Werngren.

Den anekdotartade berättelsen om kapten Ringman är symptomatisk för det lilla vi vet om Australiens första svenskar. Litteraturen om svenskar i Australien är nämligen synnerligen mager. Under emigrationstiden trycktes endast en bok på svenska i Australien — Per Olsson-Seffers handbok från 1902 om Queensland. Eftersom ingen svensk tidning utgivits i detta land stängs möjligheten att få samtids-reportage från svenskaustraliska förhållanden. Återstår att gå till de krönikor om skandinaver i Australien som danskaustraliern Jens Lyng publicerade och den av honom startade skandinaviska tidningen Norden, som utgavs i Melbourne mellan 1896 och 1940. Informationen om svenskar är ganska så bristfällig i denna dansk-präglade litteratur och sällan träffar man på data om svenskar som anlänt före guldrushen. Den som önskar muta in historien om Australiens första svenskar måste därför använda sig av brev, dagböcker och andra handskrifter. En stor del av materialet i denna bok har hämtats från sådana personhistoriska källor. Det austra-liska källmaterialet om invandringen som passagerarlistor, rullor över förrymda sjömän och medborgarhandlingar är kolossalt omfattande och svåröverskådligt, eftersom ingen uppdelning på nationaliteter gjorts. Före 1851 är dessa oändliga namnförteckningar dessutom ofullständiga.

Sådana hinder till trots har den svenskaustraliske forskaren James Sanderson i Sydney börjat upprätta personkort över skandinaver som registrerats i New South Wales. Forskningen pågår fortfarande, varför man endast kan glänta lite på förlåten. Sanderson har t ex endast hittat fyra svenskar som ansökt om att bli medborgare före 1850. John Henriksson från Kalmar hade anlänt 1841 då han var lite över 30 år och 22-årige Carl Magnus Forssberg hade kommit med Edward 1842 på våren. 1843 hade 20-årige Peter Smith från Piteå slagit sig ned i Sydney. En John Skinner (Skinnare), född ca 1819 i Stockholm anlände till Sydney 1846 och registrerades som medborgare 1873 då han var jordbrukare vid Richmond River. Det är allt vi vet om dessa tidiga invandrare som trivdes så bra i New South Wales att de blev brittiska medborgare.

Många fler svenskar invandrade emellertid till Sydney och övriga Australien före guldrushens 1850-tal. Australienkännaren Hjalmar Bengtsson fann således en lång rad svenskklingande namn när han läste igenom staden Sydneys äldsta adresskalendrar. Enligt Bengtsson nämns 1812 en löjtnant Richard Lundin i guvernörens annaler och kort därefter skall en William Lundin ha vistats i kolonin. Det går emellertid lika litet att bevisa att dessa figurer var svenskar, som att få grepp om hur många svenska sjömän, militärer och hantverkare i engelsk tjänst som hamnade i Australien.

Minst två svenskar kom till Australien i kedjor. James Sanderson har nämligen träffat på två sådana *convicts* som anlände med fångtransporter. Enligt förteckningen över de 198 manliga straffångar som inklarerades i Sydney den 13 september 1826 med transportskeppet Marquis of Huntley fanns där en 26-årig Andrew Newman (Anders Nyman) som var född i Sverige. Personbeskrivningen visar att Newman var gift och hade tre barn. Till yrket var han sjöman. I januari 1826 hade han i staden Maidstone i Kent fällts för inbrott och blivit dömd till fjorton års deportation, detta trots att han tidigare var ostraffad. Newman var 166 cm lång, brunhårig med grå ögon och koppärrig. Över högra ögat hade han ett knivärr och ett andra över vänstra kinden. Den olycklige sjömannen hade alltså fått lämna hustru och barn i Kent och han kunde vara förvissad om att aldrig få återse de sina. Genom kompletterande forskning har James Sanderson funnit att Newman efter åtta års straffarbete erhöll en *Ticket of Leave*, dvs rätt att röra sig fritt inom ett begränsat område med anmälningsplikt. Efter avtjänat straff fick han 1840 sitt *Certificate of Freeedom*, frihetsbevis. Sanderson har också funnit att Newman antogs som medborgare i juli 1851. Som skäl för sin ansökan om medborgarskap angav han att han ville köpa land. Man kan alltså antaga att denne tidige australiensvensk slutade sina dagar som nybyggare någonstans i New South Wales.

Bland de 240 manliga fångarna på barken Portsea som anlände till Sydney i december 1838, befann sig en William Linivold. Detta osvenskt klingande namn kan ha varit en anglisering av Lindvall eller Lundvall. Linivold uppgavs vara född i Sverige 63 år tidigare. Han var änkeman och till yrket skeppstimmerman. En son hade han kvar i England. Linivold hade stulit ett gevär och för detta dömts till tio års deportering efter rättegång i det beryktade Old Bailey i London. Också Linivold var förstagångsförbrytare. Han var 161 cm lång med rödlätt hy, ljusblå ögon och grått hår. Tre tänder saknades i överkäken och han hade ett ärr på överläppen. Enligt Sandersons undersökningar fick Linivold tillåtelse att röra sig fritt i kolonin efter fem år, men hans slutgiltiga frihetsbevis utfärdades inte förrän 1853, femton år efter domen och då svensken var 78 år. Vi vet ingenting om orsakerna till att strafftiden förlängdes för den gamle mannnen. Han kan ha brutit mot de strikta bestämmelserna kring *Ticket of Leave*, kanske påträffades han utanför det område där han skulle vistas eller också hade han saknats när "the Roll was called", dvs när fångarnas närvaro kontrollerades.

Bland Linivolds olycksbröder ombord på Portsea var också den danske urmakaren Samuel Wulff. Sannolikt lärde de inte känna varandra. Skandinaviska invandrare var ingen ovanlighet i den begynnande industrialismens England och eftersom de snabbt lärde sig engelska och acklimatiserade sig skilde man dem knappast från infödda engelsmän. Om en sådan angliserad skandinav begick ett brott och inte uppgav födelseland vid rättegången, antecknades han som engelsman och kan följaktligen inte identifieras i deportationslistorna. Av sådana anledningar är Newman och Linivold än så länge de enda kända svenska straffångarna i Australien.

Sannolikheten talar för att det fanns flera svenskfödda *convicts*. I den engelska storstadsslummen och i hamnkvarteren levde vid denna tid så många svenskar, att statistiskt sett fler än två av dem bör ha hamnat i den engelska rättvisans finmaskiga garn. Brottsligheten var enorm i ett samhälle där de flesta var fattiga och deportationsstraffet var populärt i domstolarna. Fallen Newman och Linivold illustrerar den drakoniska rättskipningen i det begynnande 1800-talets England. Deras brott hade varit obetydliga, de var bägge mogna män, Newman dessutom familjeförsörjare, och tydligen var de förstagångsförbrytare. Ändå dömdes de till straff som i praktiken innebar livstids förvisning. Hur skulle en kedjefånge kunna spara ihop tillräckligt med pengar för återresan till England?

Kanns handbok om Australien

Svenskarnas intresse för Australien kulminerade under guldrushernas 1850-tal då emigranterna räknade med det antipodiska guldlandet som ett alternativ till Amerika. För första gången riktades nu allmänhetens intresse mot den femte kontinenten. Därifrån kom dagligen häpnadsväckande nyheter om grandiosa guldfynd eller berättelser om svenskar som rest dit för att gräva guld. Tidningarna öppnade sidorna för guldfeberns Australien, i all synnerhet som rederierna spenderade frikostigt på annonser om australientrafiken från Hamburg eller Liverpool. Presumtiva guldgrävare och andra läste begärligt australienmaterialet i tidningarna, men blev besvikna över att det som skrevs var så magert på fakta. Vad fanns därborta förutom guld, kedjefångar och dammiga öknar? En sådan bakgrund kan man tänka sig till den handbok om Australien som utgavs i Göteborg 1853.

Australien och dess guldregioner. Tillförlitliga Underrättelser för Utvandrare till Australien i

46

synnerhet med afseende på Öfwerfart, Ankomst, Bosättning och Guldgräfning utkom anonymt men hade författats av Charles Albert Kann, född i Stockholm 1813. Författaren var en inbiten utlandssvensk som tillbringat större delen av sitt vuxna liv utomlands och bott i de flesta västeuropeiska länder. Dessutom hade han gjort omfattande resor i Mellanöstern som privatsekreterare åt en globetrottande greve. 1848 hamnade Kann i Köpenhamn, där han törsörjde sig som språklärare, tolk och översättare bl a för emigrantbolagen. När australienboken skrevs bodde han fortfarande i Danmark. Mot slutet av livet bosatte sig Kann i England, där han etablerade sig som skeppsmäklare och tolk i staden Deal i Kent, där han dog 1866.

Kanns hundrasidiga bok om Australien utgavs samma år på danska. Det var inte den första emigrantguide han skrivit — året innan hade *Udvandringsbog for Skandinaver*, som gav upplysningar om Texas och Kalifornien, utkommit i Köpenhamn. Sannolikt var australienboken ett beställningsarbete för Albion Line i Liverpool vars hamburgkontor rekommenderades åt läsarna. Hur vittberest författaren än var hade han aldrig besökt det land han så flödande beskrev, men i förordet deklarerade han att boken var resultatet av "vidsträckta studier och jämförelser med äldre och nyare beskrivningar över Australien".

Kann var mån om att skriften inte skulle uppfattas som utvandringspropaganda. Han sade sig ha gått till verket med kritiskt sinnelag för att "framställa detta land för läsaren som det i själva verket är". Av den anledningen ville han redan i företalet varna dem som hoppades skära guld med täljknivar i Australien. Seriösa utvandrare hade däremot obegränsade möjligheter om de förberedde sig väl och var arbetsamma. Man kan säga att Kann presterade ett stycke sofistikerad emigrationspropaganda som kamouflerats med mängder av trovärdiga upplysningar och sakkunniga beskrivningar. Det varnande pekfingret åt dem som hoppats för mycket på de "ofantliga rikedomarna" och den objektiva tonen bildar ramen kring en färgrik skönmålning av ett nytt Kanaans land. Superlativen flödar och landets skönhetsfläckar är inte större än att de höjer effekten av allt det behagliga Australien kan erbjuda.

Australien och dess Guldregioner består av nio kapitel som utförligt berättar om natur, klimat och samhällsförhållanden. Det största utrymmet ägnas självfallet åt guldfälten i New South Wales och Victoria, bl a låter Kann i "Utdrag av några brev" guldgrävarna själva berätta om sina framgångar. Boken avslutas med kapitlet "Praktiska råd till emigranter". Dispositionen liksom den faktaspäckade texten för tankarna till en annan 1853 publicerad handbok för emigranter, *Beskrifning öfwer Nord-Amerikas Förenta Stater*, som författats av pastor Johan Bolin i Sjösås och som tryckts i Växjö. Inte heller Bolin hade besökt det land han skildrade. Liksom Kann ville han ge en allmängiltig beskrivning och på samma sätt avslutade han sin bok med en avdelning praktiska råd för emigranter. 1853 utkom också Carl Swalanders *Tillförlitliga underrättelser om Nord-Amerikas Förenta Stater och bästa sättet att utwandra*.

Det kan inte vara en tillfällighet att dessa gedigna handböcker utkom mitt i vår historias första stora utvandringsperiod — under åren 1851—1854 reste enligt statistiken över 10 000 svenskar till andra världsdelar. Om böckernas spridning vet vi ingenting, men det mesta talar för att upplagorna var obetydliga. Däremot är det inte säkert att Bolins bok såldes mer än Kanns. 1853 var nämligen ett av de få åren under utvandringsepoken då Australien framstod som ett bärkraftigt alternativ till Amerika.

Låt oss så bläddra lite i *Australien och dess Guldregioner.* Kann sticker inte under stol med att svensken kommer att känna sig förvirrad på jordklotets baksida: "den europeiska dagen är den australiska natten. Vår längsta dag är uti Australien den kortaste. Hos oss faller barometern för dåligt väder och stiger för gott; i Australien stiger den för dåligt väder och faller för gott. Nordanvinden är het och sydanvinden kall, under det dalarna äro kyliga och bergstopparna varma . . . Svanarna äro svarta och örnarna vita; på körsbären växer kärnorna utanpå och päron av det aptitligaste utseende består av massivt trä; bina ha ingen gadd, blommorna till största delen ingen lukt; fåglarna sjunga icke; största delen av träden giva ingen skugga."

Trots sådana egendomligheter är landets klimat sällsamt nyttigt: "Frossan och andra hetsiga febrar känner man inte till och man kan lika lugnt lägga sig att sova i skuggan av ett träd som annars i en god säng . . . Innevånarna bliva vanligtvis mycket gamla. Folk om hundrade år och däröver äro just ingen sällsynthet. Även har man gjort den erfarenheten, att personer, som vid sin invandring redan voro tämligen komna till åren hava blivit liksom unga på nytt." – "Australien är i synnerhet ett land för de fattiga", påstår Kann. Omedelbart efter ankomsten kan emigranten räkna med att "erhålla ständigt arbete mot hög lön". "Arbetarens och hantverkarens kapital, hans starka arm, tillika med en smula skicklighet, skall alltid skaffa honom arbete och en ständigt god utkomst." Också den som saknade yrkesut-bildning kunde slå sig fram i detta arbetsrikedomens land, där den arbetsvillige var "alltid befriad från nöd, lekamlig brist och tusende av de bekymmer, till vilka han nu varje morgon uppvaknar". Dessa mot verkligheten starkt stridande påståenden spädes på med att man inte behövde oroa sig för ålderdomen i Australien, ty där kan "genom arbete och omtanke en familj leva lyckligt och lugnt".

Lantbrukaren kan lätt köpa eller arrendera ett hemman som kanske först verkar obetydligt, men som snabbt ger ett säkert levebröd. Jordbruksbygderna är nämligen utomordentligt bördiga och "åtta till tio år efter varandra har man på ett och samma ställe skördat vete utan gödning och sädesomskifte". Australien erbjöd särskilt lovande framtidsutsikter åt ogifta kvinnor, eftersom "flitiga, skickliga och sedliga unga flickor kunna, till och med om de icke äga alltför stor skönhet, vara säkra om att snart bliva försörjda". Överklassens kvinnor varnades däremot för att emigrera: "Bildade fruntimmer äro alls icke på sin plats i Australien."

Också straffångarna hade en ljus framtid i Kanns Australien. De blev efter en tid frigivna och kunde då arbeta sig upp om de hade förutsättningar. Många ledande personer i Sydney hade ursprungligen deporterats från England: "Bland fotgängar-na (i Sydney) skall främlingen stöta på flera ansikten, som se tämligen misstänkta ut", berättar Kann. Svensken behöver emellertid inte bli orolig, eftersom de frigivna "befinna sig uti alltför goda omständigheter, för att tänka på att bestjäla honom, ehuru många av dem under en tidigare period av sitt liv skulle hälsat honom med ropet: Pengar eller livet!".

I kapitlet "Praktiska råd för emigranter" ger Kann en intressant beskrivning av

Emigranter bordar ett australienskepp i Glasgow. (Merseyside County Museums, Liverpool)

förhållandena på ett emigrantfartyg. Dessförinnan har läsaren för säkerhets skull fått rådet att från Göteborg eller Malmö segla till Hamburg, där Albionlinjen står till tjänst med lägenheter till utskeppningshamnen Liverpool. Man har möjlighet att välja mellan segelfartyg och segel-ångfartyg, som visserligen är snabbare men betydligt dyrare. En mellandäckspassagerare på ett segelfartyg betalar 360 riksdaler "i ett för allt från Hamburg". Efter det lugnande beskedet att "resan till Australien är långt behagligare och mindre farlig än till Amerika" får den blivande emigranten veta att april till oktober är lämpligaste restid, "ehuru det vid en resa till Australien nästan kommer på ett ut när den företages". Fartygen är försedda med proviant för ett halvår, men överfarten tar sällan mer än fyra månader. Mellandäckspassagerarna erhåller sina matransoner "i rått tillstånd" tre gånger i veckan, varpå de själva förväntas tillaga maten på av befälet bestämda tider. "Ombord erhålls nödvändiga kokkärl samt bränsle", men utvandraren måste själv hålla sig med en kanna "för dricksvattnet, då det utdelas, ett tvättfat, tallrikar, ett ämbar, kniv, gaffel, sked, thékanna, koppar osv".

Kann tillråder australienfararen att resa i enkla och slitstarka kläder. Framförallt bör man försöka hålla sig ren och snygg för "att vid slutet av resan kunna vara i stånd att visa sig anständigt klädd uti det nya landet". Man bör ta med sig så mycket underkläder att man har ombyten under fyra månader, "ty ombord är sällan tillfälle att tvätta något. Det färska vattnet är där alltför dyrbart, och man kunde lika gärna begära champagne att tvätta i." Enda möjligheten att få tvättvatten är att ta vara på "det från seglen drypande regnvattnet". En manlig passagerare bör "minst vara försedd med ett dussin skjortor, tolv par bomullsstrumpor, ett par goda benkläder jämte tröja och väst av samma slag, en klädesmössa, en helgdagsdräkt med väst och benkläder, sängkläder, handdukar samt några par skor". Den kvinnliga utvandraren tillrådes att packa ned "minst ett dussin lintyg, fyra underkjolar, fyra flanellskjortor, fyra flanelltröjor, tolv par bomullsstrumpor, två par skor, ett par stövlar, tre bomullsklänningar, två hattar samt sängkläder och dylikt som för männen". Kann påminde också om tvål "samt de brukliga nödvändighetsartiklarna för toaletten".

Mellandäckspassagerarna förfogade över ett tre kvadratmeters utrymme "men på flera skepp måste t o m två personer åtnöja sig med ett så stort rum". Sovplatsen bör bäddas med halmmadrass, eftersom fjäderbolstrar blev ohygieniska under en så lång resa. Det är viktigt att ha med ett förråd lakan, "ty ingenstädes kan man bättre förstå att värdera ett par friska, rena lakan än på det fullastade mellandäcket". Emigranten bör ha två koffertar, en för saker som han först behöver vid framkomsten och som därför kan stuvas undan i lastrummet, och en koffert för dagligt bruk, som man bör spika fast i golvet "och både kan begagnas som stol och bord".

Utvandraren får rådet att orientera sig på fartyget några dagar före avseglingen, varvid han måste "iordningställa sitt viloställe, packa sina koffertar och tillse att det, som han vid en inträffande sjösjuka kan behöva, finns till hands". Kann lugnar dock med att sjösjukan "alls icke är skadlig, utan tvärtom av stor nytta för patienten. Den rensar magen fullkomligt och bereder honom på den nya diet, som han måste hålla i Australien." Finns det då inga mediciner mot denna landkrabbornas förbannelse? Nej, svarar Kann, "det är en sjukdom, som varken låter förhindra eller kurera sig. Det bästa sättet är, att underkasta sig den så glatt som möjligt, och efter ett par dagar skall man åter vara frisk och på benen."

Kanns praktiska råd inför sjöresan är visserligen inte precis någon skönmålning av förhållandena på ett australienskepp, men han undviker visligen att låta fartyget lägga ut från kajen. Emigrantdäcket blir aldrig fullproppat med sjösjuka människor, medan brottsjöarna rister i de fastskruvade takluckorna. Han berättar inte om stanken, barnens skärande gråt och de sjukas stönanden. Kann bäddar också skoningsfull tystnad kring de många oförutsedda händelser som gjorde en så lång sjöresa till ett hasardspel: svallvågor som dränkte kojerna, skämd mat och epidemier. Genom att inte sätta läsarens fantasi i rörelse lyckas Kann frammana en tilltalande bild av Albionlinjens fartyg.

50

Låt oss lite närmare betrakta den dramatiska verklighet Kann endast bitvis berörde i sin bok. Under större delen av 1800-talet reste man till Australien med segelfartyg. 1849, på tröskeln till den stora utvandringsperioden, tog en sådan resa fyra månader från hamn till hamn. Till en början skedde överfarten med barkar och briggar av den typ Liljevalch sjösatte i Luleå. Liksom på amerikatraden reste emigranterna ovanpå lasten, inkvarterade i provisoriska logement. Den första svenska australienfararen, Gouverneur Stirling, seglade 1831 från Portsmouth med lasten "blandad" på detta sätt.

Utan klipperskeppet hade den australiska emigranttrafikens fantastiska utveckling varit otänkbar. Historiens största och snabbaste segelfartyg hade utvecklats av amerikanarna som satte in sina "Boston clippers" i seglationen runt Kap Horn till guldgrävartidens Kalifornien, teets Kina eller sälfångstens Tasmanien. Ett tremastat klipperskepp var idealiskt för de hårda vindarna i *The Roaring Forties*. På resan från England seglade man i holländarnas kölvatten förbi Godahoppsudden till Sydney eller Melbourne. Under hemresan fullbordades den andra delen av "Stora cirkelleden", de höga och vindpinade latituderna runt Sydpolen och förbi Kap Horn. På denna led kunde ett klipperskepp nedbringa restiden mellan Liverpool och Melbourne till två eller tre månader.

Den berömda klippern Thermopylae gjorde 1869 jungfruresan till Melbourne på inte fullt 62 dygn och den legendariska Cutty Sark noterade lika fina tider med passagerare på utfarten och te från Kina på hemfärden. I teorin kunde emellertid ett klipperfartyg under maximalt goda förutsättningar gå ändå snabbare och göra 400 sjömil om dygnet, vilket var lika snabbt som amerikaemigrationens motorfartyg och tillräckligt för att tillryggalägga distansen England—Melbourne på 30 dagar. Det blev en skön sport för kaptenerna att tangera sådana idealnoteringar. Med skummet flygande över däcket och vinden ylande som orgelpipor i riggen drev de sina fullriggare genom *The Roaring Forties* mot nya rekord eller undergång. De ursprungliga klipperskeppen av "yankeetyp" var helt av trä, men under 1800-talet började varven i Glasgow bygga fullriggare av järn. Dessa tog betydligt större laster men var avsevärt klumpigare och därmed svårare att navigera. Thermopylae och Cutty Sark representerade en förfining av järnfullriggaren, de hade de gamla klipperskeppens smidiga skrov och var utrustade med trämaster.

Under guldrushens femtiotal satte rederierna den kombinerade linje- och lasttrafiken i system. Till Australien seglade man med fartygen fyllda av guldgrävare. Efter att ha lastat det lilla man kunde i Melbourne eller Sydney fortsatte seglatsen till någon av Orientens stora hamnar, där lastrummen fylldes med te, silke, porslin och kryddor. White Star Line och Black Ball Line i Liverpool lade grunden till sina framgångar på detta sätt. Bägge dessa klassiska emigrantbefordrare började med klipperskepp av amerikansk typ och satte in dem på australientraden. Fullriggare med äventyrsfyllda namn som Marco Polo, Lightning och Champion of the Seas gjorde den 1852 grundade Black Ball Line till den ledande befraktaren av emigranter till guldrushens Australien. Under 1860-talet skaffade sig rederiet så gott som monopol på emigranttrafiken till Queensland. Man hade då kapacitet för 63 seglingar under ett och samma år.

Inte bara Liverpool utan också Hamburg och Bremen blev viktiga utskeppningshamnar för emigranttrafiken till Australien. Under 1840-talet började tyskar utvandra till den nya kolonin i Sydaustralien. Tyska redare såg sin chans och utrustade några emigrantfartyg. Under guldrushen kunde de tyska australienemigranterna räknas i hundratal varje år. Samtidigt började skandinaviska emigranter resa över Hamburg. Också de som läst Kanns bok kanske avstod från "omvägen" via Liverpool och tecknade i stället kontrakt med en tysk skeppare. Trots att priserna i regel låg högre på tyska än engelska skepp föredrog flertalet svenska och danska australienemigranter att resa över Hamburg. En annan nackdel med tyska fartyg som skandinaverna förbisåg, var att de engelska säkerhetsbestämmelserna för passagerarfart svårligen kunde göra sig gällande på icke-brittiska kölar.

Under 1850-talet kom ångan på allvar in i konkurrensen om australienfararna. 1852 sattes det jättelika segelångfartyget Great Britain i trafik mellan Liverpool och Melbourne. Hon kunde ta 630 passagerare och avkortade restiden ned mot 80 dagar. Denna ångfrustande pionjär med sin här av eldare och maskinister betjänade den klassiska rutten mellan Europa och Australien under nästan ett kvartssekel. Segelfartygen fortsatte dock att dominera de antipodiska farvattnen seklet ut. Ett

Segelångfartyget Sydney. (The Illustrated London News, 1853)

klipperskepp i dessa vindpinade trakter var både snabbare och billigare än ångbåten, som måste fylla en stor del av skrovet med maskiner och kol och dessutom var beroende av bunkringshamnar. Suezkanalens öppnande 1869 blev en triumf för de ångbåtar som var så smala att de kunde ta sig genom kanalen. Man upprättade nu en snabb postlinje, som dessutom tog passagerare, men priserna låg i lyxklass. Det kom därför att dröja till in på åttiotalet innan vanliga emigranter från Nordeuropa reste till Australien över Medelhavet och Röda havet. En resa denna väg från London till Melbourne tog då 45 dagar, en halvering av den normala seglationstiden.

Ett flytande välfärdssamhälle

Inga europeiska emigranttransporter var så övervakade som passagerartrafiken till Australien. Restiden var ju exceptionellt lång. Man färdades genom riskabla vatten och de mest skilda klimatförhållanden. Riskerna för skeppsbrott, epidemier och eldsvådor var betydligt större på australienleden än i trafiken till Amerika. Av denna anledning infördes redan på 1820-talet regler för hur emigranttrafiken skulle gå till. De brittiska myndigheterna utfärdade bestämmelser om högsta tillåtna passagerarantal i förhållande till fartygets tonnage. Andra förordningar gällde mellandäckets standard, mathållning och hygien.

Eftersom rederierna riskerade höga böter för brott mot säkerhetsbestämmelserna kan man säga att australienresenären var kringgärdad av ett skyddsnät som gjorde hans fartyg till ett slags flytande välfärdssamhälle. Därmed inte sagt att emigranterna vältrade sig i överflöd. Enligt 1840 års passagerarakt bestod veckoransonen för en vuxen passagerare av fem kilo mjölmat, te, socker och melass, medan barn under fjorton år endast fick halv ranson. 1855 års bestämmelser varierade dieten så mycket att passagerarna dagligen kunde äta torkat kött. All mat som behövde kokas tillagades av skeppskockarna, som delade ut den färdiga maten till matlag om tio personer under ledning av en vald ordningsman. Någon matsal fanns inte. Passagerarna fick sitta på emigrantkistorna och äta ur medförda bleckfat och muggar.

Enligt bestämmelserna måste passagerarna inta sina kojer senast klockan tio på kvällen. Mellandäcket var uppdelat i avbalkade logement för ungkarlar, familjer och ogifta kvinnor. Varje avdelning kontrollerades av ordningsmän, särskilt fruktad var den matrona som höll uppsikt över ungmörna. Ofta var avbalkningarna provisoriska så att de efter ankomsten till Australien kunde monteras ned och säljas som trävirke. Därpå lastade man in ull och talg, vilket försåg emigrantskeppet med en outrotlig stank. Lukten av ull och talg blev för tusentals emigranter synonym med resan över haven.

Trots den långa raden av bestämmelser för emigranttrafiken hände svåra missöden. Den 19 januari 1854 gick således klippern Conway, tillhörig Black Ball Line, till segels med 382 passagerare och styckegodslast. Destinationen var Geelong utanför Melbourne. Redan i Irländska sjön möttes man av oväder med stark

Fartygsbrand. (Svenska Familje-Journalen 1868—1869)

motvind. Conway dök svårt i sjön och förlorade klyvarbom och två försegel. Kaptenen tvingades därför söka nödhamn. Under stormen hade passagerarna varit inlåsta under däck och de var nu mer döda än levande. Bland de hundratals nedspydda offren för sjösjukan låg fem lik — koleran hade brutit ut! Läkare tillkallades och skeppet genomgick storrengöring, bl a brändes sängkläderna. Koleran bröt dock ut på nytt och Conway fick ligga kvar i hamnen under ytterligare en månad medan rederiet försökte hitta en syndabock för de många olyckorna. Det hela slutade med att en ny befälhavare, läkare och nya besättningsmän mönstrade ombord. Först den 18 mars, alltså efter en försening på två månader, återupptogs den avbrutna resan.

Det är svårt att göra sig en föreställning om de påfrestningar den hårda sjön sydöst om Godahoppsudden utsatte passagerarna för. Varje ögonblick måste en landkrabba koncentrera sig på att ta spjärn mot fartygets krängningar. Livet ombord blev en evig balansakt som inte ens upphörde under natten då en oväntad krängning lätt kunde kasta emigranten ur bädden. Balanssinnet blev till sist så omtumlat att passagerarna raglade omkring som druckna på däcket under de första dagarna av en stiltjeperiod. De långa seglatserna var påfrestande också för fartygen. Innan fartygsbottnarna beslagits med kopparplåtar kunde de bli så nedtyngda av sjöväxter och koraller att man tvingades söka nödhamn i Kapstaden för kölhalning och skrapning av båtens undersida. Att seglen blåste sönder hörde till vanligheter-

Med denna teckning skildrade den ständigt sjösjuke sjömannen Carl Erik Rahm vedervärdigheterna på australientraden.

na. Hytter och materiel ovanpå däck kunde krossas av vågorna och riggen slitas i stycken av orkanvindarna.

Hur det kändes att vara ombord på ett skepp som hotades av undergång i *The Roaring Forties* har guldgrävaren Niklas Ljungström från Norra Mellby berättat om i ett brev nedtecknat i Sydney den 19 maj 1858. Så här skriver han till föräldrarna och syskonen i det fjärran Skåne: "Ju närmare vi kommo sydpolen ju kallare blev det naturligtvis, det vackra vädret förvandlades snart till stormar och åskdunder och hagelskurar. Den 19 och 20 maj (1857) började den värsta och fasansfull var natten till den 23 samt den 24, som var en söndag. Ja förfärlig var stormen och vågorna, vilka syntes som de vart ögonblick skulle sönderkrossa allt . . . Relingen slogs sönder vid båda sidor och en del av bogspröet likaså. Den ena kabyssen eller köket slogs sönder av vågornas förvånande kraft, tvenne män blevo illa sårade i dessa fasansfulla ögonblick . . . Hela havsytan var vit som snö och fuktiga rökmoln uppstego ur de rytande vågornas bädd . . . himlen (var) överdragen med tjocka svarta molnväggar och stormen tjöt hemskt och vinterlikt i tågverket, och snart voro böljorna höga som berg, rullande över fartyget och nedstörtande i andra kajutan att där vart vatten nog att simma ifrån den ena sängen till den andra. Det var kallt och mörkt som den värsta vinternatt i Sverige."

En resa från Dalarna till Australien

Hur australienresan tedde sig hela den långa vägen från avskedet i Sverige fram till ankomsten i Melbourne har beskrivits i ett dagboksliknande brev som fotografen Andreas Björk från Vikarbyn i Dalarna författade något år efter sin emigration. Den

16 september 1872 gick han och kamraten Hans Erik Åkerman med emigrantkoffertar och brännvin ombord på ångaren Mora. På Siljans kluckande böljor inleddes därmed australienfärdens första etapp som avslutades vid Leksands brygga. Emigranterna var vid gott mod och de använde flitigt sin färdkost till skålar för anförvanter och hembygd. Genom regn och ruskigt väglag fortsattes färden med häst och vagn till Falun, där pojkarna sov ruset av sig i väntan på tåglägenhet till Gävle.

Med svåra kopparslagare embarkerade de några dagar senare ångaren Humboldt i Gävle hamn. Under resan till huvudstaden fick man veta att Karl XV just avlidit i Skåne, vilket kom att lägga ett sorgflor över de tre dagar som tillbringades på Hotell Norrland i Stockholm. Fortfarande vinbeskänkta tog sig Björk och Åkerman därpå till Södra stationen för resa till Göteborg. I Katrineholm mötte de tåget med den pampiga vagn där kung Karls stoft färdades. Dalmasarna stannade för natten i Falköping och först mot kvällningen dagen därpå var de framme i Göteborg, dit de anlände i sällskap "med en hop emigranter för Amerika, unga och gamla av bägge könen".

Björk och Åkerman fick ge sig till tåls en vecka innan de hittat en till London destinerad båt med svensk besättning "ty vi ville fara med några svenskar, för att av kapten eller någon annan kunna få någon underrättelse vid vår första ankomst där". De en gång så sturska dalmasarna nyktrade till för gott under den stormiga nordsjöresan med ångaren Victoria. Den tog tre dagar och vände ut och in på magarna. Den första oktober var de emellertid lyckligt installerade på ett tyskt emigranthotell i London. Väntan på ny båtlägenhet blev längre än Andreas räknat med och inte förrän den 25 oktober fick dalmasarna gå ombord på australienseglaren Calcutta. 270 riksdaler per man betalade de för mellandäcksplatser på "ett av de största segelskepp som plöjer oceanens vågor".

Strax efter avfärden fyra dagar senare visade det sig att den 23-åriga järnklippern på 2 080 registerton var en flytande emigrantkoffert som krängde svårt i vinterstormarna på Engelska kanalen. "Föreställen ej eder Siljans vågor, utan jämför dem med Storberget och för varje gång på toppen av dem var det liksom att se ner i (bråddjupet) från nämnda 'berg' ", skrev Andreas till de hemmavarande om stormen. Två gånger måste Calcutta söka nödhamn i Plymouth. Ena gången läckte skrovet i fören och den andra befanns masterna ha lossnat från fästena. Först vid jultiden kom fartyget ut på Atlanten men de fortsatta stormarna tvingade kaptenen till en lång tids kryssande "mellan Amerika och Europa . . . tills vi började närma oss Madeira". Under tiden grasserade sjösjukan bland de 60 passagerarna och ett svårt missmod grep omkring sig. Nattsömn var inte att tänka på, eftersom man måste koncentrera sig på att inte slängas ur britsarna under skeppets krängningar. Vart Andreas gick i halvskymningen under däck snubblade han på kringkastade "koffertar, krossade tallrikar och allt möjligt tänkbart tillika med sjösjuka och gråtande käringar (som) alltsammans i en enda klunga rullade från den ena sidan av skeppet till den andra och efter dess krängningar".

Från Madeira blev resan mer njutbar och passagerarna kunde pusta ut efter den fruktansvärda påfrestning som den långa stormen inneburit. Man höll till i solskenet

Sörmlänningen Per Wilhelm Bergelin förde dagbok under sin resa med barkskeppet Japan till Australien 1869. Dagboksanteckningarna illustrerades med en rad humoristiska teckningar.

på däck, umgicks med engelska flickor eller spelade sällskapsspel. Omärkligt övergick resan till tröttsam händelselöshet under en sol som bländade från himmel och hav. Därför blev passerandet av "linjen" eller ekvatorn ett välkommet avbrott, som enligt traditionerna innebar karnevalsupptåg kring sjöguden Neptun och hans hov.

Med storm och regn i seglen passerades Godahoppsudden i början av februari 1873. Manskapet beordrades reva seglen, varunder en svensk matros tappade greppet om bommen och föll i däcket. "På eftermiddagen skedde den vanliga begravningsakten då alla skeppets innevånare samlades på akterdäcket och kapten själv agerade som präst", skrev en skakad Andreas Björk. Västvinden den tjöt nu i tackel och tåg och kom seglen att svälla som ballonger. Annandag påsk såg dalmasarna första skymten av Australien, "detta förlovade land", och den 21 april, sju månader efter avfärden från Vikarbyn, trampade Björk och Åkerman för första gången Australiens jord. De var framme i Melbourne. Besvärligheterna på Nordatlanten hade medfört att sjöresan tagit dubbelt så lång tid som beräknat.

Emigranten landstiger. Teckning av Per Wilhelm Bergelin.

Med "dödens skepp" till Queensland

Andreas Björks humoristiska reseskildring står i särklass bland de många breven om överfarten till Australien. Flera är tragiska vittnesbörd om svåra strapatser och utdraget lidande. En av de verkligt skakande reseskildringarna skrevs 1903 för tidningen Norden i Melbourne av den blivande prästen bland skandinaverna i Queensland, dansken Georg Sass. Vid påsktiden 1873, alltså samtidigt som dalmasarna landade i Melbourne, gick Sass och hans reskamrater i Köpenhamn ombord på en svensk ångare som förde sällskapet till Lübeck, varifrån de fortsatte med tåg till Hamburg. Skandinaverna – sannolikt fanns där också svenskar – hade accepterat queensländska regeringens erbjudande om subventionerad överfart, vilket innebar att de endast behövde erlägga 50 kronor per vuxen.

Förhållandena i de baracker där emigranterna inkvarterats i väntan på avseglingen, var illavarslande för resans fortsättning. "Det är mig omöjligt att beskriva det liv som här härskade", skrev Sass i tidningsartikeln. "Överfyllda sängbås, jämmerlig kost och ett otroligt svineri" karakteriserade de kvarter Queenslands regering bestod utvandrarna med i Hamburg. Lyckligtvis behövde man inte vänta länge och snart fördes folket i pråmar ut till det på Elbe ankrade emigrantfartyget Reichstag, "en lång, svart fullriggare". Emigranterna gjorde sig omedelbart bekanta med mellandäcket dit de tog sig ner på en smal stege. Här skildes familjerna, de ogifta männen och kvinnorna åt av träväggar, men dörrar saknades. "Över, under och vid sidan av varandra och utan skiljerum låg familjerna, och man hade inte tagit den ringaste hänsyn till privatlivets helgd", minns Sass. I ungkarlarnas kvarter tvingades fyra man samsas om en sängavbalkning.

Reichstag visade sig ha goda sjöegenskaper och den första tiden hugnades av gott väder. Olusten över förhållandena i logementen skingrades när man fick promenera omkring i vårsolen uppe på däck. Men ingen kunde förlika sig med den usla kosthållningen. Bröd saknades helt och emigranterna fick hålla till godo med paltsoppa, ärtor, sill och surkål "samt en grumlig substans som man efter behag kunde kalla thé eller kaffe"! När man kom längre söderut började mat och dryck att surna. Dricksvattnet blev brunfärgat och maten smakade skämt. Samtidigt översvämmades båten av vägglöss, kackerlackor och andra kryp. Värmen blev allt svårare och "luften under däcket var dräpande". Under så dåliga förhållanden var de långa sjöresornas gissel, bristsjukdomar och febrar, oundvikliga. Fler och fler blev sjuka "och det var tydligt att många, och särskilt då barnen, aldrig skulle få se land igen".

I det tilltagande eländet kunde Georg Sass emellanåt registrera komiska poänger som när en ung man efter passerandet av linjen förklarade att nu skulle allt bli uppochnedvänt, eftersom man kommit in på jordklotets undersida. En kvinna var övertygad om att kaptenen styrt vilse så att man aldrig skulle komma i hamn igen. Ett annat avbrott i sjukdomar och jämmer erbjöds av de ständiga bråken mellan politiserande danskar och tyskar. Dansk-preussiska kriget var i färskt minne och danskarna kunde inte ens ute på Sydatlanten förlåta att tyskarna lagt beslag på Schleswig. Sass själv hade händerna fulla som lärare åt barnen ombord.

Skolarbetet fortgick så länge barnen klarade sig undan skeppssjukan. "Det var en elakartad feber som bröt ut ibland oss", berättar Sass som blev ett av epidemins första offer. Men han kom sig efter en lång tid med hög feber. Värre gick det för hans små skyddslingar: "Barnen dog som flugor liksom många av de vuxna." Ett femtiotal resenärer fick sätta livet till och sänkas i världshavets djup. Hjärtslitande scener utspelades dagligen: "En man hade mist sin hustru och sina bägge barn. En syskonskara förlorade sina föräldrar och farföräldrar."

I en situation där ingen längre kunde känna sig säker om livet började man vända tankarna från världsliga ting. Att färden anträtts för att skapa en bättre tillvaro i Queenslands förlovade nejder föreföll overkligt på detta dödens skepp, som tycktes sväva fram mellan himmel och hav. Emigrationen hade förvandlats till en uppgörelse med liemannen. Antingen skulle de falla offer för farsoten och stjälpas över plankan ned i dödsriket eller skulle de överleva genom Guds outgrundliga nåd. Man började känna sig som förfäderna under 1350-talets digerdöd. "Under dessa omständigheter bröt allvaret fram", berättar Sass, "de lättsinniga sångerna förstummades medan psalmer och böner uppstämdes." Sass greps själv av väckelsen och fick från denna stund sitt liv inriktat på religionen. Skräckfärden med Reichstag gjorde honom till en av de ledande skandinaviska prästerna i Australien och Nya Zeeland: "Bland dessa sjuksängar och eländets scener leddes jag in på den gärning som sedan i trettio år har varit min."

Äntligen randades den dag då Queenslands blånande kust bröt fram ur solglittret. "Landet såg så sommarfriskt och inbjudande ut i det starka solskenet." Reichstag fällde ankar vid mynningen av Mary River, vilket egendomligt nog skedde samtidigt som danska barken Oscar seglade in på floden. "Vi hälsade dannebrogen med hurrarop och strax därpå lade en ångare till med färsk proviant och hälsovårdsinspektörer gick ombord." Dessa gav genast order om att hissa gul flagg och passagerarna fraktades till en karantänstation. "Efter en noggrann undersökning", avslutar Georg Sass sitt skakande vittnesmål, "sändes de sjuka till sjukhuset medan de friska fördes med en ångbåt uppför floden till Maryborough där emigrantbarackerna väntade oss." Detta var den 25 juli 1873. Resan hade varat i fjorton veckor. Enligt skeppslistorna landsteg 337 passagerare, ett femtiotal hade avlidit under resan.

ANTIPODISK GULDFEBER

"Sofala, Turon River den 14 nov. 1852.
Dear Fredric.

Min tanke då jag lämnade fäderneslandet var den, att ej tillskriva dig förr än jag på samma gång kunde översända full likvid för mina kvarvarande skulder. Men som guldminorna ingalunda äro utav den beskaffenhet, som såväl svenska som andra tidningar hava utbasunerat, så torde därför för lång tid komma att åtgå innan mina skulder bliva betalda och du därmed på lång tid ej får någon underrättelse från mig."

Denna inledning i ett brev från 31-årige Wolfgang Forsberg från Arboga, skrivet strax efter hans ankomst till guldfälten kring Bathurst i New South Wales, utandas den besvikelse som högt spända förväntningar brukar upplösas i. Få människor var mer optimistiska än guldgrävarna och få guldrusher har fyllt fler män med så glimrande förhoppningar som de australiska under 1850-talet. Wolfgangs finstilta epistel är ett av våra äldsta bevarade guldgrävarbrev från Australien. Den inleder en mycket omfattande samling som omspänner ett äventyrsfyllt liv i Australien alltifrån hösten 1852 fram till 1895, då Mr W Forsberg residerar som hästuppfödare och guldgrävare i Gulgong, mitt i New South Wales guldgrävarområde.

Wolfgang Forsbergs brevsvit är en av förvånansvärt många svenska dokumentsamlingar från guldfeberns Australien. Att just detta källmaterial blivit så rikt har främst tre orsaker. För det första betraktades 1850-talets australiska guldrusher redan av samtiden som en händelse av världshistoriskt format. För det andra gjorde guldrushen Australien känt som invandrarland och breven därifrån blev viktiga nyheter som noga lästes och bevarades och för det tredje lockades en lång rad studerade ynglingar och "bättre-mans-söner" till guldfälten vid världens ände — Wolfgangs far var exempelvis klockare. Om sådana studiosi var dåliga vid vaskpannan så kunde de åtminstone skriva. Detta resulterade i brev, dagböcker och även en och annan trycksak.

De svenska argonauter, dvs guldgrävare, som präntade ned sina upplevelser i skenet från lägerelden i bushen skrev världshistoria. Guldrushen kom nämligen att

61

Denna reklamlapp om skeppslägenhet till Sydney plockade Wolfgang Forsberg upp under vistelsen i Hamburg 1852.

utsätta de antipodiska fårbetesmarkerna för globala centrifugalkrafter som på ett dussintal år förvandlade Australien till oigenkännlighet. Sannolikt har inget land i lika hög grad påverkats av guldfebern. Skeenden och förändringar som under normala förhållanden skulle ha tagit decennier pressades nu in i Australiens gyllene femtiotal. Under de tolv åren närmast efter guldets upptäckt 1851 tredubblades befolkningen till 1,2 miljoner. Fångtransporterna från England upphörde, eftersom en förvisning till Australien knappast kunde betraktas som ett straff i guldfeberns tider. 1852, samma år som deportationerna till Tasmanien slutade, invandrade 86 000 britter frivilligt. Australien började konkurrera med USA som invandrarland och under de mest hektiska guldgrävaråren reste fler engelsmän dit än till Amerika. En halv miljon britter utvandrade till Australien under det guldskimrande femtiotalet och under rushens stora år, 1852 och 1853, inflyttade över 100 000 människor från andra sidan haven till guldlandets kärnområde Victoria, vars befolkning sjudubblades under femtiotalet. Guldrushens ledande hamnstad Melbourne förvandlades till en storstad och hade ca 140 000 invånare vid guldgrävardecenniets slut.

För första gången i historien var det inte ull utan guld som var Australiens stora exportprodukt och så skulle det förbli femtio- och sextiotalen ut. Guldet omdanade också samhället. En lång rad städer växte upp i ödemarken, på några år utvecklades Ballarat t ex från ingenting till en storstad på 60 000 invånare. Landsvägar byggdes, ångbåtstrafiken utvecklades, de första järnvägarna anlades och hantverksföretagen förvandlades till industrier som producerade för en växande befolkning. För första gången upplevdes landet som viktigt för Englands ekonomi. 1853 gick t ex 15 % av moderlandets export till Australien och den antipodiska köpkraften fick stor betydelse för att dra England upp ur den ekonomiska krisen. Ett efterblivet kolonialsamhälle inlemmades oväntat i det industrialiserade västerlandet. Där förut liknöjdhet och pessimism härskat fylldes samhällslivet av gåpåaranda och framstegstro. Australiern vågade lyfta blicken ovanför fårhjordarna och börja planera efter amerikanens stora linjer. Det kändes riktigt att de australiska kolonierna 1856 fick rätt att styra sig själva. Guldrushen permanentade också befolkningens koncentration till "bumerangkusten" i kontinentens sydöstra hörn mellan Brisbane i norr och Adelaide i sydväst och med guldrushens stora hamnstäder Melbourne och Sydney i centrum.

I den kaliforniska guldrushens skugga

Även om Australiens guld alltid väntat på att bli upptäckt och förbrukat kan man säga att den stora guldrushen ärvdes från Amerika. Trots ett avstånd på tio seglarveckor var Sydney och Melbourne grannar till San Francisco i Kalifornien. De tre städernas hamnar låg vid samma Stilla hav och före Panamakanalens tid gick det i medeltal tre veckor snabbare att från San Francisco segla till Melbourne än till New York. Därmed var det förutbestämt att Australien skulle påverkas av den gigantiska guldrush som började i Kalifornien 1848. Under de två följande åren lockades en av femtio australier att pröva lyckan med vaskpannan i Kalifornien. De blev *fortyniners*, som deltagarna i den kaliforniska rushen kallades efter det första stora guldgrävaråret 1849. Australierna blev kända som hårdföra guldgrävare och San Franciscos "Sydney Town" var ett fruktat område. Sydney blev samtidigt stapelstad till det guldfebriga Kalifornien. Trävirke, monteringsbara hus, verktyg, kläder och livsmedel − det var ingen hejd på de kaliforniska köpmännens importbehov i tider när befolkningen fördubblades från det ena året till det andra.

Edward Hargraves var en australisk *fortyniner* som knappast hade turen med sig på guldfälten men istället gjorde en rad observationer som skulle få sensationella följder. Hargraves slogs av att det kaliforniska guldlandet företedde slående geologiska likheter med bergstrakterna på andra sidan Blå bergen i New South Wales. Som många andra australiska bushmän hade Hargraves anat guldets närvaro i bergen och kring bäckarna, men vildmarken hade aldrig kunnat avlockas denna sin innersta hemlighet. Dessutom var alla mineraler enligt lagen kronans egendom, vilket inte precis inbjöd till privat prospektering. Liksom de flesta guldupptäckare var Hargraves en storspelare och han räknade ut att han skulle göra en förmögenhet på att ställa sina iakttagelser till myndigheternas förfogande. En del av det australiska guldet skulle med kolonialstyrelsens välsignelse rinna ned i Hargraves tomma guldpungar. Svettens och de valkiga händernas tid var förbi i samma ögonblick han sade farväl till Kalifornien.

I början av 1851 var Hargraves i Sydney och förklarade sig beredd att lokalisera guldfyndigheter i bergen kring Bathurst. Redan i februari kunde han visa upp några guldprover och under våren uppstod den första australiska guldrushen kring Ophir, nordväst om Bathurst. Nu kom guldfynden slag i slag och under resten av året förvandlades bergslandet i östra New South Wales till ett antipodiskt eldorado.

Guldgrävare på väg över Blå bergen till Bathurst 1851. (Emigrantinstitutet)

Hargraves fick sin belöning på 16 000 pund och ett par guldsporrar, trots att han endast pusslat ihop sina iakttagelser från Kalifornien med vad herdar och infödingar alltid känt till.

Inför folkvandringen till bergen stod myndigheterna maktlösa. Det fanns inte nog med polis och militär för att göra kronans rätt gällande mot tusentals guldgrävare. Därför sanktionerade koloniregeringen rushen och började utfärda guldgrävarlicenser. Inkomsterna från licenserna gick till att rusta upp poliskåren och organisera de nya guldgrävarsamhällena. Också denna rush brann med en självförtärande eld och när man efter några månader började frukta att fyndigheterna skulle sina och 6 000 män bli desperata fick Hargraves uppdraget att lokalisera nya fyndigheter. Han utrustades med titeln kronlandskommissionär och red med myndigheternas välsignelse ut på nya guldletarexpeditioner. Åter visade sig emellertid fåraherdar och svartingar vara bättre argonauter än Hargraves och ryktena om deras upptäckter kring Meroo Creek och Turon River fyllde guldgrävardalarna på samma sätt som röken från inmutningarnas eldar. Guldlandet behövde inte längre spelaren Hargraves tjänster. De aktiva guldgrävarnas kunskaper om guldet i flodbäddar och kvartsådror var gedignare än de gissningar "mineralernas Columbus" kunde ställa till förfogande.

64

Guldrushen i Victoria

Under det feberheta guldupptäckaråret 1851 lösgjordes Victoria från New South Wales för att bilda en egen koloni med Melbourne som huvudstad. Victoria och Melbourne drabbades hårt av guldrushen i New South Wales. Skulle den nya kolonin bli avfolkad under sitt första år? Detta var bakgrunden till att en grupp ängsliga köpmän lovade 200 pund åt den som upptäckte guld inom en 320 kilometers radie från Melbourne. Datum var den nionde juni 1851. Nästa dag var upptäckten gjord. Innan året gått till ända hade de stora guldfyndigheterna kring Ballarat och Bendigo markerats på kartan och Victoria blivit Australiens största guldgrävarmagnet genom tiderna.

Dessa upptäckter var egentligen inte alls så uppseendeväckande. Också i Victoria hade hundratals fåraherdar och infödingar känt till att det fanns guldsand i bäckarna och guldstråk i berghällarnas vita kvartsränder. Men guldförekomsterna ansågs obetydliga och dessutom fanns där statens anspråk på de ädla metallerna. Några år innan John Marshall byggt det sågverk vid American River, där man fann guldet som initierade den kaliforniska guldrushen, hade liknande fynd under liknande omständigheter gjorts vid David Reids sågverk i nordöstra Victoria. Men Reid ville inte tro att de guldglänsande kornen var guld och upptäckten föll i glömska. I början av 1849 lyckades fåraherden Chapman vaska fram 38 skålpund guld i närheten av Amherst, 160 kilometer nordväst om Melbourne. Händelsen ledde till en mindre rush som skingrades av färgade gendarmer. Nitet om kronans rätt till guldet berövade därmed Victoria chansen att bli skådeplatsen för Australiens första guldrush.

Under 1851 gällde det emellertid att hejda utflyttningen till New South Wales och om möjligt vända invandrarströmmens riktning från Sydney till Melbourne. Därför gjorde också myndigheterna i Victoria rent hus med de gamla bestämmelserna om kronans äganderätt till guldet och började utfärda guldgrävarlicenser som kostade 30 shilling i månaden. Victorias första guldrush inleddes i juli 1851 och guldgrävarnas mål var en bäck vid Donald Camerons *homestead* i Clunes, strax norr om Ballarat. Ungefär samtidigt hade man hittat guld vid ett av Yarraflodens biflöden på en dagsresas avstånd från Melbourne. När de första guldgrävarlicenserna i Ballarat skrevs ut den 21 september fanns där närmare ettusen män. Nu spreds också ryktet om fantastiska fyndigheter kring ett väldigt granitberg som kallades Mount Alexander. Samtidigt grundlades guldgrävarmetropolen Bendigo som tävlade med Ballarat om rangen som guldgrävarnas Mecka. Från dessa centralorter i det antipodiska guldlandet spred sig hundratals stigar i alla väderstreck till mindre fyndplatser som först exploderade i en tusenhövdad rush och sedan fortlevde som sömniga gruvsamhällen med en kärna av bofasta guldgrävare, sådana som använde sig av *puddle machines*, stenkrossar, vattenpumpar och andra maskinella utvinningsmetoder. En sådan plats var McIvor, där 17 000 män grävde efter guld vintern 1853 och där penningstarka guldgrävarbolag något senare sprängde sig igenom kvartslagren.

Också de australiska guldfälten upplevde en oorganiserad pionjärtid då vem som helst kunde vaska fram det lättåtkomliga guldet i bäckarnas bottenlager. Under denna guldfeberns första fas var de flesta fyndlokaler "poor men's diggings", där vem som helst hade chansen att vaska fram en rikedom. Eftersom de australiska inmutningarna var mindre än de kaliforniska, ca 2,5 meter i kvadrat, fick fler män än i Kalifornien samsas om en fyndplats med följden att det alluviala guldet fortare tog slut. Därmed kom man in i guldgrävandets andra mer organiserade fas som innebar att guldgrävarna måste gå samman i lag och investera i *puddle machines* och annan utrustning. Man fick nämligen nu inrikta sig på att antingen bryta fram bergsguldet eller gräva sig ned till de förhistoriska flodbäddarna 15–50 meter under marken. Särskilt i Ballarat förvandlades guldgrävaren till gruvarbetare. Från en öppning som inte var mycket bredare än en grav grävde han sig ned genom lager av lera och grus som måste stabiliseras med stockar och bräder. Rasrisken var överhängande för männen som kröp omkring därnere med hacka och spade och vattnet droppande omkring sig. Enda förbindelsen med yttervärlden var den tunna i vilken guldgrävaren åkte ned i underjorden och med vilken det framgrävda guldet vinschades upp i dagsljuset. Det guldförande lagret, *the pay dirt*, var ofta översköljt av underjordiska bäckar, vilket ökade rasrisken i den stund guldgrävaren hoppades kunna gräva fram lönen för sitt halvårslånga mullvadsarbete.

"Att leta efter guld på djupet är ingenting mer eller mindre än ett lotteri", brukade de luttrade guldgrävarna i Ballarat säga. I denna schweizerost av schakt och tunnlar var det inte ovanligt att man fick lämna sin gruva utan att ha funnit ett enda guldglänsande korn. Besvikelsen ökades av att männen i grannschaktet kanske belönades med stora fynd. Andra guldgrävare "fårvaktade", dvs låtsades bearbeta sin inmutning i väntan på att se hur det gick för grannarna. Sedan beslutade de om det var lönt att börja gräva eller inte.

Guldfebern innanför Blå bergen i New South Wales svalnade snart inför den frenetiska eld som flammade i Victorias högland. Folkströmmen vände på några månader så att det nu var köpmännen i Sydney som talade om avfolkning. Sommaren 1852 grävde 30 000 män efter guld i Victoria. 1855 fanns där 100 000 guldgrävare och när rushen kulminerade tre år senare lär den ha omfattat 140 000 män. Porten till detta med Kalifornien jämbördiga guldgrävarland låg i Melbourne. Vilken dag som helst under 1853 kunde man räkna med 300 skepp i Melbournes hamn vid Hobson's Bay. Detta andra San Francisco blev ändå livligare än förebilden, eftersom det låg närmare guldfälten. Hamnen korkades igen av fartyg som besättningen övergivit. Den sjätte juni 1852 låg t ex 35 utländska skepp vid Hobson's Bay. Endast tre hade fulltalig besättning. Det hjälpte inte att skepparen satte ut vakter eller belönade de krogvärdar som söp sjömännen fulla och sedan förde dem tillbaka till båtarna. Följden blev endast att sjömännen rymde en andra gång så att hamnen fylldes med fartyg som endast hade officerarna ombord. Från kajerna tedde sig det hela som en skog av master med tackel och tåg övergivet kvidande i vinden. Det som hänt i San Francisco upprepades i Melbourne.

Samtidigt började den manliga befolkningen överge Melbourne. Få ville försitta chansen att bli rik över en natt. I september 1851 var stadens centrum så folktomt att en främling kunde ha trott att koleran brutit ut. Fastighetsvärdena sjönk tills de inte var värda "mer än en visa". De som upplevt San Francisco 1848 log igenkännande. Guldrushens första inverkan på de närmast belägna tätorterna var densamma på bägge sidor Stilla havet. De insiktsfulla kunde räkna ut att avfolkningen skulle bli tillfällig också i Melbourne. Efter några månader skulle männen återvända och gatorna fyllas av nyrika guldgrävare och ändå fler som misslyckats och nu behövde arbete. Då skulle det bli Melbourne som inhöstade skörden från bergslandet, och då skulle fastighetsvärden och priser börja stiga och arbetslönerna falla, allt till de ståndaktiga spekulanternas fromma. Enligt guldrushernas oskrivna lag var det nämligen köpmännen i städerna som kammade hem vinsterna, medan den vanliga guldgrävaren lämnade guldlandet lika fattig som han anlänt.

Guldfebern når Sverige

Ryktet om Australiens guldfyndigheter nådde Sverige kring årsskiftet 1851/1852. Den 16 februari 1852 meddelade Växjö-Bladet att från Port Phillip (Victoria) anlända brev och tidningar berättade om "så stora och utomordentliga guldupptäckter, att det låter som skulle denna koloni komma att fördunkla sin systerkoloni i Ny Syd Wales". Enligt Växjö-Bladet hade en australisk guldgrävare på en vecka hittat guld för 1 500 pund och en annan för 1 000. Man grävde sig ned till guldet genom chokladfärgad lera och sedan karvades det ut med kniv. Man kunde alltså skära guld med täljknivar i Australien. I augusti samma år skrev Snällposten i Malmö om några svenska *fortyniners* i Kalifornien som utsträckt guldletandet till Victoria. Biljetten mellan San Francisco och Melbourne kostade 40 dollar och resan tog två månader.

Meddelandena från guldrushens Victoria blev allt vanligare under hösten 1852 och 1853, då Australien kunde tävla med Amerika om tidningarnas uppmärksamhet. Vid denna tid blev dessutom annonser om båtlägenheter till Melbourne och Sydney vanliga. Den 17 och 28 februari 1853 inbjöd t ex ett sällskap danska guldgrävare hugade svenskar och norrmän att bli delägare i en skandinavisk guldgrävarexpedition till Australien. Vid samma tid meddelade Karlshamns Allehanda att "guldförrådet synes vara outtömligt. Ställen som blivit övergivna såsom uttömda hava givit en rik skörd. Från alla håll berättas om upptäckter av nya minor. Man har nu också funnit diamanter i detta nya Eldorado." Tidningen avkylde dock läsarna med en beskrivning av laglösheten i guldlandet. I maj 1853 annonserade firman Morris and Co i Växjö-Bladet om snabba förbindelser "med alla kända hamnar i Australien". Enligt annonsen kunde emigranterna fyra gånger i veckan resa från Hamburg till Hull, varifrån de fortsatte med tåg till utskeppningshamnen Liverpool. Denna annons upprepades i flera tidningar.

Den 18 april 1855 göt tidningen Barometern olja på lågorna genom att berätta om en bondson från Kristianstads län som rest till Australien 1852 och nu återvänt som en framgångsrik guldgrävare: "Han har haft bättre tur än mången annan . . . och förvärvat en om icke stor, dock i hans ställning tämeligen försvarlig förmögenhet."

Australien.

Ett sällskap, beståeude af många Danskar, hvilka ännua resa dit, i slutet på Mars månad eller början af April, med ett skepp af första rangen, direkte från Danmark utan alt anlöpa andra ställen, inbjuder härmed i grannrikena flera deltagare, emedan man på detta sätt kunde uppnå följaude besparingar och beqvämligheter:

1:mo, en billigare resa, i förbindelse med en bättre plats och god mat under öfverresan.

2:do, att kunna vara i sällskap med Skandinaver i sjelfva Australien.

Den härå reflekterande torde derföre med snaraste på deuna Tidnings officin inlemna biljett, märkt: Australien, med uppgift på adressen och meddelande af närmare upplysningar.

En av de australiennotiser som var så vanliga i svenska tidningar under guldgrävartiden. (Karlshamns Allehanda 17 februari 1853)

Guldfynden hade skåningen omvandlat i pengar men "för kuriositetens skull" medförde han "tvenne guldklimpar i samma skick som de påträffats i minorna". I samma nummer av Barometern berättas om en skomakare Öfverbäck som i Australien "lärer hava samlat en förmögenhet på 20 à 30 000 riksdaler". Man behöver inte vara fantasirik för att inse vilka tankar sådan lektyr väckte hos de många unga män som stred med fattigdomen i 1850-talets Sverige.

Hur många svenskar lockades till guldlandet på jordens baksida? Det vore förvånande om man kunde ge ett exakt svar på den frågan. Guldgrävarsamhället förändrades från dag till dag så att det blev omöjligt att räkna ut hur stor befolkning ett område just då hade. Särskilt liten var naturligtvis möjligheten att fastställa hur många som kan ha tillhört en så obetydlig invandrargrupp som den svenska. Den australiska guldrushens svenske krönikör Corfitz Cronqvist räknade ut att mellan 2 500 och 2 800 skandinaver bodde i Australien vid femtiotalets slut. Överväldigande delen fanns i Victoria och en tredjedel bodde i Ballarat. Ungefär 1 500 av Australiens skandinaver var enligt Cronqvist svenskar och 1 000 danskar.

Från Olavi Koivukangas undersökningar vet vi att danskarna redan från början var talrikast av nordborna, varför Cronqvists uppskattning måste ligga mycket för högt. I övrigt harmonierar hans uppgifter med den danske krönikören Jens Lyngs, som beräknade att 2 500 skandinaver var bosatta i Australien när 1861 års folkräkning genomfördes. Efter tyskarna torde skandinaverna ha varit den största icke-brittiska folkgruppen på guldfälten. Lyng trodde att 5 000 skandinaver under kortare eller längre tid deltog i den australiska guldrushen. Enligt den folkräkning som togs 1871, alltså långt efter den egentliga rushens slut, bodde 845 svenskar, ett tusental danskar och 395 norrmän i Victoria. Till denna siffra måste föras ett okänt men sannolikt stort antal icke-registrerade nordbor. Detta oansenliga antal verkar astronomiskt högt om man jämför med den svenska utvandrarstatistiken. Enligt denna uttog endast ett fyrtiotal svenskar pass för resa till Australien under 1850-talet. Den viktigaste förklaringen till att de flesta australienfararna inte tog ut flyttningsbetyg eller ansökte om pass hos länsstyrelsen var att de inte visste att de skulle bli kvar på andra sidan jordklotet. Många var sjömän som gjorde en improviserad emigration från sitt fartyg, medan andra vidareemigrerade till Australien från USA, Danmark eller Tyskland – enligt passagerarlistorna i Hamburg reste 59 svenskar till Australien under 1850-talet.

Guldrushens svenska pionjärer

De som befann sig i Australien när guldrushen utbröt hade naturligtvis de största chanserna att snabbt komma ut på guldfälten. En sådan var soldatsonen Håkan Lönn från Virestad, där han föddes 1820. Under namnet Lind vistades han från 1836 i Kristianstad, där han blev kopparslagargesäll. 1844 utvandrade han sannolikt till Sydaustralien i sällskap med en oidentifierad A Hultgren. Märkligt nog ändrade denne pionjär för svensk utvandring till Sydaustralien sitt namn en andra gång – i Australien gick han under namnet Linderson. De två kamraterna letade efter guld kring Fryers Creek vid Castlemaine i Victoria 1851. Sannolikt inte barskrapad återvände Linderson till Adelaide, där han blev ägare av en av Australiens många spritfabriker. Linderson blev med tiden mycket förmögen, han kom in i stadsfullmäktige och fick en gata i Adelaide uppkallad efter sig. När han 1880 i sällskap med sin engelska hustru besökte hembygden skrev tidningarna om honom som en förmögen plantageägare. Den gamle guldgrävaren och brännvinsbrännaren avled barnlös 1907.

När ryktet om de stora guldfyndigheterna i New South Wales och Victoria under senare hälften av 1851 började nå otursdrabbade *fortyniners* i Kalifornien var det inte underligt att många ville pröva lyckan på andra sidan Stilla havet. Man kunde följa med någon amerikansk teklipper på den 8–10 veckor långa seglatsen till Melbourne eller Sydney. En av de första som reste på detta sätt var Charles Sundell, född i Stockholm 1822 och till yrket perukmakare. Hösten 1851 anlände Sundell till Melbourne. Under ett knappt år i Australien lär han ha grävt fram en mindre förmögenhet som han dock förlorade på landaffärer. Sundell försökte också lyckan i Brasiliens guldfält innan han återvände till Stockholm. I början av 1853 slog han sig ned i Chicago, där han blev en av svenskkolonins ledande män.

Maurice F Linquist var namnet på en annan svensk argonaut som reste till Australien via Kaliforniens guldfält. Han föddes 1826 i Göteborg och hade ge-

Guldgrävaren, sedermera konsuln och
köpmannen i Chicago, Charles Sundell.
(Emigrantinstitutet)

Maurice F Linquist.
(Valkyrian, september 1897)

nomgått hemstadens navigationsskola. 1845 emigrerade Linquist till Amerika, deltog i mexikanska kriget och blev *fortyniner* i Kalifornien. Lockad av ryktena från Australien seglade han 1851 eller 1852 till Melbourne. Även Linquist fick mycket glitter i pannan och återvände efter kort tid till Amerika med en rejäl förmögenhet. Men den antipodiska guldfebern grep honom på nytt. På sin andra expedition till Australien medförde Linquist fyra svenskamerikanska medhjälpare. Också denna gång kröntes vaskandet med framgång och efter ett år beslöt sig Linquist för att återvända till Amerika och gå med i ett kaliforniskt guldbrytningsbolag. Denna gång fick han dock känna på stora förluster. Den orolige mannen köpte längre fram ett fartyg, som han själv förde på flera handelsresor över Stilla havet innan det såldes i Boston 1856. Linquist började därefter studera medicin, tjänstgjorde som fältläkare under inbördeskriget och utnämndes sedan till professor vid ett medicinskt college i New York. Den märklige mannen hann dessutom med att borra efter olja i West Virginia.

C A Egerströms upplevelser

Den mest kände och inför eftervärlden mest välartikulerade av det okända antal svenskar som tog sig till Australiens guldfält från Kalifornien var Carl Axel Egerström. Denne godsägarson från trakten av Söderköping hade gett sig ut i stora världen 1852 och kom att oförtröttligt ägna sig åt resor och äventyr. Egerströms liv torde vara ett av de mest omväxlande någon svensk levt. Den exotism som var hans vardag har förevigats i de briljanta minnesanteckningar han lät trycka i hemstaden 1859 under titeln *Borta är bra, men hemma är bäst. Berättelse om en färd till Ostindien, Nord-Amerika, Kalifornien, Sandwichs-öarna och Australien åren 1852—1857.*

Efter två och ett halvt år som guldgrävare i Kalifornien gick den 27-årige Egerström i februari 1856 ombord på skonerten Simon Draper från Connecticut. Mot 150 dollar åtog sig kaptenen att föra svensken tillsammans med elva andra passagerare till det antipodiska guldlandet. Seglatsen över ett Stilla hav, som denna gång gjorde skäl för sitt namn, var den behagligaste den vittbereste Egerström dittills upplevt. Efter två månader var fartyget framme i Hobson's Bay och översvämmades genast av "frågvisa nyhetsjägare samt artiga hotellvärdar". I sällskap med en irländare fortsatte Egerström till hamnstaden Geelong, som med sina 20 000 invånare var Victorias näst största stad. Härifrån reste han vidare med hästdiligens till Ballarat.

Egerström färdades med öppna ögon och skrev ned följande intryck från ett pastoralt höstlandskap: "Den ypperliga vägen sträckte sig nästan rakt genom landet och på eftermiddagen, då molnen något skingrat sig, kastade höstsolen milda strålar över de vågformiga med gumträd (eukalyptus) beväxta kullarna, å vilka ofantliga fårhjordar betade, åtföljda av herdar och dem trogna hundar." I skymningen hade ekipaget hunnit fram till guldgrävardistriktet och man passerade "åtskilliga diggings med sina läger av vita tält och sina städer, huvudsakligen bestående av salubodar och krogar". Vid niotiden på kvällen stannade diligensen vid United States Hotel i Ballarat, där Egerström snart fann sig omgiven av "långa magra Yankee-fysionomier". Han var dödstrött efter den långa och skumpiga resan men någon nattro gavs inte i första taget på detta livliga hotell. Först "när omsider sorlet och biljardbollarnas samt kägelklotens rullande upphörde, intogo vi oss anvisade bäddar, där vilan dock ej blev lugn i avseende till en otalig mängd krypande och hoppande smådjurs alltför nitiska verksamhet".

Egerström beslöt sig för att pröva lyckan i Ballarat, men den genuina otur som förföljt hans vaskpanna i Kalifornien hade inte släppt taget för att han bytt kontinent. Han löste in sig i två inmutningar vid White Horse Lead och gav sig i kast med den för Ballarat typiska underjordiska guldletningen. "Mitt och kamraternas hårda arbete bestod länge i bergsprängning, vattenhalning, grävning genom sandlager och vattendrag vid vilka sistnämnde schaktets sidor måste beklädas med uppskrädda timmerstycken (slabs), innanför vilka väl arbetad lera pudlades (pressades in) för att hindra vattnets inströmmande. Under den i södra Australien rådande kalla årstiden med blåst, regn och frost var detta arbete särdeles svårt och prövande. Genomvåt av vatten och svett samt översmetad med lera uppkom man ofta, liksom ur en smutspöl, och den vila vi mellan arbetstimmarna erhöllo i de bristfälliga tälten var ej heller avundsvärd."

Fyra månader tog det att gräva sig ned till det bottenlager man förgäves hoppades skulle vara guldhaltigt. Besvikelsen över det lönlösa slitet blev inte lättare av att "ägarna av nästgränsande claim sågo sitt arbete rikligen lönat". Den misslyckade

"The diggings" (D Oesterheld, Die Legende vom Gold, 1941)

djupsänkningen hade gjort Egerström utfattig. Nu återstod endast att ta anställning som gruvarbetare, vilket gav honom ett pund för dagen och lika mycket för ett nattskift. Efter en månads slit hade han sparat ihop 36 pund. Den korta fritiden fördrevs med några skandinaver som bearbetade en fyndighet vid Sebastopolberget. "Hos dessa landsmän tillbragte jag mången angenäm stund, och avsåg våra samtal oftast hemlanden och våra framtidsplaner", berättar Egerström.

Nu hade den guldgrävande östgöten fått nog av Ballarat, varför han lämnade staden och vandrade ut i den vilda bushen. Han vadade över Bell's River och styrde kosan mot Franklin Creek. Vinterregnet forsade ned och vägen var förvandlad till lergröt. Efter första dagsetappen "befann jag mig i en dyster skog, där höga gummiträd, lika jättevålnader, reste sig över de kringstående täta buskagena av samma trädart". Skulle den ensamme vandraren tvingas lägga sig ned i blötan under ett träd och invänta gryningen? Denna sorgliga belägenhet lystes plötsligt upp av ett sken från en lägereld och han hörde en hund skälla. "På kort avstånd från vägen kom jag snart till en barkhydda, framför vilken elden var uppgjord, och fann jag vid densamma en gammal man samt en ung gosse, sysselsatta med att tillaga sin aftonmåltid." Enligt vildmarkens gästfria sed inbjöds Egerström att dela mat och läger med främlingarna. "I daggryningen uppgjordes åter eld, och när solen uppgick skingrades den tjocka dimman samt blandade sig fåglarnas glada läten med sorlet av de forsande vattenbäckarna." Det är en härlig morgontavla Egerström målar upp för läsaren. Den lågmälda australiska naturen lever upp i det klara morgonljuset då fåglarna tävlar med bäckarnas sorl och morgonvindens sus i frisläppt glädje efter det bortdragande ovädret.

Egerström tog sig så småningom tillbaka till Melbourne, där han vilade ut ett tag för att sedan göra ett nytt försök med vaskpannan. Han blev emellertid nu övertygad om att "icke något kunde uträttas utan kapital", varför han i slutet av september lämnade Victoria. De första 270 kilometerna färdades Egerström i diligens utmed sydneyvägen. Utanför gruvsamhället Ovens köpte han sig "en häst för 12 pund, en något begagnad sadel för 2 pund och ett betsel för 12 shillings" och fortsatte på egen hand. Han red genom trakter som uppodlats av tyska invandrare, vilka nu var "flitigt sysselsatta med anläggandet av vingårdar". På värdshuset Lord Derby's Inn stötte Egerström ihop med en vagabond som underhöll de väl beskänkta gästerna med partier ur Haydns oratorium Skapelsen. Denne "pauvre diable" föll i hänryckning när han hörde att Egerström var landsman till Jenny Lind, som han hört sjunga i London året innan.

Följande natt tillbringade Egerström under Södra korsets klara himmel och vaknade helbrägda till klockfågelns klämtningar. Snart genljöd markerna av kookaburrans vansinnesskratt och det föga behagligare skränet från "vita kakadus och andra papegojor, vilkas sköna fjädrar skiftade i färger av grönt, blått, rött och guld".

Australiska ryttare. (Fra Australien. Reiseskizzer af Bob, 1802)

Bushrangers i aktion. (K S Inglis, The Australian Colonists, 1974)

Denna dag som börjat så lovande fick ett kusligt slut. "På eftermiddagen, då jag helt sakta red genom en ödslig, sandig slättmark, beväxt med risiga busksnår och en gles gummiskog, vars träd bar märken av en härjande eld, överraskades jag plötsligen av att se tvenne ridande, vilka i starkaste karriär sökte upphinna mig." Det var två stråtrövare, *bushrangers*, som var kända för att göra processen kort med sina offer. Egerström låtsades inte förstå att de tänkte råna honom och följde utan protester med till banditernas läger. Här accepterade han till synes tacksamt erbjudandet att övernatta men inväntade istället den stund när rövarna blivit så druckna att han kunde smita sin väg.

Den tionde oktober 1856 var Egerström framme i guldgrävardistriktet kring Bathurst. Här slog han sig ihop med två engelska kontorister, som hoppades att en så erfaren guldgrävare som Egerström skulle kunna hjälpa dem till rätta. Man löste guldgrävarlicenser, byggde en barkhydda i en avlägsen dal och började sänka några hål. Som vanligt i Egerströms fall uteblev det förväntade resultatet och engelsmännen tröttnade snart på det enformiga arbetet. Den som guldgrävare notoriskt envise svensken fortsatte dock gräva tills sommarens bakungshetta och sinande vattendrag gjorde grävandet omöjligt.

I december lämnade Egerström den sterila inmutningen utanför Bathurst. Han var åter barskrapad, men eftersom han sällan var rådlös tog han efter nyåret plats som boskapsskötare. Den svenske guldgrävaren var den oerfarnaste av de *stock men* som skulle driva en karavan på 6 000 oxar och 30 000 får ned till Victoria. Med detta lämnar vi för tillfället denne äventyrets gunstling där han sitter i hästsadeln och svingar sin långa boskapspiska. I november 1857 seglade Egerström hem till Sverige och Söderköping. Men han skulle återvända till Australien, vilket ger oss anledning att möta honom längre fram i berättelsen.

Carl Lagergrens minnen från guldfälten

En annan av de många svenskar som greps av den australiska guldfebern medan de vistades i USA var Carl Adolf Ludvig Lagergren. Han var född 1830 i Vinnerstads församling utanför Motala. Fadern var präst och Carl Lagergren hade tagit studenten i Uppsala just innan han hösten 1850 reste till New York med den äldre brodern, som var ingenjör, och släktingen Hertzman, vars förnamn ej kunnat fastställas. Brodern hoppades att som så många andra tekniskt begåvade svenskar vid denna tid få arbete hos den berömde uppfinnaren John Ericsson i New York. Förhoppningarna grusades emellertid och framtiden verkade inte ljus när berättelserna från guldlandet i söder började komma i omlopp. Carl Lagergren och Hertzman beslöt att pröva lyckan i Australien, varför de var med bland de 175 passagerarna när fullriggaren Euphrasia seglade ut från New York den 11 mars 1853. Exakt fem månader senare var fartyget framme i Hobson's Bay.

Med hjulångare fraktades passagerarna uppför Yarrafloden till Melbourne. I de omfattande minnesanteckningar Lagergren lämnat efter sig, beskriver han den deprimerande anblicken av det flacka landskapet kring den smala, gyttjiga floden. Humöret blev inte bättre av att man måste slå läger i Canvastown, en väldig tältstad som erbjöd de enda inkvarteringsmöjligheterna i den överfyllda staden. Till all lycka hade de svenska pojkarna varit förutseende nog att sy ihop ett tält under sjöresan och det kom nu väl till pass. I Canvastown fanns affärer, krogar och allt annat som kunde köpas för pengar, men priserna var skyhöga. Skulle pojkarna överleva måste de snarast möjligt skaffa sig ett arbete.

Eftersom de inte vågade lämna tältet utan uppsikt beslöts att Lagergren skulle söka efter arbete medan Hertzman bevakade emigrantkistorna. Arbetslösheten var stor och den svenske herremannen fick skatta sig lycklig när en förman antog honom som gatsopare och huggare av gatsten. Snart nog löste sig problemet med tillhörigheternas förvaring så att också Hertzman kunde ge sig ut i arbetslivet. Då det tycktes meningslöst att dra ut till guldfälten utan startkapital, bestämde sig svenskarna för att stanna en längre tid i Melbourne. Hertzman blev husmålare medan Lagergren specialiserade sig på att lägga spåntak, ett minst sagt svettigt arbete när den heta ökenvinden från norr svepte över hustaken. Under större delen av 1854 kamperade Lagergren och tre andra svenskar i ett tält nära havsstranden vid Schnapper Point, sydöst om Melbourne. De levde på att hugga ved i skogarna eller samla drivved från en liten båt. Veden såldes med god förtjänst till stadsborna.

Carl Lagergren. (Lagergrenska samlingen, Emigrantinstitutet)

Sedan man blivit av med ett stort vedlager vid ett skeppsbrott bröt Lagergren upp och vandrade in i landet. En tid försörjde han sig med att hugga stolpar och slanor till kreatursstängsel. Ville han klara sig fick inget diversearbete vara honom främmande.

En het februaridag 1855 kände Carl Lagergren att tiden var mogen för att börja leta guld, varför han och fyra kamrater anträdde vandringen mot det hägrande guldlandet. Så kom den hänryckningens dag då svensken från en bergshöjd kunde skåda ut över den sjudande guldgrävarstaden Ballarat. Anblicken av de oräkneliga tälten, som guldgrävarna placerat så nära inmutningarna som möjligt, var både imponerande och komisk: "Utanför tälten brann små eldar över vilka man här och där såg en figur klädd i röd yllemössa, smutsgula byxor och långa stövlar brassa någonting i en stekpanna." Lagergren gick in bland tälten och kände munvattnet stiga. Det luktade nämligen fårkotlett från eldarna, ett kvällsmål "som det av den heta vinden kringblåsta dammet hjälpte till att peppra med en krydda (sand) som verkligen gav tandagnisslan".

Måltiden var endast ett tillfälligt avbrott i "diggarnas" myrflit. Snart var de åter nere i sina djupa schakt, varifrån grus och guldförande "pay dirt" vinschades upp med gnällande hissanordningar. Intill gruvhålet skedde vaskningen. Först vräktes gruset ned i en vattentunna som man rörde om i med en spade tills leran skildes från det guldhaltiga gruset. Detta hälldes sedan i guldvaggan där guldsanden filtrerades fram. Slutligen finsiktades guldsanden i en vaskpanna, torkades och hälldes i skinnpåsar. Detta var den lustfyllda avslutningen på slitet nere i gruvgångarna. När en sådan mänsklig mullvad efter åtta timmars svettbad hissades upp ur schaktet, var han enligt Lagergren "från huvud till fot betäckt med grus, lera och smuts . . . samt dessutom genomblöt, vadan man lätteligen inser att en stark hälsa, en verklig järnkonstitution, erfordras för att uthärda ett dagligt arbete som också intrycker sin prägel av ohälsa på guldsökarens anletsdrag".

Lagergren lärde känna landsmannen J R Löfvén, vilken liksom hallänningen Oscar Skoglund drev handelsbod i Ballarat och därmed blev centralfigur för det skandinaviska umgängeslivet. Den ensamme östgöten inbjöds att fira julen 1855 hos Löfvén. Både skinka och gröt vankades och annandag jul ställde Löfvén till med en bal för kunderna. "På en kulle ovanför boden avröjdes en plan för de dansande", minns Lagergren, "och i buskarna däromkring upphängdes kulörta lampor à la Tivoli och nära invid dansplatsen var ett tält med förfriskningar för de flämtande gästerna." Här dansade skandinaver och andra guldgrävare så att "torvorna flögo". Dansen tråddes till midnatt då månen steg upp på midsommarhimlen.

Lagergren höll sinnet öppet för guldgrävarmetropolens märkvärdigheter och han ägde förmågan att låta pennan fånga miljöer och genrebilder. Lekande lätt tecknar han ett Ballarat som vibrerar av rörelse, oväsen, lukt och färg som i denna scen från ett av de otaliga värdshusen: "Uti källarrummet, The Bar Room, voro vanligtvis några tyska musikanter bestående av båda könen och spelande dansmusik som omvexlades med sång, varunder minarna strömmade ut och in, förplägande sig, oftast på stående fot invid disken, med de miserabla drycker, som australiska hotellvärdar anse nog att tratta i törstiga guldgrävares strupar." I danshallarna studerade Lagergren dansanta guldgrävare som i kvinnobristens Ballarat fick hålla till godo med manliga partners: "man såg kavaljerer i olika kostymer, ända från frackar ned till den röda eller blå ylleskjortan, från skor av blankläder ända ned till stövlar eller kängor, så spikbeslagna och järnbesmidda, att man skulle trott tiljorna i fara att plöjas upp". De kvinnor Lagergren såg i danshallarna var "eländiga varelser i siden och brokiga kläder utstyrda och vilkas anletsdrag med få undantag vittnade om att de kommo från den gamla världens syndanästen". Inte desto mindre kunde många danshallsflickor räkna med att bli gifta med någon lika kärlekskrank som guldstinn guldgrävare "ty guldregionerna är de sjunkna kvinnornas förlovade land".

Guldgrävarna hetsades alltid av ryktena om nya guldfynd i dalarna på andra sidan de blåskimrande bergen. Ju längre bort den nya fyndorten låg desto oemotståndligare blev ryktet och snart var en ny rush på gång. En sådan guldrusning kunde få tiotusentals män att hals över huvud ge sig iväg till de sandhögar eller bäckraviner som ryktet utpekade. "En dylik rush uppstår ofta utan tecken till anledning, och människor sätta sig i rörelse för att uppsöka guldfält som ligga helt och hållet inom diktens område", skriver Lagergren.

Själv rycktes han i slutet av 1856 med av rushen till Dunolly, ett guldfält på ett brännhett sandfält 80 kilometer nordväst om Ballarat. Lagergren nådde Dunolly efter en strapatsfylld vandring genom bushen och under några glödheta januaridagar 1857 grävde han ett hål ned i de förrädiska gruslagren. Det svettdrypande grävandet fick ett brått slut när svensken drabbades av värmeslag och under tre veckor blev liggande hjälplös i tältet. Det kunde bli 50° varmt under tältduken och den feberyrande Lagergren kände sig som i Gehenna. Helvetesvisionerna konkretiserades av att skogen intill guldfältet självantändes i hettan. Röken fick ögonen att tåras, men den var inte tillräckligt stark för att neutralisera stanken från de döda åsnor och hundar som låg och ruttnade utanför tältet. Tungan tjocknade av brännande törst och Carl Lagergren beredde sig på slutet.

Men den järnhälsa som tycks följa alla vagabonderande svenskar segrade, febern släppte och Lagergren kunde tänka klart igen. Beslutet att omedelbart lämna den fasansfulla platsen var oryggligt. Med sju shilling och sex pence på fickan vandrade guldgrävaren till McIvor, där ett stort antal svenskar höll till. Under den 135 kilometer långa marschen kom Lagergren till världshuset Mia Mia Inn som ägdes av värmlänningen Lars Fredrik Westblad och hans irländska hustru. Lagergren trakterades på bästa sätt och kunde med nya krafter tillryggalägga de sista 20 kilometerna till McIvor.

Här hade ca 25 svenskar tillsammans med några danskar och engelsmän bildat ett gruvbolag och nykomlingen inbjöds nu att lösa in sig i inmutningen Caledonia nr 3. Då han saknade kontanter gjorde man upp om att en fjärdedel av avkastningen skulle gå till säljaren. Detta avtal aktualiserades aldrig, eftersom de två år Lagergren arbetade i McIvor blev resultatlösa vad guld beträffar. Däremot upplevde han kamratskapets välsignelser och så ordnade förhållanden som det var möjligt i guldlandet. Man hushållade tillsammans och åt varje dag de tre bastanta mål lägerkocken dukade fram på långbordet i ett stort tält. Enligt den guldgrävande prästen Pehr Wideman, vilken befann sig i McIvor samtidigt som Lagergren, levde karlarna i denna Australiens första svenskkoloni i den broderliga gemenskap som endast kan uppstå i vildmarkens sköte: "Om dagarna arbetas. Om kvällarna och de regniga dagarna samlas vi, läsa Aftonbladet, språkas vid, dra en spader för vårt höga nöje eller dricka en butelj danskt brännvin eller svensk punsch och porter." Också Corfitz Cronqvist trivdes i McIvors "svenska kamp" som han besökte 1858. Här fanns krogen Danska Flaggan och "en ypperlig kvartett lät ofta höra sig", skriver han, "trevliga kotterier bildades, ja, till och med en soirée gavs, därvid poesi föredrogs, kvartetter och solos utfördes m.m". Det hårda slitet i inmutningarna hade alltså enligt dessa vittnesbörd en både festlig och sofistikerad baksida. Svenska lägret i McIvor bestod under några år men bröts sedan ned av det australiska nomadlivet − "några reste hem, andra begåvo sig till avlägsna diggings, men framförallt sinade guldet".

I McIvor låg guldet inkapslat i blåskimrande kvartsådror. Svenskarna grävde och högg sig ned genom marken tills de stötte på hälleberget, som de gick lös på med hackor och krut. Stenblocken hissades upp ur schaktet, hettades upp över eldar och kastades sedan i kvartskrossningsmaskinen som bearbetade stenbumlingarna med

Guldgrävning i Bendigo. De flesta metoderna för guldletning illustreras av bilden.
(Fra Australien, Reiseskizzer af Bob, 1862)

sina åtta stampar tills de malts ned till en pulverliknande massa. Denna filtrerades
sedan i olika rännor tills guldkornen amalgamerades med kvicksilverlagret på
bottnen av den understa rännan. Blandningen av kvicksilver och guld hälldes
slutligen i sämskskinnssäckar, som kramades tills kvicksilvret trängde ut och guldet
blev kvar i säckarna.

Det som fick Lagergren att ge upp det trots alla tomma vaskpannor behagliga
guldgrävarlivet i "svenska kampen", var harmen över att han inte sålde sin inmut-
ning när han erbjöds 300 pund för den. Strax efteråt stötte han på en vattenåder som
översvämmade schaktet. Försöken att pumpa upp vattnet var förgäves och Lager-
gren fick överge sin gruva just när den börjat visa de rätta tecknen. Rik på
erfarenheter men fattig på guld gick han i mars 1859 ombord på klippern South-
hampton, destinerad till London. Därifrån fortsatte Lagergren hem till Sverige och
det fridsamma livet som lantjunkare utanför Nyköping. 1868 gifte han sig och skrev

under följande år ned sina minnen från guldgrävarlandet i söder. Det blev ett 290 sidors manuskript, som intar en framskjuten plats bland det rika källmaterialet om svenska guldgrävare bortom haven. Lagergrens planer på att trycka manuskriptet hade inte förverkligats när han avled i Stockholm 1893. Det togs emellertid omhand av släktingarna och har ställts till Emigrantinstitutets förfogande.

En avsigkommen präst på guldfälten

Historiens sannolikt längsta svenskspråkiga guldgrävarbrev skrevs från "svenska kampen" i McIvor den 20 maj 1856 av Pehr Pehrsson Wideman. Detta märkliga brev fanns bevarat den 23 augusti 1901, då det avtrycktes i Östergötlands Dagblad. Vad som hänt med det därefter är höljt i historiens dunkel. När Wideman plitade ned sitt brev kunde han beskrivas som f d pastor. Denne bondson från Örkened i Kristianstads län hade nämligen avlagt studentexamen i Lund 1843 och fyra år senare prästvigts i Uppsala. Han hade sedan under fyra år tjänstgjort i Hols församling utanför Alingsås.

Vi kan endast spekulera över varför Wideman plötsligt hängde av sig prästrocken och köpte ett hemman i Virestad, en grannsocken till Örkened men belägen norr om smålandsgränsen. Inga bevis för misshälligheter gentemot församlingen eller kyrko-ledningen har kunnat dragas fram, och han lämnade sin församling med goda vitsord. Lika gåtfull ter sig Widemans försäljning av gården och plötsliga emigration till Australien hösten 1855. Blev arbetet på den förhållandevis stora gården för mycket för en skrivkarl eller kom han i ekonomiska svårigheter under 1850-talets många svaga jordbruksår? I ett sådant läge kan Wideman ha läst om Australiens guldfält och börjat fundera på att ge sig av dit. Sannolikt hade han hört talas om den framgångsrike guldgrävaren Håkan Linderson, som var född i Virestad och hade släktingar i trakten. Var det dennes australienbrev som tände vandringslusten i Pehr Widemans oroliga hjärta? Några dussin virestadsbor hade redan utvandrat 1855, men de hade alla med undantag av Linderson valt Amerika. Mystiken kring den märklige prästens utvandring förtätas av att han varken tog ut flyttningsbetyg eller ansökte om pass. Som präst kände han till pappersexercisen kring en utrikes flyttning, men han valde att resa utan att besvära kyrkoherden i Virestad. Emigra-tionen fick onekligen ett drag av flykt över sig.

Wideman följde de svenska australienfararnas vanliga resväg över Hamburg till England, där han efter fem veckor i Liverpool embarkerade segelfartyget Africa. Bland de 300 emigranterna fanns förutom Wideman en svensk som han tyvärr inte namnger. Resan tog 103 dagar och den första november 1855 anlände man till Melbourne. Här träffade Wideman landsmännen van Damme och Wisselquist, som gav honom goda råd om livet på guldfälten. van Damme tjänstgjorde på svensk-norska konsulatet och torde ha varit identisk med Carl Hjalmar Damm, född 1829 i Malmö. Han hade en bror, Peter Christian, som var född 1833. Fadern var sjökapte-nen J P Damm. Bodbetjänten Peter Damm utvandrade 1854 till Amerika och därifrån vidare till Australien, medan Carl i juli samma år reste från Hamburg till Melbourne. Bröderna blev affärsmän under det adligt klingande namnet van Damme. Wisselquists förnamn var Carl Johan. Han föddes 1830 i Linneryd, hade varit glasmästarlärling i Växjö och troligen utvandrat från Karlshamn 1852 eller 1853. När Wideman träffade honom arbetade han hos en urmakare och "är en rik karl nu".

I sällskap med kamraten från överresan, två danskar och fyra tyskar började Wideman vandra till Blackwood diggings, femton kilometer från Melbourne. I brevet ger han intressanta upplysningar om utrustningen: "Utom vad vi stodo och gingo i, togo vi med oss ett par byxor, ett par stövlar, en rock och ett täcke. Utom några kokkärl hade vi ingenting med oss." Med bohaget på australiskt maner inlindat i täcket till en *swag* vandrade männen genom ett tyst och redan törstande vårlandskap. Vandringen gick lätt i det utmärkta vädret och snart var de framme i Blackwood som Wideman beskriver på följande sätt: "Ett vidsträckt fält med långa dälder mellan bergen. Jorden, åtminstone i dälderna, överallt omvänd, i det tusentals hål voro sänkta och guldsökarna voro sysselsatta att sänka andra. Tusentals, oräkneliga tält dels hopade i massor dels liggande enstaka. Allt detta ingav mig ett helt annat begrepp om diggings än jag förut haft." Efter att ha köpt tält och verktyg grep sig Wideman och kamraterna verket an. "Under kall och regnig väderlek sänkte vi några hål på ungefär 9 fots djup, men guld funno vi ej . . . Efter 14 dagars fruktlöst arbete, beslöt jag därför att lämna ett så uselt ställe." Wideman hade därmed inhämtat den vanligaste av guldsökandets många erfarenheter.

Så gott som utblottad vandrade Wideman tillbaka till Melbourne, där han sällade sig till de ringlande köerna av män som sökte arbete. Klockan sex på morgonen brukade en av tidningarna i ett skyltfönster hänga upp de sidor i dagens nummer där annonserna om lediga platser var tryckta. Det gällde då att snabbt anteckna en lämplig arbetsgivares adress och fortast möjligt leta rätt på honom. "Jag infann mig där tidigt", skriver Wideman. "Tidningen var ännu ej uthängd, men hundratals personer voro redan samlade i ängslig väntan. Slutligen uthängdes den. En oerhörd trängsel uppstod. Alla ville vara de första, ty det är just därpå sakens lyckliga utgång beror." Vid andra ställen auktionerades arbeten ut till dem som bjöd det lägsta ackordet. Allt skedde på arbetsgivarens villkor, så det var inte lätt att vara diversearbetare i 1855 års Melbourne, summerar han. De svåra dagarna i Melbourne livades emellertid upp av de landsmän Wideman stötte ihop med och "som voro mig till stor nytta". Han nämner särskilt skomakaren A W Sandström från Växjö, skräddaren Peter Fredrik Syréen, född 1815 i Kalmar och snickaren Jöns Peter Rosengren, född 1832 i Lund och liksom Syréen bosatt i Göteborg före emigrationen. "De bärga sig gott samt äro utomordentligt hyggliga och gästfria."

Förhållandena i Melbourne var så dåliga att Wideman gav sig ut på vandring igen. Vid Fryers Creek träffade han guldgrävarna Gustaf och Petter Olsson och Olle Pettersson, vilka sannolikt tillhörde de många som emigrerat från Bjurtjärn och andra socknar i Karlskoga bergslag. Snart fick han lära känna bergslagsborna närmare vid svenskkolonin i McIvor, dit Wideman tog sig på värmlänningen Anders Edqvists förslag. Här fanns det nämligen gott om arbete vid guldutvinningsmaskinerna. Edqvist och en kompanjon ägde en sådan *puddle machine*, men Wideman avslog erbjudandet om arbete och började istället gräva på egen hand vid nyårstiden 1856. Han var inte utan framgång: "Jag har köpt tält, kläder och redskap för cirka 250 riksdaler och har i guld och penningar åtminstone 400 . . . och nu väntar jag mig endast att finna ett stycke på 20 skålpund, för att gå hem." Det var ett slitsamt arbete att gräva sig ned tiotals meter genom gruslagren men man var sin egen herre och bestämde allt själv. "Guldgrävarlivet är det friaste i världen, man lever nästan som på studentfot, endast friare", skriver Wideman triumferande. Han hade börjat trivas så bra bland landsmännen i McIvor att han undrade om han skulle kunna finna sig tillrätta mer i Sverige.

Widemans gamla yrke var inte okänt bland landsmännen i "svenska kampen". Sannolikt talade de ibland om behovet att få ett gudsord med ned i underjorden. Så kom det sig att den avdankade prästen ännu en gång predikade. Denna den första svenska gudstjänsten i Australiens historia hölls pingstdagen 1856 och man kan utgå från att de män Wideman nämner i sitt brev andaktsfullt bänkade sig i gudstjänstlokalen: Lars Fredrik Westblad från Bjurtjärn och dennes värmländska kamrater Jonsson, Andersson och Persson, Stockenberg från Halmstad, smålänningen Loft och kristianstadborna S Norén och Magnus Ljungquist, Julius Rosenberg från Stockholm, bröderna Rosenblad från Osby i Skåne, Nilsson från Döderhultsvik, "alla hyggliga karlar, som göra svenska namnet heder", och de två finnarna Hägg-blom. Möjligen bevistades gudstjänsten också av Gustaf von der Luft och C A Olsson, sannolikt från Göteborg, som enligt Corfitz Cronqvist 1858 ägde en av de bästa kvartskrossningsmaskinerna i McIvor.

De många borgerliga namnen tyder på att flertalet av dessa guldgrävare hade sin bakgrund i städernas miljö — en del var hantverkare, andra var studerade karlar och "bättre-mans-barn". Tyvärr kan vi endast delvis skingra anonymiteten kring dessa namn. Ett sådant är förre kammarskrivaren i Malmö Johan Anders Stocken-berg, som kom från en känd halmstadsfamilj — fadern titulerades lanträntmästare och kammarrättsråd. Efter studier i Lund, där Stockenberg varit kamrat med Victor Rydberg, och en kort tid som tulltjänsteman i Malmö utvandrade han 1854 till Australiens guldfält. Det värdefullaste i Stockenbergs vaskpanna blev det fläsk han då och då stekte i den, men som så många andra vägrade han att ge upp. I sina brev till brodern Thure berättar han om en vingård som han och tre andra svenskar började anlägga 1860, men företaget misslyckades liksom försöket att börja med mejeriproduktion. I början av 1865 lämnade Stockenberg Victoria för att pröva lyckan på guldfälten i Nya Zeelands Coromandelberg, där han dog utfattig 1879. Mottagaren av Stockenbergs många brev till hemlandet, den blivande borgmästaren i Halmstad Thure Stockenberg, lät resa en pampig gravsten på sin vinddrivne broders grav.

Också Gustaf von der Luft var son till en lanträntmästare. Han kom från Kristianstad och blev en lika inbiten guldgrävare som kamraten Stockenberg. von der Luft hade dock mer tur än Stockenberg, som ett tag var skyldig honom 200 pund. Han tycks ha återvänt till Sverige 1865.

Den ene av bröderna Rosenblad hette Olof Johan i förnamn och var född 1812 i

Johan Anders Stockenberg fotograferad i Stockholm före utvandringen. (Museet i Halmstad)

Simrishamn. Han utbildade sig till guldsmed och hade varit verksam i Stockholm före utvandringen från Osby någon gång efter 1851. Han lämnade hustrun efter sig i Osby och hon gifte om sig efter meddelandet att mannen dött i Australien i oktober 1860. Olof Johans broder kan ha varit antingen Jacob Samuel eller Gustaf Andreas, bägge 1830 utflyttade "till obestämd ort" från Simrishamn respektive Ystad.

Med berättelsen om den stämningsfulla pingstgudstjänsten i McIvors svenskkoloni slutar Wideman det brev som sannolikt blev hans enda livstecken till föräldrahemmet. Av Carl Lagergrens minnesanteckningar framgår att Wideman befann sig i McIvor hösten 1857, då Lagergren kom att bidra till att landsmannen gjorde ett stort guldfynd. Lagergren och två kamrater hade lokaliserat en bäckravin som gav de rätta tecknen och svenskarna började inmuta. Turen i denna "Swedish Gully" uteblev dock för alla utom Wideman som gjorde betydande guldfynd. Därmed sluter sig tystnaden kring den oroligen prästen och vi får hålla till godo med sägner och gissningar. Enligt en uppgift bodde han kvar i McIvor 1859. Han skall också ha fortsatt att anordna gudstjänster för de guldgrävande skandinaverna, men hans namn var inte aktuellt när man försökte grunda en skandianvisk kyrka i Ballarat. Wideman lär ha dött utfattig och ensam i trakten av Inglewood omkring 1870. Märkligt nog uppstod trettio år senare ett rykte om att den guldgrävande prästen skulle ha efterlämnat en stor förmögenhet. Släktingarna började då undersöka hur det förmodade arvet skulle bärgas, vilket ledde till att brevet publicerades i Östergötlands Dagblad.

Den missnöjde guldgrävaren Niklas Ljungström

Vi har tidigare tagit del av skåningen Niklas Ljungströms brev från den 12 maj 1858, där han berättar om den stormiga seglatsen från New York till Australien. Brevets fortsättning beskriver upplevelserna "på det ädla guldlandets eller paradisets härliga stränder" (Melbourne), där Ljungström steg iland i slutet av juni 1857. De vedermödor som skildras ligger nära Widemans upplevelser. Liksom denne fann Ljungström inget arbete och fortsatte därför till "the diggings" i sällskap med en norrman, en engelsman och fyra tyskar. "Utstyrda med skjutgevär, dolkar och pistoler samt våra sängkläder upplagda i en bindel på ryggen marscherade vi på obanade vägar genom buskar, snår och moras, liksom vilda skogsrövare", skriver han. "Vårt te och kaffe kokte vi i skogarna och sköto papegojor och en del andra fåglar och djur, vilka vi stekte på elden så gott vi kunde, detta tillika med bröd och brännvin var god måltid för skogsmän."

Trots att Ljungström var med om att sänka ett dussintal hål vid Castlemaine blev guldgrävandet ett fiasko, och han kände sig förvissad om att "minorna är det uslaste en man kan söka". Han återvände till Melbourne, där "hundratals människor luffade omkring på gatorna utan arbete, utan något att äta och utan en shilling på fickan". Just som de sista pengarna tagit slut vände sig lyckan och Ljungström, som var snickarkunnig, fick jobb på ett snickeri. Skåningen stannade i Melbourne till i april 1858 då han reste med ångbåt till Sydney. Här gick han ombord på ett segelfartyg och lämnade Sydney den 14 maj med kursen ställd mot Peru. "Olycklig är den som lämnar sitt fädernesland och går till Australien för att finna guld, sitt fördärv både till kropp och själ", summerade den missnöjde guldgrävaren inför avfärden. I Peru utvecklade Niklas Ljungström sitt handlag med trä och blev en känd träsnidare. Han dog i Lima vid sekelskiftet.

Australienfebern i Bjurtjärn

Det närmaste man kan komma en grupputvandring från Sverige till Australiens guldfält är de unga män som reste från Bjurtjärn i Karlskoga bergslag till guldfälten i Victoria. Deras framgångar kom att locka ett stort antal bergslagsbor till Australien. Gruppen leddes av två *fortyniners*, bergsmanssönerna Peter och Anders Petersson från Herrnäs, som reste 1853. Innan de emigrerade till Australien hade de hjälpt sina bröder Erik och Jakob att grundlägga nybygget Stockholm i Wisconsin, målet för tidens sannolikt största svenska grupputvandring — 1853 och 1854 reste huvuddelen av 256 emigranter från Karlskoga bergslag under Jakob och Erik Peterssons ledning till Stockholm, där den sistnämnde kom att residera som "kung Erik".

De nämnda åren följdes Peter och Anders Petersson till Australien av bergsmanssönerna Lars Fredrik Pettersson från Väsby, Olof Gustaf Olsson från Kexsundet, Petter Olsson från Dahlbäcken och Olof Wallentin Pettersson från Björkeberg samt drängarna Erik Olsson i Väsby, Anders W Jonsson och Petter Andersson, alla från

Bjurtjärns församling. 1857 kom Lars Fredriks bröder Karl Gustaf och Axel Pettersson och senare emigrerade bröderna Jakob och Olof Niklas, kusinen Karl Larsson, brorsonen Svante Westblad och Per August Nilsson. Sannolikt reste ännu fler från Bjurtjärn och angränsande socknar till Victorias guldfält. Några kom över Kalifornien som bergsmanssonen Jonas Erik Nilsson från Nolby, vilken anlände från San Francisco. Värmlänningarna tycks ha slagit sig ned i McIvor, där Wideman som vi sett lärde känna en del av dem i "svenska lägret". Pionjärerna från Karlskoga bergslag fick mycket glitter i vaskpannorna och många kunde fortsätta livet med rejäla förmögenheter i bakfickan. 1857 återvände Peter, Olof Gustaf och Olof Wallentin till hembygden, där de slutade sina dagar som bemärkta män. Också Anders Petersson kom tillbaka med en mindre förmögenhet. Han hade då också försökt sin lycka på Nya Zeelands guldfält.

Den mest kände av guldgrävarna från Bjurtjärn blev Lars Fredrik Pettersson som tog namnet Westblad efter hemgården Väsby. Han blev ägare till en stor *puddle machine* i Bendigo och lär ha varit aktiv i agitationen mot guldgrävarlicenserna som ledde till upproret i Ballarat, *The Eureka Stockade*, den andra december 1854. Westblad blev förtroendeman i otaliga sammanhang, bl a som kommunalman och fredsdomare. När han hade valts in i grevskapets fullmäktige och en patriot frågade om han var brittisk medborgare lär svensken ha replikerat: "Nej, men jag tillhör människosläktet!" Genom giftermålet med änkan Bridget Madden från Irland blev han ägare till världshuset Mia Mia Inn och boskapsstationen Flower Hill. Bridget hade fått nio barn i sitt första äktenskap, vilket inte hindrade att hon lät Fred Westblad bli far till ytterligare åtta. Av dessa överlevde sex.

När Carl Lagergren under sina vandringar anlände till Mia Mia tog han som vi sett in hos Westblad. Stället blev ett centrum för svenska guldgrävare, som inte hade långt dit från guldfälten i McIvor. Lagergren berättar att Westblads värdshus låg vid skärningspunkten mellan tre vägar, varav två gick till guldfälten och den tredje förband herdedistriktet kring floden Murray med Melbourne. Stora boskapshjordar drevs dagligen förbi stället och "Westblad gjorde fina boskapsaffärer". Denna boskapshandel ledde troligen till att han 1877 etablerade sig som *squatter* på den väldiga slätten kring Murrayfloden. Vid Barr Creek i Kerang anlades den station som Westblad drev tillsammans med bröderna Karl Gustaf, Axel och Olof Niklas samt sina fyra söner. Detta familjeföretag, som med sina mer än 1 600 hektars land och väldiga konstbevattningsanläggningar förmodligen var Australiens största svenskägda gård, ledde Westblad från sin pampiga herrgård Westby Park.

Westblad var tillräckligt välsituerad för att kunna göra flera besök i Sverige. Han blev en australisk motsvarighet till tidens många svenskamerikaner som slog hembygden med häpnad över "changtil" klädsel och stinna plånböcker. Svenskaustraliern Westblad väckte stor uppmärksamhet i Bjurtjärn. När han återvände till Australien hade han oftast en släkting eller f d granne som ressällskap. På detta sätt emigrerade brorsonen Svante, kusinen Karl Larsson samt Per August Nilsson och Karl Forsberg.

Med de i trähantering välförfarna bjurtjärnsbornas hjälp uppförde Westblad en ståtlig mangårdsbyggnad på Westby Park. Särskilt omtalat blev huset för det

*Westby Parks huvudbyggnad
i Kerang. (Hembygdsarkivet,
Karlskoga)*

*Fred Westblade, som han kallades
i Australien, var en viljestark kraft-
karl vilket framgår av detta porträtt.
(Hembygdsarkivet, Karlskoga)*

pagodliknande torn Karl Forsberg byggt åt Westblad. Det var försett med spiraltrappa och kröntes av balkong och flaggstång, där svenska flaggan ofta vajade. Från denna utsiktspunkt kunde man blicka ut över Westblads hjordar av kor, oxar, hästar och får. Blicken fröjdades också över den ljuvliga park med inplanterade pilar och almar som Westblad anlagt kring en fördämning i ån. Denna damm var omtalad för sitt rika fågelliv med svarta svanar, änder och andra på slätterna efterlängtade sjöfåglar. Ovanför fårklippningshallen hade Westblad låtit montera sin vällingklocka, en gammal skeppsklocka från ett fartyg som förlist utanför Australien. Westby Park låg i ett av Australiens rikaste jordbruksområden, där plogen skar djupt i fet mylla och där enligt brodern Petter Magnus Peterssons iakttagelser från 1882 "sten icke fanns på flera hundra mils avstånd och skog endast utefter floderna". Därmed var det ont om skugga på prärien kring Murray River, och marken låg svart och förbränd när Petersson gjorde sitt besök på Westby Park.

På denna station dog Lars Fredrik Westblad 1898. Han efterlämnade fyra söner och två döttrar, vilka utgjorde andra ledet i en av de största svenskaustraliska släkterna. Vid ett familjemöte som hölls i Kerang den 29 februari 1976 var inte mindre än 300 ättlingar till Lars Fredrik Westblad närvarande.

Cronqvist, tidningen Norden och Skandinaviska föreningen

År 1859 utgav den guldgrävande journalisten Corfitz Cronqvist en liten skrift med titeln *Vandringar i Australien åren 1857—1859*. Boken utgjordes av en samling artiklar som publicerats i Göteborgs Handels- och Sjöfarts-Tidning. Förutom Göteborg angavs Melbourne och San Francisco som utgivningsorter, vilket antyder att Cronqvist hoppades få boken spridd bland guldgrävare på bägge sidor Stilla havet. Själv var han enligt förordet i mars 1859 på väg från Australien till Kalifornien.

Vi vet ingenting om resan till Kalifornien, kanske inställdes den i sista stund. Cronqvist befann sig nämligen några år senare i Australien, varifrån han fortsatte skicka artiklar till svensk press. I juni 1871 omnämnes han således som "Nerikes Allehandas korrespondent på Nya Holland". 1895 lär han ha dött på en fattigvårdsinrättning i Melbourne.

Corfitz Cronqvist var född 1833 i Malmö och slog tidigt in på faderns levnadsbana, han blev boktryckerikonstförvant eller typograf. 1852 fick han endast 19-årig anställning som faktor hos den kända boktryckaränkan Carolina Deurell på Nya Wexjö-Bladet, där han sannolikt övervakade tryckningen av Johan Bolins tidigare nämnda amerikabok. Cronqvist fick sparken sedan han åtagit sig att föra änkan Deurells talan i ett tryckfrihetsmål men förvisats ur rättsalen såsom varande omyndig. Den företagsamme ynglingen hade också arbetat som journalist i Kristianstad och Örebro innan guldfebern tog honom.

Hösten 1856 bör Cronqvist ha anlänt till Melbourne och han kom att dela sin tid mellan denna stad och guldfälten, främst då Ballarat. Cronqvist ägde en rapp penna som avslöjade hans journalistiska skolning. Andra skribenters, t ex Widemans, naiva hänförelse över Australiens fördelar möter vi inte hos honom. Han tar alla märkvärdigheter med en rejäl gnutta salt och tycker i själva verket ganska illa om Australien. Samhällsmentaliteten passar inte en intellektuell invandrare av Cronqvists kaliber: "här är ett par duktiga armar och en järnhälsa bättre än ett helt universitets lärdom, såvida man ej har fullt upp med pund". Naturen finner han så tråkig att "en turist kan få en sjukdom på halsen av bara ledsnad". Att resa i Australien är honom en utdragen plåga, inte minst för de usla vägarnas och den backiga terrängens skull. "I skogarna skall (resenären) dessutom ej finna skugga, emedan träden ej stå så nära varandra och ingalunda äro lummiga, emedan bladen äro små och smala", klagar svensken, som törstade förfärligt i det dammiga landet. Till detta kom den ständiga risken att komma vilse i bushen. Särskilt obehagligt var klimatet i Ballarat som ofta utsattes för "hagel och störtskurar mitt i sommaren, åska även om vintern, varjämte enda gatan ofta översvämmas av allt det vatten som vid starka flöden strömmar från höjderna". Ibland svepte den nordliga ökenvinden in över guldgrävarmetropolen. Den fuktiga luften i gruvgångarna blev då som i en bastu och skyndsam evakuering var enda räddningen från kvävningsdöd eller slaganfall. Ändå fanns det guldgrävare som trotsade nordanvinden i ivern att hinna först till guldlagren.

När Cronqvist våren 1857 bosatte sig i Ballarat fanns omkring 800 nordbor, varav minst en tredjedel svenskar i eller omkring den stora guldgrävarstaden. Så gott som alla var män — av de sex svenska damer som enligt Cronqvist bodde i Australien, hade han lärt känna inte mindre än fyra. Det var inte underligt att en man av Cronqvists status skulle rynka på näsan åt landsmännens bildningsnivå. "Den sociala ställningen våra landsmän i allmänhet innehar är låg, ty nästan alla, som förvärvat något vända så fort som möjligt ryggen åt guldlandet." Dessutom var de flesta sådana som "gerna kröker på armen". På skandinavernas arbetsamhet och allmänna uppförande var det däremot inget fel och "särdeles svenskarna ha å alla platser anseende för rättrådighet och god karaktär — likväl ingen regel utan undantag".

I denna krets organiserades Skandinaviska föreningen i Ballarat i april 1857, en märklig händelse eftersom denna förening kom till några månader före den första svenska emigrantföreningen i Amerikas mellanväster — Sällskapet Svea i Chicago grundades vid midsommartiden 1857. Enligt stadgarna skulle föreningen i Ballarat verka för skandinavisk sammanhållning och organiserandet av en kyrka. Förutom Cronqvist blev handlandena J R Löfvén och Oscar Skoglund föreningens ledande svenskar. Medan Löfvéns bakgrund är okänd vet vi en hel del om Skoglund. Han var född i Marstrand 1835 och hade varit bosatt i Varberg. Från societeten i sistnämnda stad tog han sin hustru, rådmansdottern Christina Sellgren, som gifte sig med Skoglund när denne besökte Sverige 1859. Omedelbart efter giftermålet, som sannolikt var mot föräldrarnas vilja, följde Christina Sellgren hösten 1859 sin man till Ballarat.

Cronqvist tiger om vilka svenskar som i övrigt var aktiva i Skandinaviska föreningen. Man vågar gissa att många av de guldgrävare Wideman nämner i sitt brev

"Tidningskiosk" i Ballarat. (The Illustrated London News, 1854)

bevistade klubbmötena. Detsamma bör gälla Cronqvists kamrater bröderna van Damme och andra malmöbor som Samuel Peter Mattson, vars far var skeppare, Jonas Angelin, fångvaktarsonen Carl Johan Krumlinde, Christian Petter Kockum, vars far ägt ett garveri, samt Christian och Robert Ruhe, söner till en färgerifabrikör. I medlemskretsen kan också brödratrion Karl Oskar, Otto och Konrad Treffenberg ha ingått. Deras far hade varit tulluppsyningsman på den svenska ön St Barthélemy i Västindien, där Otto och Konrad var födda. Bröderna lär ha dött i Australien. En annan stockholmare och adelsman på Skandinaviska föreningen bör ha varit Erik Kristoffer Ekströmer. Vid sidan av guldgrävandet drev han affärsverksamhet, sannolikt med högkvarter i Ballarat där han gift sig med en skotsk flicka i mars 1856. Det starka inslaget av svenska borgar- och högreståndssöner på Australiens guldfält bör alltså ha satt sin prägel på Skandinaviska föreningen i Ballarat.

Trots att ett hundratal personer gav bidrag till den planerade kyrkan hade föreningen endast ett tjugotal aktiva medlemmar. Under de två månader 1857 då föreningen "visade någon livsgnista" samlades medlemmarna till samkväm varje söndag. Cronqvist tycks för det mesta ha stått för underhållningen med något föredrag. Man högläste också ur svensk och dansk skönlitteratur och grundade ett lånebibliotek på basis av de 150 svenska böcker Cronqvist donerat. I juli samma år hade Cronqvist börjat utge tidningen Norden i Melbourne och efter några nummer flyttade han redaktionen till Ballarat. Naturligt nog såg han sin skandinaviska tidning som ett organ för föreningen. Tidningen Norden är märklig inte bara för att den kom så tidigt – den äldsta svenskamerikanska tidningen i Mellanvästern startade 1855 och bland Australiens etniska press var endast några tyska tidningar äldre. Den representerade dessutom ett otroligt enmansarbete under alla de primitiva förhållanden som kunde möta en tidningsutgivare i guldgrävarlandet.

Den enastående aktivitet Cronqvist och några andra eldsjälar utvecklade under 1857 var förgäves. Föreningen sönderslets av den oenighet som brukar förfölja skandinaviska organisationer. En särskilt svår stötesten var frågan om vilken nationalitet prästen i den planerade församlingen skulle ha. Märkligt nog var Pehr Wideman inte aktuell i dessa diskussioner. Det visade sig också svårt att få avsättning för tidningen, som avsomnade efter ca femton nummer och "3 månaders tvinsot". Det dubbla misslyckandet med både föreningen och tidningen tog hårt på Cronqvist, vars låga tankar om guldfältens skandinaver nu övergick i den ironi han vädrar i boken.

Andra numret av tidningen Norden. (Kungliga biblioteket)

Icke-guldgrävare och "Lucky Swedes"

Många svenskar var förnuftiga nog att som Cronqvist börja försörja sig på annat sätt än guldvaskning. Åtskilliga värdshus och affärer drevs således av svenskar. En sådan rörelse var Lars Fredrik Westblads Mia Mia Inn utanför McIvor. Handlanden Löfvéns centrala ställning bland Ballarats skandinaver fick Carl Lagergren uppleva vid sitt besök där. Ändå mer känd var Oscar Skoglund från Varberg, som fram till sin död 1898 drev diverseaffär och hotell i Ballarat. Malmöiten Carl van Damme hade den största svenskägda affärsrörelsen i Bendigo, där han också anlade tobaksodlingar, sannolikt i kompanjonskap med brodern Peter. Man kan utgå från att dessa affärsmän hade landsmän som främsta kunder.

Endast en minoritet av svenskarna var oberoende guldgrävare med egna inmutningar. Flertalet *diggers* tvingades liksom Egerström att ta anställning hos något guldutvinningsbolag där de fick ställa sig vid stenkrossen eller gräva på ackord. Bland de självständiga skandinaviska guldgrävarna fanns som vi redan sett inte bara otursförföljda utan också några "Lucky Swedes" som bröderna Petersson från Bjurtjärn eller pastor Wideman. Någon skandinav fann så mycket guld att man hugfäste hans framgångar med ortsnamn. I närheten av Bathurst i New South Wales låg *Scandinavian Reef* uppkallat efter den framgångsrike guldgrävaren Carl Gustaf Lindberg från eskilstunatrakten och utanför Bendigo låg *Scandinavian Lead* som fått namnet efter en norrman som blottlade en av traktens rikaste guldådror. Kring en bäck inte långt därifrån fanns ett tag ett halvmånformat guldgrävarläger som kallades *The Scandinavian Crescent* efter de många skandinaver som där fick färg i pannan.

Svensken som blev hängd och svensken som blev folkhjälte

Någon enstaka svensk guldgrävare blev känd av andra skäl än tur med vaskpannan. En sådan var en f d styrman med det angliserade namnet Robinson. Denne till bakgrunden okände svensk kom att med sitt tragiska öde förkroppsliga brott och straff i guldgrävarlandet. Kriminalfallet Robinson var faktiskt så uppseendeväckande att han ägnats större utrymme än någon annan svensk i Jens Lyngs bok *Skandinaverne i Australien i det Nittonde Aarhundrade* (1901).

Robinson hade flyttat till Maryborough från Avoca där han bearbetat en lovande inmutning. Med sig hade han guldstinna skinnpungar och en underskön flicka. Robinson var kär som en klockarkatt och lyssnade därför inte på vännernas varningar om flickan. Han borde tänka på att hon var dotter till en ökänd *vandimonian*, dvs straffånge från Tasmanien, och att minsann inte allt var guld som glimmade. Men Robinson växlade in guldsanden och började rusta till bröllop. Detta firades på Maryboroughs största hotell. Ett kapell tyska hornblåsare musicerade, man dansade och drack tills kakaduornas skrän utanför fönstren förkunnade en ny dag. Efter bröllopet flyttade makarna in i ett stort tält som diggarna under de närmaste veckorna kastade många avundens blickar på. Robinson var emellertid inte den som lät smekmånaden hålla sig borta från vaskpannan, i all synnerhet som turen fortfarande stod honom bi. Han hittade skålpundsvis med guldsand som han troskyldigt anförtrodde hustrun. Det var nu uppenbart att hon var med barn, så lyckan verkade fullständig.

Medan det blev klart för omgivningen att hustrun slösade bort pengarna över bardisken inredde Robinson ett nytt hem för kvinnan han älskade och den nyfödde sonen. Han delade upp tältet i två rum och fodrade innerväggarna med grönt ylletyg. I det innersta rummet placerades vaggan. Mitt i tältet byggde han en eldstad av torv och med en tunna som skorstenspipa. Från morgon till kväll sågs den godmodige svensken städa, hugga ved, laga mat och passa barnet medan hustrun var osynlig. Man visste att hon låg inne i tältet och sov ruset av sig, ty nu hade hon blivit en riktig fyllkaja. Snart skvallrades det om att hon börjat ligga över på värdshuset.

När den sorgliga verkligheten äntligen gick upp för Robinson tog det honom hårdare än någon kunnat ana. Han började dricka och var snart lika försupen som hustrun. Så en dag kom det bärsärksutbrott omgivningen väntade sig av en svensk. Hustrun råkade vakna upp ur ruset tidigare än mannen och när hon såg honom ligga där bakom en vedtrave for hon ut i de grövsta okvädingsord. Ordträtan övergick i handgemäng och Robinsons nävar blev blytunga av uppdämd bitterhet. Tältet låg på en kulle med utsikt över fält som var översållade med gruvhål. Slagskämparna rullade nu ned på fältet och började bearbeta varandra med knytnävarna. Samtidigt fylldes höjderna runt om med påhejande åskådare. Mrs Robinson visade sig vara en förvånansvärt god boxare som fick in många fullträffar. Mannens styrka blev dock utslagsgivande och rätt vad det var fick han in ett så hårt slag att hustrun föll huvudstupa i ett gruvschakt. Hon både bröt nacken och drunknade.

Kort därpå kom ridande polisen och arresterade svensken. Barnet fördes bort mot okända öden. Under guldkommissionärens överinseende utsågs en tolvmannajury som endast kunde förklara Robinson skyldig till hustruns död. Rättegången följdes av en tusenhövdad publik. Även om alla såg förmildrande omständigheter i detta säregna rättsfall måste den drakoniska brittiska rättvisan ha sin gång. Den efter sitt barn gråtande Robinson fördes i kedjor till Castlemaine, där han hängdes inför en stor åskådarskara.

En annan svensk guldgrävare med angliserat namn var William Smith som oförhappandes kom att spela huvudrollen vid den fest Ballarats skandinaver anordnade den tionde november 1869 för att fira den svenska prinsessan Louises förmälning med kronprinsen av Danmark. De rojalistiska guldgrävarna beslöt att inbjuda Smith som hedersgäst, inte för att han var släkt med danska kungahuset utan för att han förkroppsligade nordbons styrka och uthållighet. Hedersgästen vid denna också för guldfälten originella fest hade nämligen kort dessförinnan överlevt en svår översvämning i den gruva där han arbetade. Under fyra dygn hade han stått fastklämd i gruvgången med vattnet upp till bröstet. Om inte pumparna fungerat eller om benen vikit sig under honom hade han dränkts som en kanin. Men Smith höll ut och när vattnet sjönk undan kunde han i triumf hissas upp i dagsljuset. I brist på kunglig symbolik fick denne vikingatyp duga när rojalismen förde samman Australiens skandinaver.

Ivan Feodor Billmansons tragiska historia

En av Emigrantinstitutets största samlingar skildrar en förrymd sjömans upplevelser av guldrushernas Australien. Samlingens viktigaste komponent utgörs av 160 brev som omspänner åren 1850—1872 och innehåller såväl upphovsmannens brev från Australien som flertalet svar hemifrån. Australienbreven är mycket svårlästa, eftersom skrivaren trots gåspenna och hemmagjort bläck präntade epistlarna med vad man kan beskriva som munkpiktur. Detta är så mycket märkligare som han måste ha intagit mycket obekväma skrivställningar — i guldgrävarlandet fanns inga skrivbord. Lika beundransvärd är hans förmåga att under tjugotre år formulera sig på ordrik och nyanserad svenska, detta trots att han sällan var tillsammans med landsmän och att hans främsta kontakt med svenska språket därför var svarsbreven och en del översända svenska tidningar. Brevsamlingen har skrivits ut på maskin av guldgrävarens brorsdotterdotter Barbro Levinsson. Denna utskrift omfattar närmare 200 blad med enkelt radavstånd.

Samlingens upphovsman hette Ivan Feodor Billmanson och var född 1836 på Limsta säteri i Kila församling utanför Sala. Fadern var kaptenen, sedermera majoren vid Västmanlands regemente, Johan Adolf Billmanson. Denne var gift två gånger och i första äktenskapet med borgmästardottern från Sala Elise Mariana Wahrenberg föddes den son som efter en släkting Aminoff gavs de ryska förnamnen Ivan Feodor och året innan Per Richard, som skulle bli Ivans viktigaste adressat. Richard blev så småningom doktor i matematik och slutade sin karriär som rektor för Nora pedagogi. I faderns andra äktenskap föddes fyra barn av vilka systern Louise kom att per korrespondens stå Ivan nära. Också halvsyskonen fick goda ställningar i livet. Två bröder blev höga officerare och en blev ägare av ett garveri. Systern slutade sina dagar som telegrafist i Skara. Familjens högborgerliga status kom att bli ödesdiger för Ivan när han insåg att han hamnat på ett socialt sidospår och inte kunde följa med bröderna i klättringen uppåt. Som förrymd sjöman och utfattig guldgrävare fann Ivan det omöjligt att återvända till familjekretsen.

Ivan fick den uppfostran som ansågs passande för sonen till en officer och godsägare, men han drogs trots gott läshuvud inte till böckerna och övertalade därför fadern att låta honom pröva på sjömansyrket med sikte på att bli officer. Sannolikt hjälpte farbrodern Fredrik, som bodde i Stockholm och blev mottagare av många av breven, honom in på sjömansbanan. Ivan blev elev på Rydbergska stiftelsens brigg Carl Johan under några seglatser i Östersjön. Vid denna tid börjar brevsamlingen. Sin första långresa gjorde Ivan 1850, då han som jungman på briggen Pyland seglade till Batavia, en resa som varade i ett år. Efter hemkomsten fortsattes studierna som avslutades med styrmansexamen 1852. I september samma år mönstrade han på skonerten Virgo som var destinerad till Medelhavet och

Odessa. Det var svåra tider för sjöfolk och Ivan fick nöja sig med platsen som jungman. Resan fick ödesdigra följder, eftersom han i mars 1853 rymde från fartyget i Liverpools hamn. I ett brev till brodern Richard berättade han att förhållandet till den brutale kaptenen blivit outhärdligt.

Trots att deserteringar från skepp hörde till dagsrutinerna i 1800-talets storhamnar, bedömdes de mycket allvarligt av myndigheterna. Genom att rymma hade Ivan förstört sina karriärmöjligheter inom svenska flottan och han hade gjort sig till landsflykting, eftersom han kunde bli åtalad om han reste hem. Återstod att ta hyra på engelska kölar, men där erkändes inte hans svenska styrmansexamen, varför han var dömd att gå för om masten. Under de närmaste åren blev Liverpool Billmansons hemmahamn. Han gjorde bl a flera resor till Krim vid Svarta havet. Till denna 1850-talets stora krigsskådeplats transporterade man krigsförnödenheter. På returresan från Krim fraktades sårade till Skutari i Turkiet. Efter flera seglatser över Atlanten mönstrade Ivan i augusti 1856 på fullriggaren The White Star, som tillhörde Liverpool and Australian Mail Company och alltså var ett av de snabbseglande postfartygen. Ombord befann sig 500 utvandrare. När fartyget ankrade på Hobson's Bay greps 33 besättningsmän av guldfebern och rymde iland. Själv var Ivan "många gånger i tanke att rymma".

Ivan tycks ha blivit intresserad av antipoden, ty när han efter sju månader var tillbaka i Liverpool tog han hyra på en ny australienfarare. I maj 1857 seglade Commodore Perry via Bahia i Brasilien med 540 manliga och hundratalet kvinnliga utvandrare. Eftersom besättningen uppgick till 70 man fanns över 700 personer ombord på fullriggaren. Under denna resa med ett sällsynt råbarkat befäl mognade Ivans planer på att stanna i Australien och efter ankomsten till Melbourne den 12 september sattes rymningsplanen i verket. Så här berättar Ivan Feodor Billmanson: "Många av passagerarna hjälpte mig att taga mina kläder och böcker i land. Även min kista fick jag i land och har gud ske lov varit lycklig i mitt företag att rymma, vilket jag redeligen verkställde i går den 17 at 6 o'clock p.m. Jag var den siste man som lämnade Commodore Perry, den övriga besättningen rymde den samma dag som vi anlände." Ivan hade alltså många kamrater med sig på det stora äventyr han nu gav sig in på.

Den förrymde sjömannens lott var långt ifrån avundsvärd. Det gällde att fortast möjligt ta sig bort från hamnområdet där befälet ställde till klappjakt på rymlingarna. Inne i staden patrullerade poliser, som var särskilt misstänksamma mot utlänningar, och på krogarna fick man passa sig för agenter som försörjde sig på att ta fast förrymda sjömän. Mannen som frikostligt bjöd på whisky kunde vara en ulv i fårakläder som i nattmörkret skulle skjutsa sin dödfulle gäst ned till hamnen. Att bli återbördad till fartyget innebar all tänkbar förödmjukelse som förhör, arrest, straffkommenderingar, förlust av lönen och efter hemkomsten rättegång och fängelse. Sådana risker tog Ivan Billmanson då han för andra gången rymde från sitt skepp.

I oktober vandrade Ivan på vägarna mot Sandhurst. Han färdades "penninglös, utmattad och hungry" och tillbringade nätterna under bar himmel. Efter en månad utan arbete fick han ett tillfälligt jobb i en gruva. Sannolikt investerades förtjänsten i en inmutning, ty i början av december satte han igång "digging for gold, men var ej lycklig nog att erhålla mer än mitt uppehälle". Han tog då arbete som tegelslagare och vedhuggare. Det var tunga sysslor för skrivarhänder. Ivan orkade heller inte hugga mer än ett lass ved om dagen. Det svettiga arbetet i bushen blev olidligt under den australiska sommaren med "nordliga vindar som här blåsa likt ångan från en bakugn som nyss blivit eldad". Gräset och buskarna självantändes i värmen så att "hela skogar . . . brinna för många mil häromkring", skriver Ivan till sin far. "I denna obeskrivliga hetta har jag att arbeta från solens uppgång till nedgång för mitt knappa uppehälle." Motgångarna hopade sig över svenskens huvud de heta nyårsdagarna 1858 i Sandhurst. Han var så fattig att han inte ens kunde posta sina brev. Dessutom insjuknade han i dysenteri och måste lämna arbetet: "Jag är på sjukbädden och så svag att jag knappast kan gå, utan skötsel, utan medicin, utan friends och utan pengar."

Man kan förstå de hemmavarandes ängslan efter så sorgliga nyheter från den förlorade sonen på andra sidan jordklotet. Ivan gjorde heller ingenting för att muntra upp familjen utan ventilerade sitt missmod i brev efter brev. Han var en inåtvänd och opraktisk natur som hade svårt att producera den gåpåaranda invandrarsamhället väntade sig av ovälkomna icke-britter. Att skaffa sig kontakter var inte Billmansons starka sida och han sökte sig inte ens till landsmännen, som han i allmänhet såg ned på "i anseende till dess låga karaktär". Därför bodde han "alldeles ensam i skogen med min hund". Inte att undra på att nykomlingen började känna aversion mot Australien, "this hated colony". I denna svåra situation fungerar brevväxlingen med familjen som en navelsträng till det liv Ivan egentligen skulle ha levt. Genom brevskrivandet avreagerar han sig och det enda verkliga glädjeämnet i livet blir svarsbreven från fadern, brodern Richard eller farbrodern Fredrik.

I maj 1858 hade Ivan fått "beständig employment" som tegelbruksarbetare "i vilket yrke jag har börjat bliva mera hemmastadd". Han fick också ta hand om bokföringen och tycks ha fungerat som chefens högra hand. Vid sidan av arbetet på tegelbruket spekulerade han i ett "quartz reef" i Bendigo som dock inte gav någon större avkastning. I längden blev fjorton timmars arbetsdag för mycket för Ivan och när han dessutom började få svårt med sin chef tog han avsked och lämnade Sandhurst vid årsskiftet 1860/1861. Mitt på det flacka slättlandet Riverina vid en dyfärgad biflod till Murray River låg staden Deniliquin. I detta trädlösa land borde tegelslagning löna sig och här startade Ivan Billmanson ett tegelbruk tillsammans med en kamrat som gärna "tager en sup för mycket när tillfället tillåter, dvs när kassan är stor". För tusen tegelstenar fick de två pund, ett dåligt pris eftersom tegelkonjunkturen var i nedan. Ivan led svårt av sommarvärmen och på eftermiddagarna var det så gott som omöjligt att arbeta: "Ett ämbar av vatten ställt för en timma i solen blir så varmt att man knappast kan doppa handen däri."

Våren 1862 hade Ivan fått nog av det gudsförgätna Deniliquin och tegelbruket som var en allt annat än lysande affär. Nu ville han pröva sin lycka på guldfälten igen. "Hittills har jag haft otur i alla mina företag", skrev han till Richard den 12 april 1862, "men haver icke ännu på rätt sätt prövat på Gold digging." Ivan tänkte därför sälja sin andel i tegelbruket och bege sig till ett nytt eldorado kring floden

May it watch over you!

Älskade Föräldrar!

Ännu några rader förrän jag lemnar England! Som det är nu nära 3 veckor sedan jag skref och jag ej erhållit något svar Tröstar jag på att allt står väl till hemma emedan tid tecknas jag mitt bref de 24 July lyckligen anländt. Som Pappa väl hade jag en god summa pengar när jag lemnade Göteborg och hursålunda

Ett av Billmansons många vackra brev. (Emigrantinstitutet)

Lachlan längre norrut i New South Wales. Med den naiva optimism som grep guldgrävarna så fort guld var på tal, satte han förhoppningarna på fyndigheterna kring Lachlan. Kanske skulle han bli så rik att han kunde återvända hem, "förty jag tänker icke komma förutan mynt, därföre hav tålamod till dess jag får tid att skriva från the Lachlan".

Efter att ha låtit en kringresande fotograf ta hans konterfej vandrade Ivan i novembers försommarvärme de 640 kilometerna till Forbes vid Lachlan River. Här fick han fast jobb vid en ångdriven stenkross, men arbetet lades ned och svensken hamnade i en av de arbetslöshetsperioder som hörde till invandrarnas vanligaste erfarenheter i Australien. De ljusa framtidsdrömmarna sköljdes ned i det svarta slagget från stenkrossningsmaskinen — "Gud allena vet huru mycket längre mina bekymmer, motgångar och hårda strävanden skola räcka". Men Ivan ville inte ge upp guldletandet och när det stora fyndet en dag blev hans tänkte han dela det med de hemmavarande: "Ack, vad glädje jag skulle åtnjuta att se eder alla på god footing här i världen genom mina bemödanden." För att snabbare nå fram till detta mål hade han sedan tre år "bortlagt alla vanligen brukade ovanor som härleda till stora utgifter och berövar en hälsan". Den sunda livsstilen hade emellertid dittills inte hjälpt den otursförföljde guldgrävaren.

Från guldfälten vid Forbes fortsatte Ivan under ytterligare 350 kilometer till Lower Turon River strax norr om Bathurst i hjärtat av New South Wales guldgrä-

Ivan Feodor Billmanson och brodern Per Richard t h.
(Billmansonsamlingen, Emigrantinstitutet)

vardistrikt. Vandringen i det gäckande guldets spår hade nu blivit en vana för den forne herremannen. Han måste ha tett sig som en typisk australisk *swagman* där han knegade fram på bergsstigarna med tillhörigheterna i ett knyte på ryggen och en vattenflaska dinglande på bröstet. Bara skorna höll och hettan inte blev för svår var apostlahästarna lika pålitliga som postdiligensen. Fylld av guldletandets eviga förhoppningar anlände Ivan i början av augusti 1863 till Lower Turon River, en trakt som "är ingenting annat än berg och dalar och ofantligt rikt på guldgruvor, som endast behöva öppnas för att visa sin rikedom".

Under första tiden i det vilda landskapet kring Turonfloden gick Ivan utan arbete och husrum. Han sov i bushen och vaknade ofta med "mitt täcke betäckt med både frost och dimma och själv så stel, att det brukade ta mig närapå tio (minuter) att få blodet i cirkulation". Nattkölden i bergslandet resulterade i en svår förkylning som tvingade honom söka läkarhjälp, trots en kostnad på ett pund för varje behandling. Något så när återställd fick Ivan anställning vid Scandinavian Reef och den lycko-samme guldgrävaren Carl Gustaf Lindberg från eskilstunatrakten. Lindberg, som hade flera inmutningar, var delägare i två guldutvinningsmaskiner och drev dess-utom ett hotell. Ivan hade dock ingen större glädje av att ha en svensk chef, eftersom Lindberg, "gunås icke är av den ärliga och uppriktiga princip som borde tillhöra en svensk". Gemenskapen med det tiotal landsmän som arbetade vid fyndigheten blev också obetydlig. De var med något undantag från södra Sverige och "mestadels okunniga och av dåliga principer". Flera av svenskarna hade blivit förmögna av guldgrävandet och hade "aquirerat en viss grad av högfärdighet". Två bröder Ekström från Jönköping och en finne från Brahestad hade på några månader vaskat ihop guld till ett värde av 1 000 riksdaler. Bröderna Ekström var sannolikt identiska med Albin och Per Gustaf Ekström som enligt passjournalerna utvandrande från Göteborg till Sydney 1858.

Ivan Billmanson fick det svårt vid Lower Turon River. "Min arbetstid är 10 timmar om dagen", berättar han i ett brev till Richard den 14 januari 1864, "det är hårt och strängt och driver svett ur kroppen till denna grad, att ens kläder äro genomblöta när man kommer hem och aptiten ganska ofta förlorad." Läget var lika illa i september. Under det senaste halvåret har han knappt lyckats tjäna ihop till sitt uppehälle. Det är ont om arbeten i guldlandet och man kan få avsked när som helst. Dock skall han inte klaga, tillägger Ivan galghumoristiskt, "ty jag haver min hälsa tämligen god, min garderob på ryggen samt ett pund sterling i min ficka".

Den enda av Ivan Billmansons dagböcker som är bevarad, sträcker sig från juli 1864 till slutet av 1869. Dagboken fyller en del av luckorna i korrespondensen. Man kan här se att Ivan under några månader 1864 bodde hos en familj Meyer, där familjefadern sannolikt var den Eric Meyer från Stockholm som nämns av Corfitz Cronqvist. Meyer lär ha studerat kemi för Jöns Jacob Berzelius innan han reste till guldfälten i Victoria. Han gjorde enastående rika guldfynd i Bendigo och Ballarat men förlorade det mesta på en värdelös inmutning. Meyer började då intressera sig för vinindustrin och startade ett destilleri som blev omtalat för sina rena och starka produkter. Enligt Billmanson drev han vid sextiotalets början ett jordbruk utanför Ballarat. Meyer dog 1892 då han var 80 år. Ivans syssla hos den kände landsmannen var av det angenäma slaget. Han skulle ge privatundervisning åt husets döttrar, varvid det inte bar sig bättre än att läraren förälskade sig i den ena eleven. När han inte undervisade fungerade han som "general useful", dvs en som hjälpte till med vad han kunde på gården. Ivan insåg snart att hans låga flammade förgäves, varpå han resolut packade sina tillhörigheter och lämnade Meyer.

Under septembers svalkande vårhimmel vandrade den svenske swagmannen på vindlande bergsstigar till Goulburn i södra New South Wales. Som alltid var han utfattig och fick försörja sig med de ströjobb som erbjöd sig under vägen. I Nerrigundah, ca 160 kilometer sydost om Goulburn, slog han sig ihop med landsmannen Peter Löfgren och började prospektera kring en älvdal som verkade lovande. Schakten fylldes med vatten och rasade ihop, men svenskarna lät sig inte avskräckas utan fortsatte provgrävningarna. Vid nyårstiden 1865 stod det klart att de inte skulle välsignas med några större fynd. Guldgrävarens outsinliga hoppfullhet hindrade dem emellertid att ge spelet förlorat.

I mars 1865 mottog Ivan 80 pund från föräldrahemmet. Det var inte första gången han på detta sätt fick förstärkning i sin kroniskt svaga kassa, men nu var beloppet större än någonsin. Ivan lovade att låta pengarna bli grunden för en oberoende framtid. Han kände nämligen på sig att det var dags att sluta med en syssla som "börjar nu att betraktas såsom en lägre näringsgren och föga gällande som of forna dar". Ivan började också bli rädd för guldgrävarens yrkessjukdom, gikt och reumatism. Många av hans kamrater hade fått sina kroppar brutna av dessa plågoris så att de såg ut som gubbar redan i 30-årsåldern, som han nu närmade sig. Kanske skulle han istället slå sig på att odla tobak?

Den framtid Ivan spekulerade kring låg emellertid varken i tobaksplanteringar eller ens i Australien utan på andra sidan Tasmanska sjön. På Nya Zeelands sydö hade guldet lockat sedan 1861 och nu talade man allmänt om fynden kring Hokitika på sydöns västkust. Det outsläckliga hoppet om *det stora fyndet* slog åter klorna i Ivan och han glömde föresatsen att börja ett nytt liv. Efter att ha sålt sin del av inmutningen i Nerrigundah, det hus han själv byggt, "samt min Häst och sadel för in alles 18 pund sterling" reste Ivan in till Sydney. Hans sista brev från Australien är kort som ett telegram:

"Sydney Nov. 2nd 1865.
   Älskade Broder!
   I morgon bittida seglar jag i Ångskeppet Claud Hamilton såsom passagerare till Hokitiki Guldfält i New Zealand. Jag mår bra! Mår ni alla bra? Så är Gudi lov allt bra! Jag innesluter ett exemplar of mitt porträtt. Hälsa Far och Mor, Syster och Bror, Släktingar och gamla Greta.
   Din alltid tillgivne Broder Ivan F. Billmanson."

Guldfältet på Nya Zeelands sydö blev scenen för den tragiska epilogen på Ivans äventyrsfyllda liv. Vid ankomsten till Hokitika den tionde november 1865 möttes han av motsatsen till den torka som gjort guldgrävandet lönlöst i Australien. Regnet forsade ned och förvandlade livet till ett fuktdrypande helvete. Humöret blev inte bättre av ryktena om att man överskattat guldfältens rikedomar. Någon återvändo fanns emellertid inte för den som endast hade två pund och 10 shilling kvar av sina besparingar.

Under dessa bedrövliga omständigheter tog Ivan och två kamrater upp en *claim* vid Callaghans Creek, där de vaskade med det iskalla vattnet "upp till knäna och ofta högre upp". Nya Zeeland blev den envetne guldgrävarens sista och största misstag. Hälsan började brytas ned och framtidstron upplöstes slutgiltigt på denna ö så långt bort från Sverige det var möjligt att komma. Breven och dagboken ger skrämmande vittnesbörd om ett lidande som kändes outhärdligt. Vad skall det bli av honom när hälsan och ekonomin spolierats? Ivans enda återstående hopp är att ta sig tillbaka till Australien. Drömmen om Sverige har han för alltid måst uppge. I ett av sina alltmer sällsynta brev hem bönfaller han därför om pengar så att han skall kunna lämna landet. Kort därpå tas Ivan in på sjukhus. Guldgrävaren och landsmannen Algot Löndahl tar sig an den sjuke och präntar med ovan hand ett brev till Richard Billmanson i Nora. Det är ett sorgligt brev om en man som levat så isolerat att han blivit nervsjuk: "Han bodde ensam i ett litet tält i Kallagans för omkring 4 år, umgicks aldrig med någon människa mera än då han gick och hämtade sin proviant vilket var mestadels 2 gånger i månaden. Han även arbetade sin mina ensam."

Den fjärde oktober 1872 skriver Ivan Feodor Billmanson sitt livs sista brev. Man skulle kunna kalla denna gripande epistel "Sista brevet från Antipoden". Adressat är den trogne brodern och brevvännen Richard. Brevet lyder:

"Min kära älskade Bror.

Jag är ledsen att underrätta dig att vår Herre Gud är snart att borttaga din broder Ivan. Jag har lungsot och hjärnfeber. Jag är repenting för mina synder och hoppas att vår Gud allsmäktig vill göra min salighet. Jag tror att jag ej vill leva länge kanske. Jag skickar dig hem följande articles. Alla mina brev och porträtter och redogörelse för mitt arv, alla mina Copied brev och andra skrivningar. Hälsa alla mina anhöriga. Du får snart ett sorgebrev från din tillgivna Broder Ivan.

Pengarna som jag skickade efter ha ej kommit.

Din tillgivna Broder."

En månad innan Ivan skrev brevet om sin förestående bortgång författade Richard ett sorgebrev som meddelade att fadern hade dött. De två sista länkarna i den kanske märkligaste korrespondens svensk personhistoria känner, postades samtidigt från antipod till antipod. Världens största hav sjöng sorgesången över den förlorade sonen och hans omtänksamme fader. I det avlägsna hemmet sörjdes en son som förblivit de sina trognare än de flesta välartade barn. Nästan varenda stund av sin oroliga tid vid antipoden hade Ivan haft tankarna hos föräldrar och syskon. Hans vaskande hade drivits på av förhoppningen att han skulle kunna skänka guldfynden åt dem där hemma. Men det enda guld han skickade hem var några korn i ett kuvert som postades strax före avfärden till Nya Zeeland.

Varför förmådde inte Ivan Billmanson gripa tag i sitt öde och ge livet en

100

lyckosammare inriktning? Varför skaffade han sig inte fler vänner och kontakter? Varför var kvinnorna i hans liv så lätträknade? Svaret måste vara att Ivan var så fixerad vid sin situation som avsigkommen 'bättre-mans-son'', vars enda rehabilitering låg i guldfältens rikedomar. Sannolikt hade hans liv blivit mindre tragiskt om han som flertalet andra svenskar därnere brutit banden med hemlandet och accepterat Australien på dess egna hårda villkor. Men då hade inte en av vår emigrationshistorias förnämsta brevsamlingar kommit till.

VILDMARKENS BESEGRARE

Också den australiska guldrushen förtärde sig själv. Det lättutvunna ytguldets tid varade endast några år, varpå amatörgrävarna utmanövrerades av kapitalstarka gruvbolag. De *diggers* som kommit för att skära guld med täljknivar konfronterades med verklighetens krav på oändliga arbetsinsatser och halvårsperioder utan en shillings inkomst. Endast dårar eller "Lucky Swedes" orkade i längden med hasard-spelet att gräva guld på egen hand. Därför vissnade guldgrävarnas förhoppningar som ett inplanterat träd i den ugnsheta nordanvinden.

Flertalet svenska guldgrävare tvingades ge upp självständigheten för att ta an-ställningar hos något av de stora guldutvinningsbolag som likt svampar växte upp på guldfälten. De mer eftertänksamma slog guldgrävandet ur hågen för att ägna sig åt att sälja tjänster och varor till de aktiva guldgrävarna. Kanske blev de affärsmän som Löfvén och Skoglund i Ballarat, hantverkare som Wisselquist, Syréen eller Rosengren i Melbourne, tegelbruksägare eller brännvinsfabrikanter som Billmanson i Deniliquin och Linderson i Adelaide eller manschettarbetare som Cronqvist eller bröderna van Damme. Guldfältens serviceyrken låg väl till för de många svenskar, kanske majoriteten av guldgrävarna, som kom från borgar- och hantverkarklassen eller hade lämnat Sverige med teknisk eller annan teoretisk utbildning. I föregående kapitel har vi mött en lång rad välutbildade emigranter, som efter att ha brunnit ett tag i guldfeberns eld antingen lämnade Australien med svedda vingar eller anpassa-de sig till ett stabilare liv än guldgrävarens.

De svenska guldgrävare som genomgick metamorfosen att bli rotfasta australier hamnade följaktligen mestadels i städerna. När förhållandevis välutbildade "bättre-mans-söner" som Egerström, Cronqvist, von der Luft eller bröderna van Damme såg gruvschakten rasa igen sökte de sig gärna till storstädernas sjudande arbets-marknader där de var beredda att börja som diversearbetare men med siktet inställt på en egen rörelse eller någon skrivbordssyssla, där deras bakgrund kunde komma till sin rätt. Andra forna herremän och guldgrävare som den apotekare Meyer Billmanson mötte i bergen utanför Bathurst eller f d kammarskrivaren Anders Stockenberg från tullverket i Malmö investerade sina besparingar i ett stycke land, där de i Rousseaus och Almqvists anda försökte återvända till naturen. I ett brev till

102

brodern Thure i Halmstad berättade Stockenberg i november 1860 om sina planer på följande sätt: "Jag har nu ett litet jordbruk tillsammans med tre duktiga och genomhederliga svenskar. Omkring hundra vinträd ha vi redan planterat samt ingärdat tio acres med en stenmur." När brevet skrevs arbetade kamraterna på mangårdsbyggnaden. Det skulle dröja två år innan de kunde inhösta någon större skörd, skrev Stockenberg, men då skulle avkastningen bli desto rikare. Förväntningarna slog inte in och Stockenberg funderade 1862 på att teckna sig för 80 hektar land och skaffa femtio mjölkkor. I slutet av sextiotalet var jordbrukardrömmen grusad och Stockenberg emigrerade som nämnts vidare till Nya Zeeland.

Ett stort antal svenska guldgrävare kom från jordbrukarnas led. Vare sig de varit hemmansägarsöner eller obesuttna lantarbetare grep de om guldgrävarhackan med nävar som sedan barnsben var garvade av kroppsarbete. Med bävan såg de på storstäderna men hade så mycket lättare att förstå den australiska vildmarkens säregna skönhet. Bakom drömmen om guld låg den mer verklighetsnära förhoppningen om ett hemman i Australien. Från vilken höjd som helst i McIvor eller Ballarat kunde den svenska jordens söner blicka ut över ändlösa vidder som varken tämjts av yxa eller plog. Under den nederbördsrika säsongen bredde bushen ut en ljuvligt grönskande matta av nybyggarland. – Kom ut i skogen och pröva din lycka som svedjebrukare eller boskapsuppfödare, löd sången som den jordhungrige lyssnade sig till från gummiträdens rasslande lövverk. En sådan stund falnade guldfebern för den nedärvda jordbesittardrömmen. Här i detta gränslösa land kan den som vill bli ägare till ett homestead stort som en kyrksocken därhemma, viskade vinden åt jordbrukets söner. Samtidigt rann kanske emigrationshandbokens ord upp i minnet. *Australien och dess guldregioner* hade ju lovat goda utsikter för den utvandrade lantmannen. "Ett litet hemman kan man uti Australien mycket lätt köpa eller arrendera", hade det stått. Hemmanet skulle kanske inte se mycket ut för världen, men snart skulle välståndet sluta nybyggaren i sin trygga famn.

Emigrantguiden talade med kolonialregeringens tunga. Victoria och New South Wales hade ju fått invånartalen mångdubblade genom guldrushen, och samhällsplanerarna behövde inte vara särskilt kvicktänkta för att inse att den mänskliga tidvattenfloden skulle växla över till ebb, när tillräckligt många amatörgrävare fått sina förhoppningar grusade. Det gällde då att med lämpliga medel förhindra att argonauterna övergav landet. Man kunde räkna med att majoriteten skulle absorberas av städerna. De övriga lockades med erbjudanden om homesteadjord eller anställningar inom lantbruket och dess binäringar. Makthavarna tog fasta på européernas jordhunger och erbjöd dem nybyggarland på till synes attraktiva villkor. Vem som helst med en liten slant på fickan kunde bli *selector*, utväljare av land, enligt någon av de många *Land Acts* som kolonialregeringen formulerade. Detta var bakgrunden till att stora landarealer hösten 1862 öppnades i västra Victoria.

Något senare lockades många skandinaver att söka sig till det gudsförgätna Gippsland mellan bergen och kusten öster om Melbourne. Danskarna dominerade bland de f d guldgrävare som 1878 tog sig in i Gippslands kuperade vildmark vid Poowong. Trots att området endast låg 100 kilometer från Melbourne behövde pionjärerna sex veckor för resan genom den oländiga terrängen. Nordborna betraktade de gigantiska träden och tydde dem som tecken på bördiga jordar. Sådana träd kunde endast växa ur fet mylla, resonerade man. När kullarna röjts rena från träd kunde de dessutom hoppas få lika bra betesmarker som hemma i Jylland. Det svåra arbetet med att fälla trädjättarna i södra Gippsland påminner om de fasansfulla mödor skandinaverna på Nya Zeelands nordö samtidigt utsattes för när de gav sig i kast med "Sjuttiomilaskogen". Skogarna i Gippsland var lika svårforcerade och erbjöd nybyggaren lika segt motstånd, men liksom i Nya Zeeland segrade ihärdigheten och på några år hade skandinaverna i södra Gippsland utvecklat ett visst välstånd baserat på mjölkkor och fåravel. I Gippsland bodde enligt 1881 års folkräkning 121 danskar och ett nittiotal norrmän och svenskar. Huvudkolonin låg i East Poowong, där ett 70-tal danskar vid sekelskiftet bildade landets största skandinaviska koloni.

En betydande del av de svenska guldgrävarna lockades på detta sätt att slänga hackan och spaden för att anta utmaningen från bushen. Därmed förenade de sig med den här av britter, tyskar och andra som gav sig i närkamp med en av världens mest människohatande vildmarker. I sin homesteadpropaganda förteg myndigheterna nogsamt sanningen om fnösktorra jordar, floder utan vatten och brännheta högslätter, där endast gummiträden frodades. Det australiska homesteadlandets säregna villkor skulle likt skogselden bränna in svidande sår i nybyggarens medvetande. Landagenterna hade inte heller talat om att ett nybygge i vattenlösa utmarker krävde oväntat stora kapitalinsatser och att det extensiva jordbruket med får och kor på enorma betesmarker förutsatte helt andra kunskaper än den europeiska jordbrukarens.

Odlingsgränsens frontsoldater

Trots detta formerades vid 1860-talets början en väldig stridslinje av f d guldgrävare som gick i närkamp med den australiska bushen och som på trettio år nästan femdubblade statens åkerareal. Långsamt trängde odlingsgränsen över kustbergen och nådde slutligen den solglödande prärien kring Murray River och dess biflöden. Ett okänt men säkert inte obetydligt antal svenskar deltog i den heroiska kamp som långsamt förvandlade Victoria och New South Wales till rika jordbruksbygder. Svenskarna fick därmed stifta bekantskap med den praktiska demokrati som präglade livet kring odlingsgränsen och blåste in aggressiva frihetsvindar i föråldrade brittiska institutioner. Nybyggarens ansträngningar eggades av denna "frontieranda". Pehr Widemans lovsång till invandrarlandets medborgarfrihet i det långa brevet från 1856 var ett uttryck för den höga stridsmoralen bland odlingsgränsens frontsoldater.

Eftersom allt lättarbetat och närbeläget land blivit inmutat för länge sedan tvingades den landsökande svensken långt ut i bushen. Här vid odlingsgränsens yttersta front framstod det australiska jordbrukets villkor i särskilt avskräckande dager. Grundregeln var att ju längre ut i skogen man kom, desto kostsammare blev det att etablera sig som nybyggare. Penninglös som *x-diggern* oftast var, återstod i den situationen inte mycket annat än att ta tjänst och börja spara av lönen. Ville en fattig sate bli hemmansägare i Australien var det bäst att börja som lantarbetare och bli *bushman*. Drömmen om ett homestead visade sig nästan lika svåruppnådd som drömmen om det stora guldfyndet.

Med bush menar australiern allt trädbevuxet land från de täta skogarna på kustbergens sluttningar till trädlandskapet på andra sidan bergen som slutligen övergår i savanner och öknar. Begreppet bush blev alltså under nybyggartiden synonymt med landsbygden, antingen det gällde *squatterns* oröjda betesmarker eller *selectorns* vetefält. Följaktligen kunde en *bushman* eller skogskarl syssla med vilket lantbruksarbete som helst från skogshuggning till att vakta får eller gå bakom plogen. En stor del av svenskarna på den australiska landsbygden blev sådana skogskarlar i lejd hos en *squatter* eller *selector*. Eftersom nordborna var kända för sin färdighet med yxan anlitades de ofta i det traditionella skogsbruket. De "gick på skogen" som skogsarbetare i olika funktioner. Denna syssla definierade den danske krönikören Jens Lyng sålunda: "Man får ett stycke land att röja för en viss betalning per acre eller man arbetar på veckolön för en som tagit sådant arbete på entreprenad. Man bor i tält och är utsatt för att flyta bort om vintern eller bli uppäten av mygg om sommaren. Maten, som man lagar själv, utgöres av saltkött, potatis, bröd och te eller, om man vill ha omväxling, te, bröd, potatis och saltkött. Enda förströelsen består av att om vinteraftnarna sitta vid källan och röka och om sommarkvällarna att ligga på den primitiva sängen och dåsa."

Om livet i bushen berättar prästsonen från St Sigfrid utanför Kalmar Gustaf Kassell i ett brev till föräldrahemmet 1891. På fårstationen Bourouga intill Murray-floden fick den förrymde sjömannen och guldgrävaren uppdraget att röja och bränna 256 hektar bushland. Kassell lejde en dansk medhjälpare. "Vi satte upp mitt tält ute i skogen, där vi hade vårt företag . . . och på hästryggen plägade jag varje söndag rida till stationen och bringa ut våra nödvändighetsartiklar för veckan." De två kamraterna var nöjda med det självständiga arbetet och de tre pund de tjänade i veckan.

Kring nyåret 1855 fick Gustaf Lagergren och fyra andra svenskar skogsarbete vid Mount Martha, inte långt från Melbourne. De skulle hugga 1 300 tremeterssslanor och lika många stolpar till kreatursstängsel. Männen vandrade in i urskogen tills de fann stora bestånd av *stingy bark*, ett slags tall med perfekt virke för stängsel. Man slog upp tältet och byggde en eldstad i en stor stubbe. Från måndag till fredag slet svenskarna med yxorna, varefter de på lördagseftermiddagen vandrade ned till huvudstationen för att bada och äta ett rejält skrovmål. Att låta yxorna gå lös på den sega australiska tallen var ett förfärligt slitgöra. Kvicksilversnabba flugor surrade i svärmar kring de svettdrypande karlarna, medan en outsläcklig asatorstörst brände i struparna. Alltför sällan kunde de vederkvicka sig med en slurk vatten, ty detta måste bäras upp från stationen en svensk mil bort och sträng ransonering var nödvändig. När lägerelden falnat och männen krupit in i tältet för att smälta kvällsvarden och njuta den dödströttes välförtjänta sömn, började den brännheta

Skogshuggare i Victoria. (Emigrantinstitutet)

nordanvinden slita i tältduken. Det kändes som att ligga på laven i en bastu. Samtidigt vaknade den om dagen dödstysta skogen till liv. Från sin svettiga bädd lyssnade Lagergren till de skärande skriken från pungråttor och flygande ekorrar, medan dingon ylade bakom skogsbrynet. Särskilt irriterande fann han kookaburrans demoniska skratt, "en fågel som både i fulhet och löjlighet övergår all beskrivning". Efter fyra veckors slit i bushen var Lagergren tacksam över att den 18 februari 1855 få vandra vidare emot guldfälten.

En erfaren svensk skogsman var Theodor Fischer, som vistades i Australien under några år på 1870-talet. Sina minnen från tiden som lantarbetare i olika befattningar tecknade han efter återkomsten till Sverige ned i den humoristiska boken *Vagabondliv i Australien* (1879). Enligt Fischer var den australiske bushmannen ett slags helgonfigur som utan egen förskyllan hölls borta från de sju dödssynderna. Skogskarlen kunde t ex inte stjäla, "ty dels träffar han sällan någon som har något, dels äger han själv vad var och en annan bushman har: en filt, en extra skjorta, en pipa och en hund. Han kan varken frossa eller dricka, ty fårkött och té är den enda mat och dryck han kan få. Han kan icke tala illa om sin nästa, ty denna representeras av närmaste herde och honom träffar han aldrig. Sina får och hundar kan han visserligen svära över, men det bör anses som en svaghetssynd i 50 graders värme." En god skogsman personifierade alla de egenskaper den australiska odlingsgränsen krävde av sina frontsoldater. Han skulle vara arbetsam, pålitlig och hjälpsam. Det stora avståndet mellan arbetskamrater och grannar gjorde honom till en ovanligt sällskapssjuk människa. Gästfrihetens lagar var lika heliga i den australiska bushen som i de nordiska glesbygderna. Den svenske skogskarlen behövde därför inte ställa om sig mycket för att bli en god utövare av australisk gästfrihet. Därmed vann han snabbt vänner, fick fotfäste i nybyggarlandet och förkortade något den snåriga vägen till en egen gård.

Karl Oskar och Kristina i Australien

Om Australien haft någon svensk Karl Oskar och Kristina får man tänka sig att de befunnit sig i den ström av luttrade *diggers* som i slutet av 1850-talet lämnade guldfälten. Låt oss våga oss på försöket att i Vilhelm Mobergs efterföljd rekonstruera en antipodisk nybyggarsaga! Eftersom australierna älskar smeknamn kan Australiens Karl Oskar mycket väl ha gått under namnet Swede Charlie, ett namn som begåvades honom under de långa åren som gruvarbetare. Han är gift med Molly, dottern till en skotsk handelsman i Ballarat. Australiens Kristina är följaktligen inte ens svensk.

De nygifta har lyckats spara en liten slant och dessutom fått låna hundra pund av Mollys far. Efter att ha studerat kartorna på det statliga landkontoret investerar makarna en god bit av sitt kapital i ett par välgödda oxar och en bastant kärra med väldiga järnbeslagna hjul. På denna *bullock dray* lastar Swede Charlie tält, såg, yxa, spade, plog och andra oundgängliga redskap. Under en kraftig presenning har han lagt fem säckar utsäde, tre med vete och två med råg. Dessutom finns där sättpotatis och frön för grönsakslandet. En tacka, en bagge och några höns har han också slängt upp på lasset. Efter oxkärran lunkar en mjölkko och hennes kalv. Molly har lastat på kokkärl, porslin och andra husgeråd liksom ett förråd specerier och torkat kött. Hennes bror har varnat de nygifta för att åka ut i bushen utan livsmedel. Det kommer att dröja minst ett halvår innan den första skörden kan bärgas och Australiens skog är allt annat än frikostig med bär, frukter och villebråd. När Swede Charlie och hans kvinna lämnar Ballarat undrar de oroligt hur de skall klara sig på det lilla som blir kvar efter första inbetalningen på homesteadmarken.

Med Molly på kärran och den vidbrättade hatten nedtryckt i pannan låter Charlie piskan vina över oxryggarna och börjar vandra vid sidan av de sävliga djuren. I början är han otålig över den makliga marschfarten, men allteftersom vägen blir sämre, för att inte säga obefintlig, börjar han uppskatta oxarnas säkra lunk. Med ystra hästar framför kärran skulle den för länge sedan ha vält över de väldiga eukalyptusrötterna. Efter två dagars färd existerar vägen endast som ett vindlande kalhygge mellan kullarna. Gummiträdens stammar flammar silvergrått i det ljusgröna lövverket. Några papegojor skränar övergivet och en bäcks porlande förstärks av tystnaden. En lätt vindil rasslar genom eukalyptusträdens läderhårda lövverk. Plötsligt går det med skrämmande tydlighet upp för det unga paret att de på nåd och onåd är utlämnade åt den människohatande bushen. Från denna stund måste deras steg och handlingar vara noga överlagda. Ett missgrepp och bushen skall utan misskund slå tillbaka med torka, brand, översvämningar, insektsangrepp eller ormbett.

I bushen. (E E Morris, Australia's First Century)

Med kartan i hand tar Swede Charlie landskapet i betraktande från en stenig kulle. Mot nordväst utbreder sig en soldränkt trädslätt med en gulgrå färgton i markvegetationen. Mjukt böljande kullar täcks av glesa dungar eukalyptus och mulgaträd. Solstrålarna gnistrar i trädens silvergrå kronor. Förgäves letar Swede Charlie efter minsta påminnelse om hemlandets friska grönska. Landskapet går i grått, brunt och gult, utom där skogselden sist härjat, för där lyser trädstammarna blåsvarta mot en orangefärgad blomstermatta. Han kan se vildgräset vaja hårt och stripigt i vinden liksom en liksvepning över den livlösa trakten. Rysningen ersätts av glad hjärtklappning när svensken får syn på ravinen inte långt från utkikspunkten. Är det inte därifrån vattenporlet kommer? Jovisst, därnere glittrar en välfylld flodfåra! Där är platsen för nybygget!

I Victoria och New South Wales fick en *selector* som mest välja ut 320 acres land, dvs 128 hektar eller motsvarigheten till ett amerikanskt homestead. Priset var ett pund per acre som enligt 1869 års bestämmelser i Victoria kunde avbetalas under tjugo år, men som enligt 1861 års landakt för New South Wales skulle erläggas på endast tre år. Bägge staterna krävde att jordbrukaren själv slog sig ned på ägorna och alltså inte använde dem som spekulationsobjekt. Under 1860-talets fem första år såldes i Victoria inte mindre än 800 000 hektar på sådana homesteadvillkor och antalet jordbrukare ökade samtidigt från 4 000 till 18 000. Enligt andra av den djungel av bestämmelser som kringgärdade ett australiskt homestead, kunde en *selector* idka jordbruk på licens under de första sex åren, varefter han erhöll arrende-kontrakt som efter fjorton år beräknades övergå i fullt ägande. Charles och Molly Nelson inregistrerade 40 hektar i första omgången.

Efter att ha slagit upp tältet och huggit ut en glänta i det täta buskaget kring floden börjar Swede Charlie staka ut de 100 acres han betalt stämpelavgift för. Han gör det med meterhöga pålar, som han märker och slår ned kring sin *selection*. Så fort som möjligt måste han därefter bege sig den långa vägen tillbaka till landkontoret för att slutgiltigt registrera sitt land. Han räknar upp tjugo pund på kontorsdisken och sätter namnet under kontraktet. Ett besök av lantmätaren fullbordar formalite-terna kring Swede Charlies utväljande av land. Därmed är han en *selector* och kan hoppas bli skuldfri om tjugo år.

Ett nybygge anläggs

Under de månader som gått sedan nybygget utstakades har Charlie och Molly hunnit sätta upp en primitiv gärdsgård av hopdragna trädstammar, som vegetatio-nen snabbt förvandlar till svårforcerade murar. Charlie bygger också fållor för fåren och en beteshage för korna. Tillsammans anlägger makarna den livsviktiga köks-trädgården och sätter potatis, ärtor, morötter, rovor, kål och rädisor. De planterar också fruktträd och tobaksplantor som sägs vara bra mot fårskabb. Runt köksträd-gården gräver de ned ett kaninstängsel mot den värsta av Australiens många importerade farsoter. Före vintern hinner makarna också bygga en primitiv jordkällare och en bassäng för att samla upp regnvattnet. Charlie timrar ett matförråd på pålar och känner sig stolt när han tycker att det liknar hembygdens härbren. Gris- och hönshus liksom vindskydd för tackor och lamm måste också komma upp under nybyggets första månader.

På en höjd nära floden jämnar Charlie till marken för sin första bostad. Floden verkar inte sina i första taget och det finns hopp att de skall bli självförsörjande med vatten så länge normala år råder. Huset ligger dessutom tillräckligt högt för att klara sig från översvämningar. Närheten till vattnet kommer att underlätta Mollys hushållsgöromål och matbordet bör kunna piggas upp med nyfångad fisk. Det första boningshuset är inget annat än en barkhydda, tillverkad av meterlånga barkstycken från stingy-bark-trädet. Barkstyckena ställs lodrätt mot marken och spikas fast på en stomme av stolpar, varpå springorna tätas med lera och mossa. Också taket utgörs av barkstycken. Marken får tills vidare duga som golv. En skranglig dörr hängs upp på alltför klena gångjärn och fönstergluggarna täcks av bomullstyg från Indien, s k calico. Det hela är primitivt men praktiskt och bör kunna motstå väder och vind.

Inredningen blir knappast elegantare än exteriören. Möblemanget begränsas till det absolut nödvändiga. Mellan fyra pålar som slagits ned i marken, spikar Charlie några slanor och täcker dem med kvistar och fårskinn. Det får duga som säng. Bordet består av ett par breda barkstycken mellan fyra pålar och kistor tjänstgör som sittplatser. Det största arbetet läggs ned på eldstaden som muras av sten med ett järnrör till skorsten. En talglampa och några hyllor för husgeråd och porslin fullbordar möblemanget. Molly har verkligen anledning att dela Minnesota-Kristi-

Nybygge i bushen. (K S Inglis, The Australian Colonists, 1974)

nas tacksamhet över att folket där hemma inte kan se hennes första hem i urskogen.

När Petter Magnus Petersson från Bjurtjärn 1882 besökte sin framgångsrike broder Westblad i Kerang nedtecknade han intrycken från en barkhydda av den typ Charlie och Molly Nelson byggt. "Husets väggar", skrev Petersson, "bestodo av resta, illa hopfogade trindkävlingar (slanor), taket av bark och golvet av väl hoptrampad jord . . . I den stora spisen fanns en stor glödande kolbrasa, över vilken hängde fullt med grytor . . . Dörrarna saknade stundom lås och fönstren glas. Här och där kunde man sticka sin hand genom väggen. Sådant betyder emellertid föga i det milda klimatet. Då kylan inträder, underhålles en ständig eld i den stora spiseln." Petersson besvärades mycket av dagens flugsvärmar och kvällens myggor. Han kunde också konstatera att stugan var ett tillhåll för myror, som var så talrika "att en vit duk som lägges på bordet, inom ett ögonblick är svart av myror". Sannolikt överdrev dock Petersson den fortsatta beskrivningen av djurlivet i nybyggarhemmet: "De små ödlorna som springa på takbjälkarna förorsaka däremot intet obehag och lika oförargliga äro de stora spindlarna, som långsamt krypa utefter väggarna. Gräshopporna göra icke heller något förnär och råttornas lekar i vrårna bidrager endast att öka livligheten."

Skogsröjning i bushen

Om vi återvänder till Australiens Karl Oskar och Kristina ställs vi med dem inför den tyngsta av nybyggarens många sysslor. Vildmarken måste nu slutgiltigt besegras och skogen vika för åker och betesmarker. I första hand gäller det att bli av med de väldiga gummiträd som suger musten ur jorden. Ett nappatag med Australiens uråldriga eukalyptusjättar hölls som det stora kraftprovet i nybyggarlandet och man brukade säga att endast män av gummiträdets hårdhet kunde bli bofasta i bushen. Swede Charlie vet att yxan är för klen för trädens stenhårda virke. Han måste "döda" motståndaren med list och tålamod. Därför ringbarkar han träden genom att skala av barken i en tre decimeter tjock ring någon meter ovan marken. Saven kan nu inte stiga upp i trädet, som långsamt vissnar och dör. De döende jättarna blir en fristad för miljarder larver som kryper in under barken. Insektslivet drar i sin tur med sig otaliga kakaduor och andra papegojor. Denna utvecklingskedja var så vanlig att papegojfåglarnas skrän ansågs kunna leda vandraren till nybygget och man började kalla nybyggarna för "kakaduor" eller "cocky farmers". Molly upptäcker att skogsfåglarna är ätbara och att soppa på papegojbuljong är en läckerhet. Swede Charlie tar ofta post bakom ett ringbarkat träd och brukar då skjuta ett dussintal fåglar på några minuter.

Efter något år börjar grenarna falla av de döende träden och en ovädersnatt brakar de första stammarna i backen. Då återstår att gräva upp det väldiga rotsystemet och ta jorden i full besittning. Träddöden påskyndas med elden. Swede Charlie har varit med om att svedja hemma i Bergslagen och han vet därför att han behöver hjälp av många män innan han vågar frigöra eldens krafter. Grannar finns

Ringbarkning. (E E Morris, Australia's First Century)

fast på dagsresors avstånd och en dag har ett tiotal män samlats kring Swede Charlies *burning off*. Kvar i askan efter den med stor möda tämjda branden står svartbrända eukalyptus- och mulgaträd. Några har vräkts omkull av eldstormen, men de flesta står kvar som blåskimrande skelett. När nu urtidsträden är både ringbarkade och brända är de dömda att falla som strån för vinterstormens vindlie. Nybyggarparets nattsömn kommer många år framåt att störas av dånet från omkull-störtande träd. Mullret från jätteträdens ättestupa är skön musik för nybyggarens öra. Odlingshindren faller och åkrarna växer under Swede Charlies tålmodiga vård. Invandraren från norr börjar tro att han besegrat den antipodiska storskogen.

Som en svejdebrukare i finnskogarna hackar och sår Swede Charlie i den askblan-dade marken. Det kommer att dröja många år innan han behöver gödsla. Istället kan han koncentrera sig på att bryta upp stubbar och rötter. Enklast är att sätta eld på stubbarna och sedan gräva under dem. Den muskelkraft som går åt skulle ha hedrat finnbonden i Mellansverige eller Karl Oskars släktingar i Småland. Swede Charlie spänner sina oxar för en "stubbhopparplog", som uppför sig nästan som den urgamla finnplogen när den elegant hoppar över odlingshindren. Först efter många år har resterna av stubbar och rötter multnat så pass att en vanlig plog kan plöja sig genom åkrarna.

112

I höstens maj sår den svenske nybyggaren vete, råg och majs och efter en regnrik vinter kan han glädja sig åt en soldränkt vår som fyller skogen med bedövande blomsterprakt. Sädesfälten exploderar av växtkraft medan markvegetationen spricker ut i en blomstermatta av rött, orange, blått och gult. Gräddfärgade blommor skimrar i gummiträdens kronor och luften är fylld av söta dofter från mimosa, banksia, akacior och tusentals andra örter och buskar. Swede Charlie måste erkänna att denna blomstertid strax före sommarens förödande hetta överträffar den idealiserade minnesbilden av den nordiska våren. Glädjen över den dystra skogens förvandling blir inte mindre av att sädesfälten snart blossar i mognadens gyllenbruna färg. I december är så skördetiden inne och Swede Charlie kan konstatera att utsädet givit hundrafallt igen. Därmed kan han och Molly fortsätta livet i bushen. Australiens Karl Oskar och Kristina har visat sig värdiga sin väldige motståndare.

Nu etableras fasta rutiner på gården. Fårhjorden växer, korna, grisarna och hönsen förökar sig. Oförglömlig är den dag då Swede Charlie kommer hem från grannen med en ridhäst. Så länge godårens omväxling av regntid och torrperioder härskar över bushen kan nybyggarna se lugnt på framtiden. En dag hörs barnskrik i stugan och lyckan tycks fullständig. Under följande vinter uppför Charlie en rejäl mangårdsbyggnad med två rum och kök och veranda utmed den långsida som vetter mot floden. Snart förvandlar rankorna av vin och humle verandan till ett grönskimrande uterum. Han murar riktiga spisar och monterar upp en vattencistern av korrugerad plåt. Stall, loge och lagerhus byggs av så rejält virke att de bör hålla under mansåldrar. Lejda karlar hjälper till och de sätter också upp fler stånggårdar för fåren, hästarna och hornboskapen. Molly planterar lönnar och andra lövträd från gamla världen runt mangårdsbyggnaden. Med deras hjälp vill hon stänga ute den förhatliga bushen. Några år senare köper hon en bur med näktergalar och finkar för att fylla luften med toner som minner om barndomshemmet.

Katastrof över nybygget

Allt detta är avklarat när torrtiden slår sina glödande klor i landskapet och under fyra år kramar livslusten ur djur och växtlighet. Utan floden och vattenmagasinen vore katastrofen fullständig. Under torrperiodens sista sommar måste Swede Charlie gräva djupa hål i flodbädden för att skopa upp dricksvattnet, men det räcker ändå inte till alla djuren. Han får nödslakta. Nybyggaren har börjat erkänna sig besegrad av bushen och är beredd att sälja till en *squatter*, när räddningen anländer på en blåsvart molnbank. I fjärran ljungar blixtarna och snart trummar störtregnet mot taket medan glädjetårar rinner utför nybyggarparets kinder.

En januaridag flera år senare då luften dallrar av hetta, infinner sig nybyggarens värsta fiende, skogselden. Swede Charlie ser svarta moln torna upp sig i norr. Det är inga regnmoln, eftersom branddoften börjar sticka i näsan. En halvtimme senare hör han ett kraftigt dån, himlen är svart av rök och ögonen tåras av nordanvinden. Nybyggaren välsignar fälten runt gården, men han inser strax att de inte kan hejda

Torrtid och död över nybygget. (K S Inglis, The Australian Colonists, 1974)

den eldmur som likt ett glödande tidvatten vältrar sig fram genom skogen. Även om han kunde samla flodens hela vattenmängd och slunga in den i eldhavet skulle resultatet endast bli någon minuts fräsande, varpå elden skulle återta framryckningen.

Det som nu händer kan skildras med vad en svensk nybyggare väster om Bathurst brukade berätta för sina barnbarn: "Jag ropade till småbarnen att hålla sig inne i huset och ta skydd under sängarna. Sedan bommade jag för alla dörrar och fönsterluckor, krängde på mig ytterrocken som jag köpt i Malmö och tryckte hatten så långt ned i pannan som möjligt. Efter att ha vältrat mig i ån så att vattnet skvalade om mig sprang jag upp på taket med ett spann vatten och en väldig sopkvast. Samtidigt ropade jag till hustru min och pojkarna John och Eric att börja hiva upp vattenpytsar. Vattnet öste jag över taket som var genomblött just som gummiträden närmast huset exploderade i en kaskad av eldslågor och gnistor.

Skogen runt omkring oss stod nu i full låga, dånet från elden lät som en ihållande åska, luften genomkorsades av ett störtregn av eldsflagor. Det brände och sved över hela kroppen och jag kände hur det luktade bränt ylle. Samtidigt började det ryka ur takets näverplankor. Jag skrek åt Jane och pojkarna att skynda på med vattenhinkarna och sprang själv som en vettvilling fram och tillbaka över taket med sopkvasten i högsta hugg mot eldsflammorna. Än hällde jag ut vattnet, än slog jag mot elden med kvasten. Luften jag andades brände i lungorna, som om jag stått intill en

Skogsbranden slickar nybygget. (E E Morris, Australia's First Century)

masugn. Hjärtskärande bräkanden hördes från hagen, där djuren sprang omkring som levande facklor. Jag hörde pojkarna ropa att de inte orkade längre och jag skrek att de skulle lägga sig i bäcken. Själv kände jag benen vika sig under mig. Kullen på min hatt fattade eld, och det sista jag minns är att jag slängde mig ned med ansiktet mot takets stekheta barkbrädor.''

En halvtimme senare vaknade vår sagesman upp ur medvetslösheten. Eldstormen var över. Från sin upphöjda plats på stugtaket kunde han blicka ut över ett förkolnat landskap, där glöden pyrde mellan svartbrända trädskelett. Men huset var skonat och familjen levde! Detta underverk skulle aldrig glömmas. Händelsen berättades för barn och barnbarn om och om igen och blev en stark länk mellan släktens medlemmar som i vår tid är spridda över hela Australien. Upplevelsen av *the bushfire* blev något mindre dramatisk i Swede Charlies fall men också han var nära att sätta livet till i denna sin svåraste envig med bushen.

Vildmarkens besegrare och förlorare

Swede Charlie följde till fullo det avtal han den där höstdagen 1860 ingått med kolonin Victorias landmyndigheter. Han stannade kvar på sitt homestead, besegrade bushen och utökade odlingsmarken. Efter torrperioden och skogsbranden var han mer än förr medveten om sitt inkräktarskap, att allt han ägde hade rövats från vildmarken och att denna ruvade på hämnd. Därför var Swede Charlie förberedd när bushen åter slog till med torrår, skogseld, gräshoppssvärmar eller horder av pungråttor, wallabies (dvärgkänguru) och andra skördefördärvare. Swede Charlie utsattes för alla de överraskningar den på ytan oföränderliga bushen hade i beredskap åt nybyggaren. Han kunde minnas dagar när till och med gummiträden tycktes sloka under den brännheta vinden, då störtregnen förvandlade den röda jorden till en lergröt eller när frosten gnistrade i gryningsljuset. Eftersom den som skulle försvara Australiens odlingsgräns ständigt måste vara på sin vakt kunde nybyggarparet aldrig ta semester. Därför måste man förstå att Swede Charlie och hans Molly var utslitna i 60-årsåldern. Då var emellertid gården sedan länge friköpt och äldste sonen redo att ta över. De tre yngre sönerna hade anlagt egna nybyggen och dottern Sue var gift med sonen till Charlies närmaste granne. Samtidigt hade andra nybyggare slagit sig ned i grannskapet så att en hel bygd växt upp kring Swede Charlies homestead i Victorias bush.

Detta tänkta exempel ur Australiens odlingshistoria skulle endast kunna vara representativt för den minorietet av f d guldgrävare som förberedde sig väl och inte gav tappt efter de många bakslagen. Knappt mer än en bråkdel, men en synnerligen betydelsefull sådan, av Victorias och New South Wales *selectors* lyckades så bra som Swede Charlie och hans Molly. Det överväldigande flertalet nybyggare besegrades av bushen, därför att de inte kunde anpassa sig till det australiska jordbrukets förutsättningar. Kunskaper från Europa var inte mycket värda i denna totalt annorlunda värld. Det har t o m sagts att en europeisk bondes erfarenheter var en belastning i bushen, att det var bättre att farmaren började från nolläge än att han transplanterade Europas bondepraktika till Australiens röda jord. En av de stora tragedierna i det senare 1800-talets Australien var att så många förhoppningsfulla jordbrukare knäcktes av bushen. Sannolikt misslyckades de flesta som tog land i 1860-talets Victoria. Efter några år i sina usla barkhyddor tvingades de lämna nybyggena och bli lantarbetare. Många sjönk ned i dryckenskap, blev luffare eller boskapstjuvar. Man har beräknat att 4 000 arbetslösa lantarbetare drog omkring på Victorias vägar 1864. De var inte bara offer för sin egen okunnighet eller lättja utan också för ett system som i första hand var generöst mot kapitalstarka *squatters* och andra storgodsägare. Av sådana anledningar uppdelades Australiens landsbygdsbefolkning i besuttna och obesuttna och klyftan mellan de två grupperna kunde vara lika djup som i Europa. De ruinerade nybyggarnas tragedi blev ett viktigt tema för Australiens norskättade nationalskald Henry Lawson.

Lars Fredrik Westblad, Eric Meyer och några andra svenska invandrare kom att tillhöra den besuttna jordbrukargruppen, medan man kan utgå från att det stora flertalet svenskaustraliska jordbrukare förblev obesuttna livet ut. De blev ständiga gäster på de lantliga arbetsförmedlingarna, där de stod högt i kurs så länge *squattern* behövde lantarbetare. Inte många av sysslorna på en får- eller boskapsstation blev okända för den svenske lantarbetaren. Han tog jobb som gränsridare, stängseluppsättare, boskapskarl, fåraherde, tistelhuggare, brunnsgrävare, vattendragare, skogsröjare, kaninjägare, kock, magasinsföreståndare, fårklipparassistent eller forkarl på

*Eric Blomqvist från Malmö, t v, tog denna bild av den smedja i bushen där han arbetade.
Blomqvist rymde från sitt fartyg i australisk hamn 1920. Efter ett kringflackande liv reste han till
USA och återbördades till Malmö 1924. Några år senare återvände Blomqvist till Australien.
(Anne-Marie Lekander, Växjö)*

ulltransporterna. I alla dessa sysslor var svensken i de flesta fall säsongsanställd.
När fåren i november skulle drivas samman för klippning eller när boskapshjordar-
na skulle samlas och föras till boskapsauktioner och slakthus, tycktes godsägarens
behov av arbetskraft vara outsinligt. Sedan vidtog de halvårslånga arbetslöshetspe-
rioder som blev den australiske lantarbetarens förbannelse och tvingade honom till
ett luffande liv som *swagman*.

En svensk fåraherede i Sydaustralien

Ingen svensk har mer levande än Theodor Fischer beskrivit livet som lantarbetare
under Södra korset. I hans tidigare nämnda reseskildring, *Vagabondliv i Australien*,
möter vi honom först på vandring över Sydaustraliens savannliknande trädslätter.
Fischer hade nyss lämnat köpingen Kooringa, 160 km från Adelaide, och målet var

fårstationen Outaalpa, 400 km ytterligare inåt landet. Där Fischer vandrade genom det tysta landskapet tedde han sig till det yttre som en fullfjädrad *swagman*, den sorglöse australiske vagabonden som bär allt bohag i ett knyte på ryggen och har vattenkruset och tebillyn dinglande i läderremmar runt halsen.

Efter fjorton dagars vandring var Fischer framme vid sitt mål, en fårstation om 30 000 bräkande skallar. Han anlände vid middagstid och eftersom han var uthungrad klampade han utan krus in i matsalen med ett "god afton mina herrar". Det trettiotal arbetare som satt till bords, förstummades vid denna ovanliga hälsning och började flinande granska gröngölingen som inte haft vett att brista ut i ett rungande australiskt "hej, kamrater!". Kocken däremot fick ett raseriutbrott och jagade ut Fischer med kniven och gaffeln i högsta hugg. Först sedan svensken tagit kontakt med arbetsgivaren, en snål skotte, och skaffat sig matkuponger tilläts han bänka sig i lantarbetarnas matsal.

"A swagman." (E E Morris, Australia's First Century)

Fischers jobb var inte mycket att skryta med. Han blev *handyman* eller allas dräng, fick börja som vedhuggare men avancerade snabbt till posten som handräckning åt fårklipparna. En dag fick han order att överta ansvaret för en fårhjord, medan den ordinarie herden tog sig sex veckors avbrott i det enformiga fårvaktandet. Inför den hedersamma uppgiften såg sig Fischer tvingad att öka på sin skuld i gårdens affär genom att köpa whisky, tobak, senap, pickles och andra varor som stationen inte bestod med men som skulle förljuva herdelivet en smula. Husbonden skjutsade honom själv till herdehyddan 150 km ut i en förkrossande ödslig vildmark av brunskimrande kullar, vita kvartsklippor som gnistrade snöaktigt i solen, blågröna saltbuskar och spretiga mulgaträd kring uttorkade flodraviner. Över detta dödens landskap välvde sig en ljusblå himmelskupa med en obarmhärtigt lågande sol. I fjärran syntes ett dammoln – det var där fårhjorden betade. Fischer fick veta att just denna del av Sydaustraliens gränslösa utmarker var ett gammalt tillhåll för infödingar. Han behövde emellertid inte oroa sig, bara han sov "med ena ögat och båda öronen öppna, ty de kanaljerna skall försöka stjäla får av er om ni ej är vaksam".

Ankomsten till herdehyddan blev minst sagt dramatisk. *Squattern* höll in hästarna och pekade på en figur som låg utsträckt under ett mulgaträd med en bok i handen. Det var herden Perry, som för tillfället hade sällskap av en stor brun orm som ringlat ihop sig bakom hans huvud. Fischer såg sin chef ta upp en väldig sten och kasta den mot Perry. Precisionen var beundransvärd. Stenen missade herden men träffade ormen som därmed var oskadliggjord. Den minst sagt uppskakade Perry visade en stund senare Fischer runt i den spartanska bostad som skulle bli hans sex veckor framåt. Där fanns en primitiv spis med en gammal färgburk som tekittel, vidare tallrik och mugg av bleckplåt, rostiga matbestick, en kolskyffel, en slö yxa, en trasig bleckmugg som fungerade som lampa, en lina till att hissa upp fåren vid slakt och en säck att bevara det saltade köttet i. I ett hörn var fyra stolpar nedslagna i marken och på dem balanserade några brädlappar och tre gamla fårskinn – det var sängen.

Efter den deprimerande besiktningen av bohaget fick Fischer ta emot insignierna på sin herdebefattning, fårhunden Scotty och en visselpipa. Visselpipan skulle bli särskilt användbar under morgonpasset, förklarade Perry. "Ser ni, strax om morgnarna är det allra värst, när ni då släpper ut fåren ur fållan skutta de 1 257 lammen ikring åt alla himlens väderstreck . . . När nu dessa 1 257 lamm sprungit åt 1 257 olika håll och bräka och skrika, så springa naturligtvis alla tackorna åt ytterligare 1 257 håll och de 300 tackor som inte ha några lamm stå hemma vid stängslet och bräka." Herdens dag gick åt för att bringa ordning i detta kaos, dvs samla fåren till en hjord, hålla ihop denna och om kvällen fösa den tillbaka till nattfållorna. Det gällde då att noga räkna in fåren, eftersom de som brutit sig ur hjorden snart hamnade i dingons käftar.

När middagshettan dallrade som värst brukade djuren hålla sig stilla under minst fyra timmar och då kunde herden sträcka ut sig under ett mulgaträd, tända pipan och filosofera över den civilisation som verkade så egendomligt fjärran. Förutom denna siesta var kvällen herdens enda fritid. Då var han ordentligt uthungrad och kokade ett bastant mål på det ofrånkomliga fårköttet. En herde hade rätt att slakta två får i månaden. Köttet saltades omedelbart och blev därmed en törstdrivande stapeldiet som sköljdes ned med mängder av te. Sådan var den rutin som väntade Fischer när herden Perry gav sig iväg för att dränka sig i en *spree*, en av dessa vanvettiga halvårsfyllor som vände ut och in på herdarnas organ och penningpungar.

Fischer insåg snart att fårvaktandet tillhörde världens enformigaste sysslor. Ensamheten blev så tryckande att han började längta efter vilket avbrott som helst, också om det var en olycka. "Hundskall och fårbräkningar kunna bli så långtradiga, att till och med en orms väsande är välkommet — det piggar upp en. Man blir fallen för inbillningar av varjehanda slag, herdelivet än monomanins förnämsta härd." Av sådana anledningar blev den omväxling infödingarna hade att bjuda på långt ifrån oangenäm. En dag stod ett gäng blåsvarta aboriginer framför honom. De anfördes av sin kung Oleiri, vilken hade med sig sina drottningar, prinsar och prinsessor. Fischers objudna gäster var så gott som nakna, men de var beväpnade med spjut, klubbor och bumeranger, vilket gjorde svensken aningen nervös vid detta sitt första möte med Australiens urbefolkning. Kung Oleiri gjorde dock lugnande åtbörder.

De välbyggda svartingarna med sina breda näsor och sina väldiga hårsvall var vana vid herdar och de visste att lönande affärer kunde göras med dessa den vita civilisationens representanter i vildmarken. "Hela sällskapet satte sig ned framför hyddans dörr med knäna uppdragna och armarna omfattande desamma", berättar

Aboriginer. (C Lumholtz, Bland Menniskoätare)

Fischer, "därefter började hans majestät med förklaringen att han själv, hans lubras (kvinnor), hans bukkera piccaniny umbage (tronföljare) samt piccaniny (arvprinsen), allesammans tyckte ofantligt mycket om mig, att de aldrig haft så god granne förr och att jag borde visa, att jag verkligen var så god, som de ansågo mig vara genom att skänka dem en fårtacka och ett lamm." Hur Fischer kunde begripa allt detta förklaras inte, men vi får anta att infödingarna behärskade lite engelska och ett livfullt teckenspråk. När Fischer förklarade att han tyvärr inte hade befogenhet att villfara kungens begäran, togs detta mycket illa upp. Skulle det första mötet med landets svarta nomader sluta med en klubba i svenskens skalle? Den hotfulla situationen upplöstes emellertid i leende gemyt sedan herden dukat fram vad han kunde undvara av fårkött, pannkakor och inlagd gurka.

Oväder i bushen

Den värsta prövning som drabbade Fischer i Sydaustraliens fårmarker, var ett av dessa urtidsmässiga oväder som plötsligt förvandlar ett sömnigt landskap till ett inferno av blixtar, åskknallar och sjudande vattenmassor. En eftermiddag tornade väldiga molnstoder upp sig vid horisonten och innan svensken hunnit fatta vad som stod på var himlen täckt av mörka moln som förvandlade dagen till natt. Åskmullret ryckte snabbt närmare och skrällarna kom hyddans plåttak att vibrera. Så började regnet falla i stora droppar som snart övergick i ett vattenfall. Fischer hann få in fåren i fållorna intill herdekojan innan ovädret vräkte sig över honom.

Från denna stund kunde han endast koncentrera sig på att överleva ragnarök: "Blixt följde på blixt och någon tid mellan åskknallarna märktes knappast; det var en ihållande himlens kanonad och långa stunder i taget var landskapet upplyst utan avbrott, varefter följde en stund av mörker så djupt, att jag ej gjort mig en föreställning om möjligheten därav . . . Regnet föll, icke droppvis utan pytsvis, och ett fräsande ljud i spisen underrättade mig snart att vattnet trängt in i kojan och redan stigit upp i eldstaden." Den våldsamma störtflod som kom forsande genom ravinerna, hotade att bryta hyddan i bitar. Vattnet steg oupphörligt och Fischer måste rädda sig upp på sängen med mjöl- och köttsäckarna i famnen. I samma stund började hundarna tjuta utanför hyddan. Det låg dödsskräck i deras ylande och Fischer förstod att de höll på att dränkas i sina koppel. Han trevade sig ut och lyckades lösgöra hundarna utan att själv ryckas med av vattnet. Strax efteråt slets dörren bort av en vindil och i det isblå skenet från en blixt såg han de vettskrämda fåren "som ängsligt bräkande kröpo tillsammans tills en fruktansvärd åskknall mitt över fårgården, spridde dem åt tusen olika håll".

Stormen avtog lika hastigt som den börjat, men Fischer fann det bäst att invänta gryningen inne i den vattenfyllda hyddan. Det enda han kunde göra var att svepa en våt filt omkring sig och huttra sig genom det som återstod av den förfärliga natten. När han några timmar senare kom ut ur hyddan möttes han av ett förvandlat landskap: "Creeken (bäcken), som förut varit torr, var nu en 300 fot bred starkt forsande älv, som förde med sig uppryckta träd och kroppar av känguruer och vargar, samt hundratals av opossums och råttor av alla möjliga slag. Alla lågt liggande delar av slätten var sjö och betesmarken var ansenligt förminskad. Från toppen av kullen, varifrån jag kunde se landet miltals såg det hela ut som en stor sjö med otaliga holmar uti — det var topparna av de överallt kringflutna småkullarna." Där man nyss kunnat törsta ihjäl hotade alltså nu drunkningsdöden. Vattnet sjönk dock snabbt och efter någon vecka hade savannen återtagit sitt soldränkta välde. Märkligt nog saknades endast åtta får och Fischer kunde därför med viss stolthet överlämna herdestaven till den svårt söndersupne Perry.

Under fårets tyranni

Theodor Fischer var en av otaliga eremiter som drog omkring med sin hjord på Australiens dammiga grässlätter. När arbetslönerna började stiga ansåg många *squatters* det oekonomiskt att anställa en herde för en så liten hjord som Fischers. De satte istället upp utgårdar, *outstations*, som kunde variera i storlek alltifrån anläggningar med ett tjugotal anställda till ett lag herdar med en *hut-keeper* eller hyddföreståndare. Denne för Australiens pionjärtid typiska mångsysslare skulle inte bara sköta herdarnas koja och mathållning utan också sätta upp fällor och stängsel och om natten övervaka djuren från en vaktkur. När hjorden uppgick till tiotusentals huvuden blev hyddföreståndarens arbete betydelsefullare än herdarnas. Stor vikt lades vid att han oupphörligt skulle flytta på fållorna, så att djuren fick friskt bete när de återvände efter dagens vandrande i markerna. En ren hage för natten ansågs viktig för att hålla borta den fruktade fotrötan. En annan farsot som hyddföreståndaren måste vara på sin vakt mot var fårkatarren, en luftvägsinfektion som spred sig med epidemisk fart. Hyddföreståndaren förväntades dessutom ha gott handlag med fårköttsgrytan och surdegen. Alla visste att en talangfull kock kunde få karlarna att glömma att de hade samma matsedel dag ut och dag in. Till råga på allt skulle denne fåravelns allt-i-allo vara utvilad när herdarna gick till sängs. Då skulle han nämligen klättra upp i sin vaktkur och börja det oändligt långa nattpasset. Inne i observationslådan fanns endast plats för nattväktaren och hans gevär, vilket var god uträkning, eftersom obekvämligheten jagade sömnen ur ögonen.

Systemet med vaktkurer som kunde flyttas till de platser där fårhjorden vilade för natten, hade framtvingats av landets enda verkligt blodtörstiga djur, dingon. Herdarnas respekt för denna evigt hungriga vildhund var lika stor som deras hat till den pilsnabba skugga, som i tvära kast ryckte fram mot sitt byte. Man trodde allmänt att dingon stod i den ondes sold och hans snyftande ylande fick den sömnigaste nattväktare att föra karbinen i skottläge. I mörkret kunde man inte se var odjuret höll till, men fårens ängsliga bräkande gav ledning. När dingon kommit in i fårhjorden trädde Australiens effektivaste massmördare i funktion. Besten kastade sig från lamm till lamm, bet av deras strupar eller bröt ryggraden genom ett bett över korsryggen. Det var inte ovanligt att en dingo hann bita ihjäl ett trettiotal djur

Utdelning av bröd till arbetarna på utgården. (E E Morris, Australia's First Century)

innan en välriktad kula från hyddföreståndarens karbin förpassade honom till de sälla jaktmarkerna.

Flera svenskar gjorde sig kända som vaksamma hyddföreståndare. Från en av dem finns ett brev bevarat, där han beskriver den skräck som grep honom när dingons ylande och fårens ängsliga bräkande förkunnade att massmördaren befann sig i grannskapet. Den oidentifierade brevskrivaren, som undertecknade brevet "Janne", berättar också om jakt på känguruer som hotade att ödelägga betesmarkerna och hur han med sin bössa träffade en hök som hungrigt svävade över tackorna och deras lamm.

Fårkalenderns brådaste tid var lamningen och närmast följande veckor. Då gällde det att manskapet på stationen inte stod handfallna. Omedelbart efter födseln fångades lammen in och öronmärktes. Svansarna snördes åt med trådar så att blodtillförseln hindrades och svansen efter ett tag förtvinade och föll av. Det otrevligaste arbetet gällde de hanlamm som inte behövdes för aveln och därför måste kastreras. Den karl som utförde kastreringen var snart nedsmord av blod. Ett lika enkelt som primitivt sätt att kastrera hanlamm var att nypa till med fingrarna om testiklarna, bita till med tänderna och spotta ut de bärformade organen. Rumpningen var ett annat obehagligt arbete. Det gällde nu att raka området kring lammets analöppning för att hindra att avföringen fastnade i ullen och därmed orsakade infektioner. Så kom slakten när hudarna flåddes av och köttet kokades till talg eller slängdes åt fåglarna. Dessa och en lång rad andra sysslor kring ett djur som kräver mer arbete än de flesta andra som människan uppföder, ingick i de svenska fårkarlarnas erfarenheter. I allmänhet blev deras perioder på fårstationerna korta. Den som levt med får dygnet runt, ätit fårkött morgon och kväll och fått natten störd av deras ängsliga bräkande, var efter ett tag beredd att ta vilket jobb som helst bara han slapp känna, lukta och höra får.

Under några veckor i oktober arbetade Fischer som hjälpreda åt fårklipparna på stationen Outaalpa, där det fanns 30 000 fårryggar att frisera. Svensken och en kamrat fick bli ullplockare, vilket han beskrev som ullklippningens värsta: "Dessa två parias skall sopa undan småullen från 8 får, plocka upp och bära till ullbordet fällarna av samma 8 får, springa med tjära till 6 får och bringa läkekonstens övriga hjälpmedel i form av nål och tråd till 2 får − allt på samma gång . . . −Ull, ropar en klippare. − Kvast hit, en annan − Tjära, fort latmask! − Nål! Skynda kanalje, tackan förblöder! Allt detta bildar ett behagligt virrvarr i ullplockarens arma hjärna och om natten hemsökes han av en mara, som trycker honom med tyngden av en ullbal."

Av skildringen framgår att fårklipparna var klippningsskjulets herrar, som styrde sina drängar med järnhand. Dessa den stora ullsaxens hanterare var specialiserade yrkesmän som reste från station till station under klippningssäsongen. De fick betalt efter antalet klippta får, varför det gällde att hinna med så många djur som möjligt. Arbetstiden var noggrant reglerad med måltidsraster och rökpauser på bestämda tider under Australiens strängaste arbetsdag som började sex på morgonen och slutade sex på kvällen. Ett får handklipptes på ca fem minuter och en skicklig *shearer* kunde före maskinklippningens genombrott på 1880-talet hinna med 100−150 djur om dagen. Att klippa får var en ädel konst som var otillgänglig för de flesta invandrare. Ändå lär det ha funnits svenska fårklippare i Australien.

Per Johnson från Kristinehamn, vilken vistades i Australien mellan 1902 och 1904 och i *Mina upplevelser i Australien* (1925) berättat om sina upplevelser, fick hjälpa till vid klippningen på stationen Axdale utanför Bendigo i Victoria. Johnson skulle sköta ullpressen, där fällarna pressades ihop till balar och sedan syddes in i säckväv för transport till ullmagasinet. Här vägdes de och märktes. Själva klippningen utfördes av ett tjugotal män, som tagit plats i "en särskild för ändamålet uppförd byggnad, en stor sal, försedd med små avbalkningar dit fåren från den inhängnade gården utanför fördes in och klipptes. Klippningen försiggick så, att fåret sattes på bakbenen och fick buken först renklippt, varefter det vändes och klipptes runt. Bredvid stod en man och penslade de sår som uppstodo med balsamisk olja. Klipparna skötte sina saxar med en högt uppdriven färdighet och de tjugo medhunno i medeltal 1 000 st får per dag." Ullen klipptes i en sammanhängande fäll, som breddes ut på ett stort bord, fortsätter Per Johnson sin detaljerade skildring. På bordet rensades den värsta smutsen bort, varpå ullen sorterades i olika fack efter kvaliteten. Den langades sedan en trappa upp till ullpressen, "och inom några ögonblick var ett hundratal ullpälsar hopsurrade till en bal".

Utanför och i klippningshallen. (G Andersson, Australien)

Talgkokeri. De långa frakterna gjorde att fåren efter slaktning kokades ned till talg. (The Illustrated London News 1868)

Det hetsiga arbetet i den dammiga och stinkande klippningshallen hade föregåtts av mindre kvalificerade moment, som svenska emigranter ofta brukar berätta om. Först skulle fåren drivas in till huvudstationen. Här lämnade herdarna över till specialister som mönstrade djuren och sorterade dem efter ullens kvalitet på olika fållor. Därefter föstes de ned i tvättgropen, där pälsen rengjordes. Djuren drevs sedan in i "rena" fållor för att deras fällar skulle torka och burras upp, så att saxarna skulle kunna klippa så nära skinnet som möjligt. Efter klippningen och ullpressningen lastades balarna på väldiga oxkärror och fördes till ullmagasinen i utskeppningshamnen. Många svenskar deltog också i detta slitsamma och enformiga arbete.

Boundary riders och vattendragare

Det hände att australiensvenskar anställdes som *boundary rider*. En sådan gränsridare hade till uppgift att övervaka de enorma stängsel av stockar eller taggtråd, som godsägarna lät sätta upp kring betesmarkerna i ett försök att rationalisera bort herdarna. Han skulle inte bara laga trasiga stängsel utan också lägga ut saltblock till djuren, gillra upp förgiftade beten för dingos och kaniner och skjuta så många känguruer som möjligt. Den tidigare nämnde prästsonen Gustaf Kassell fick plats som gränsridare när han var färdig med skogsröjningen. För ett pund i veckan skulle han "från måndags morgon till lördags afton på hästryggen ströva omkring egendomens inhägnader och varje afton rapportera till någon inspektör huruvida gärdesgårdarna i området äro i gott stånd". Kassell hade sex hästar till sitt förfogande, en för var och en av arbetsveckans dagar.

Den till sin bakgrund okände invandraren Hans Erikson hade betydligt större områden än Kassell att övervaka och han kunde inte som denne överlåta lagandet av stängslen åt andra. Erikson satt i veckotal på hästryggen utan att se annat än bush, får och känguruer. När han upptäckte att inhägnaderna var trasiga och boskapen tagit sig igenom öppningen måste han spåra upp djuren och driva dem tillbaka, för att sedan laga stängslet och fortsätta ritten kring det landskapsstora godset. I den med färgstarka anekdoter kryddade boken *The Rhythm of the Shoe* (1964) berättar Erikson att enda möjligheten att klara gränsridarens ensamhet var att skaffa sig en *black-gin*, dvs en infödingskvinna som följeslagare.

Black-gin. (C Lumholtz, Bland Menniskoätare)

I de ökentorra markerna hade brunnsgrävaren en nästan helig samhällsställning. Utan slagrutan och hans sjätte sinne för vattenådror hade inte ens fåraveln varit möjlig. Hur tåliga dessa kreatur än var måste de nämligen dricka en gång vartannat dygn. Varmt och svaveldoftande artesiskt vatten eller det iskalla källsprånget blev därför ökenlandets sakrament och de som yrkesmässigt hanterade detta blev något av heliga män som hade makten att hugsvala törstens offer. Efter de sex herdeveckorna fick Theodor Fischer axla ansvaret som vattendragare, vilket innebar att han från ett vattenhål skulle hämta upp "tillräckligt med vatten för de ca 2 500 får, varav flocken består, och vilka törstat 40 timmar". Det var ett mördande tungt arbete att varje morgon bära 300 stora vattenhinkar mellan brunnen och det 60 meter långa tråg där boskapen vattnades. Sedan djuren druckit kunde Fischer ta ledigt för dagen, förutsatt att han höll ett öga på vattenhålet. När torkan var som mest gastkramande greps nämligen djuren av vanvett så fort de kände vittringen av vatten. Det var då lätt hänt att de rusade genom staketet kring källan och fördärvade vattnet. En människas törst svalnade högst betydligt när hon kom fram till ett vattenhål som nyss besökts av 12 000 får och hundratals kor och hästar. Hur Fischer än vaktade sin källa kunde han inte hindra några miljarder jordloppor från att drunkna i vattnet. Inte heller lyckades han jaga bort de infödingar som brukade bada där när hettan blev för svår, "och av detta vatten måste vi dricka och laga vårt te", klagade Fischer.

Vid vattenhålet. (Fra Australien. Reisekizzer af Bob, 1862)

En svensk lantarbetares upplevelser i Victoria

Ingen har bättre än Per Johnson från Kristinehamn skildrat hur lantarbetarens hårda villkor upplevdes av en nyanländ emigrant som sett bättre dagar. Johnson hade liksom fadern varit handelsman i hemstaden, men han hade också gått på handelsinstitut och studerat sång och teater i Stockholm. Drömmen att bli konsertsångare eller skådespelare skrinlades i samband med utvandringen till Australien, dit han lockades av en vältalig vän som dock själv aldrig reste till antipoden. Det var alltså en 29-åring med liljevita händer som våren 1902 visades in i drängstugan på irländaren Gleens gård utanför Melbourne. "Det nattläger, som anvisades mig, var ett helt litet rum, försett med träbritsar, utan kuddar eller något annat att ligga på", berättar Johnson i sin bok. "Jag fick sålunda första natten ligga påklädd på den hårda britsen, insvept i min filt, som endast gav mig ett svagt skydd mot den kalla nattluften." I gryningen drog Johnson på sig sina nyinköpta arbetskläder och de snörkängor han haft med sig hemifrån. Efter att ha tagit hand om hästarna och ätit frukost fick han order att börja ringbarka ett bestånd eukalyptusträd. Yxan studsade mot det stenhårda virket och arbetet som "träddödare" verkade hopplöst: "Efter en timme hade jag lyckats ringa ett träd, men då var också mina vid hårt arbete ovana händer skinnlösa och blodiga. . . Smärtan vid att hålla den tunga yxan med mina söndriga händer blev hart när olidlig." Så kunde det inte fortsätta och svensken förflyttades till en enklare syssla.

Efter att ha ådagalagt bristande talanger också för dikesgrävning fick Johnson hjälpa till med ärtsådden, vilket innebar att han skulle gå efter den av fyra hästar

Teckning av Carl Erik Rahm.

dragna sättningsmaskinen och se till att billarna hölls fria från tuvor och annat som hakade sig fast. Arbetet försiggick under regntiden och Johnson sjönk ned till fotknölarna i lersörjan. Dessutom måste han halvspringa för att hålla jämn takt med hästarna: "Om kvällen var jag också flera gånger så uttröttad, att jag ej förmådde att gå in och äta, utan släpade mig in i min kammare, kastade mig i min trälåda och insomnade tvärt." Några klädombyten utöver de tunga reskläderna från Kristinehamn ägde inte Johnson, varför han gick omkring i fuktiga kläder under den blåsiga och råa senhösten 1902.

Den svenske gröngölingen, som knappt kunde meddela sig på begripligt sätt med omgivningen, blev allas hackkyckling. Den ene av gårdens söner "överöste mig, i visshet om att jag ej förstod honom, med de grövsta tillmälen, men jag höll god min och gjorde min plikt", skriver Johnson harmfullt. Slutligen degraderades den man som drömt om att bli aktör och sångare till att köra dynga. Det blev så outhärdligt hos mr Gleen att Johnson sade upp sig. Den missunnsamme farmaren förbjöd honom då att ödsla tvättvatten på arbetskläderna, varför han fick packa ner sina gödseldoftande persedlar i kofferten och ta på sig den kraftiga emigrantkostymen. Ett pund eller en fjärdedel av vad han utlovats fick Johnson för sin månad hos den irländske farmaren.

Carl Anton Olsson från hemstaden erbjöd nu Johnson anställning på sin gård i Mia Mia, där den kände Lars Fredrik Westblad från Bjurtjärn och många andra bergslagsbor hade sina ägor. Eftersom man befann sig i slutet av en sjuårig torrperiod vimlade trakten av utmärglade kreatur, som endast hade en plågsam död att se fram emot. Westblad, som hade stora domäner endast några mil från Olssons farm, gav nu Johnson uppdraget att spåra upp och avliva korna. Johnson fann denna syssla alls inte obehaglig, eftersom han i ungdomen hjälpt till i faderns slakteri. Djuren flåddes och hudarna såldes med hygglig förtjänst, medan kadavren lämnades åt korpar och kråkor.

De enda djur som förutom asätarna frodades i hettan tycktes vara kaninerna. Detta gav Per Johnson idén att börja jaga kaniner. En god läromästare hade han i Carl Anton Olsson, som under många år skaffat sig extrainkomster på kaninjakt. Under de tre månaderna som kaninjägare lyckades Johnson inte förhärda sig mot det svårartade djurplågeri kaninjakten innebar. De arma djuren betraktades ju som en farsot och en sådan tillräknades inga känslor. Eftersom kaninerna skulle användas för kött- och skinnproduktion fångades de levande. Johnson och Olsson brukade varje dag gillra 160 fångstsaxar utanför ingångarna till kaninernas gryt. "När kaninerna så skulle gå ut eller in i sitt bo och trampade i saxen, slog denna ihop merendels med den styrka, att piporna i de ben, som fastnade, splittrades. De stackars fångarna skreko och jämrade sig och gjorde förtvivlade försök att lösgöra sig, särskilt när deras bödlar nalkades."

Tre gånger om dygnet vittjades fällorna, varvid kaninerna levande stoppades ned i en säck. När säckarna var fyllda fraktades de in till gården och tömdes i en murad grop, täckt med galler. I denna stinkande håla fick de stympade djuren invänta slutet. "Sent på kvällen efter sista vittjandet skedde slakten", berättar Johnson. "Den tillgick så, att en av oss langade upp en kanin i sänder, omfattande med

Farmare på väg till frysningsstationen med 1 200 kaniner. (G Andersson, Australien)

vänster hand hans båda bakben och med den högra handen hans huvud, lade honom mot högra knäet, böjde hans huvud bakåt och gjorde en knyck, varigenom nackkotan avbröts och kaninen ögonblickligen bedövades. Nästa man skar upp halsen och lät blodet rinna av. Hela proceduren ägde rum i raskt tempo och utan att nödvändigtvis plåga djuren. Därefter skars hassenan upp på ena benet, det andra benet stacks in genom det därigenom uppkomna hålet, varefter kaninen den ena efter den andra träddes upp på en lång stång ... Vid tretiden på natten kom uppköparen med en stor vagn dragen av fyra hästar och avhämtade de uthängda kaninerna, som sedan avsändes till Melbourne, där de undergingo en infrysnings-process efter vilken de utskeppades till London för att slutligen hamna i engelska konservfabriker." Upp till 2 000 kaniner levererades från Mia Mia efter en lyckosam jaktdag. Själv brukade Johnson fånga 50 kaniner om dagen. Man fick motsvarighe-ten till 20 öre per kanin och jakten ansågs därför lönande.

Sin tid som lantarbetare i Australien avslutade Per Johnson på en stor gård i jordbruksdistriktet kring Murray River. Det var skördetid för vetet och fälten vajade gyllenbruna så långt blicken nådde. Ett lag karlar med en lokomobildriven skörde-maskin utförde slåttern. Johnson fick vara med och sätta upp vetekärvarna i skylar, ett hårt arbete under den gassande solen. Middagshettan var så svår att han då och

Vetesäckar lastas efter tröskningen. (G Andersson, Australien)

då måste fly in i skuggan under arbetsvagnarna. När vetet torkat slängdes kärvarna upp i väldiga stackar för tröskning, vilken utfördes av yrkeströskare och deras ångdrivna tröskverk. 1903 var ett gott skördeår och man behövde flera månader innan vetet var bärgat. Detta innebar en ovanligt lång period med stadigt arbete för den vagabonderande värmlänningen. Han trivdes utmärkt, i all synnerhet som farmaren var en hygglig karl som intresserade sig för säsongsarbetarnas välbefinnande.

Drängstugan var det dock sämre ställt med: "Den enkla bädd, bestående av fyra säckar fullstoppade med hackad halm, som jag vid min ankomst iordningställde åt mig i Jacks lilla kyffe, behöll jag hela tiden, oaktat jag blev varnad för att ligga på golvet, emedan det fanns ormar därunder, vilka lätt kunde ta sig upp emellan de glest liggande golvtiljorna. Varje kväll vidtog jag dock den försiktighetsåtgärden att jag skakade mina sängkläder, som utgjordes av en filt och en gammal överrock . . . En morgon fick jag se en mindre orm kila över golvet och försvinna mellan golvspringorna." Som alla andra svenskar klagade Per Johnson över Australiens flygfän. Särskilt plågsamma var myggorna och han försökte skydda ansikte och händer med tvållödder som han lät torka in till ett slags extra hud. De australiska kamraterna, som verkade okänsliga för flugor och mygg, gjorde sig lustiga över svenskens utsiktslösa kamp mot sina bevingade plågoandar.

Svenska cowboys

Ädlingen bland lantarbetarna var boskapskarlen, *the stockman*. Denna Australiens variant av Vilda västerns cowboys tillbringade dagarna i hästsadeln och nätterna vid lägerelden, där han sov inlindad i sin filt. Han var beredd att kraftfullt krossa alla hinder som en oberäknelig natur travade upp i boskapshjordens väg och han drog sig inte för att avfyra bössan om en boskapstjuv skulle dyka upp. "Härdad i mödor och försakelser är han den djärvaste ryttare, som i vildaste fart över bergåsar och dalar, skogssnår, moraser och slätter förföljer och besegrar de vilda hjordarna", skrev den skarpögde iakttagaren Carl Axel Egerström och fortsatte med följande självupplevda genrebild ur boskapsherdens hetsiga vardag: "På boskapsstationerna . . . sitter männen från morgon till afton uti sadeln, beväpnade med den kortskaftade boskapspiskan . . . Den vildaste jakt uppstår nu, tjurar, kor, kalvar och hästar drivas i flygande fart mot stationen, där man snart förnimmer ett dån, likt mullrande åska, samt hör stockmännens hojtande rop och brakande pisksmällar. Slutligen kommer hjorden rusande i ett moln av damm och få minuter därefter ser man de frihetsälskande djuren i en stor, med höga och starka stängsel omgiven, gård. Nu skall ungboskapen brännmärkas, tjurkalvar kastreras, hästar inridas och tämjas m.m." Egerström gav ett högt betyg åt Australiens cowboys, endast i Kalifornien hade han sett skickligare ryttare. Utan karta orienterade boskapskarlen sig genom områden stora som europeiska länder. Han hade varje skogskrog på sina fem fingrar. Här lät han vattna hästarna medan han tog sig ett glas i den fallfärdiga utskänkningslokalen, inte mycket bättre än fåraherdens koja. Men på en påle utanför fladdrade franska flaggan stolt i ökenvinden och den glåmige mannen bakom den skrangliga bardisken titulerades "doktor". Trikoloren ansågs av någon

Wärdshus å landet.

En annan av Carl Erik Rahms reportageteckningar.

Boskapen indrives. (T Knös, Lifvet i Australien)

anledning ge krogen tur — kanske hade fransmännen i Ballarat varit framgångsrika krögare. Doktorstiteln hade inget med kunskaper i medicin att göra, men krögaren var förvisso en mästare i att blanda berusande drycker av urusel sprit.

Den självmedvetne ryttare som svängde sin meterlånga läderpiska över hornboskapen, hade inte mycket till övers för de fårvaktande kollegerna. Dumma och smutsiga får var passande undersåtar till de utländska latmaskar som tjänstgjorde som herdar, tyckte boskapsmannen och spottade föraktfullt ut en tobaksstråle. Den kraftfulla hornboskapen krävde däremot intelligenta och vältränade karlar med siktet inställt på snabba pengar, starka drycker och ljuvliga nätter i Sydneys glädjekvarter. Klyftan mellan kornas och fårens herdar blev därmed lika djup som mellan *squatters* och *selectors*. Enligt Egerströms iakttagelser var "boskapsherden eller stockmannen ... vanligen en australiare, vit eller svart, som hela sitt liv igenom endast sysselsatt sig med att sköta hornboskap och hästar, medan fåraherden ofta kom från gamla världen". Egerström tyckte sig iaktta en skillnad också mellan de båda yrkesutövarnas yttre. Boskapsmannen uppträdde med lediga rörelser och genomträngande blick. Fåraherden däremot såg ganska ruggig ut med "slokig hatt, röd skjorta, filt eller fårhud vårdslöst kastad över axlarna samt med herdestav, matknyte och vattenkruka i händerna". Man kan utgå från att Egerström kände sig stolt, när han lyckades få plats som dräng på boskapsstationen Bomborra i New South Wales. Svensken fick i uppdrag att assistera boskapskarlarna när de skulle driva 6 000 oxar och 30 000 får från betesmarkerna nordväst om Bathurst till slakterierna i Victoria.

Den fjärde januari 1857 gavs signal till uppbrott och boskapskaravanen satte sig i rörelse under ledning av fem uppsyningsmän, fjorton *drovers* till häst och sexton herdar med tjugo fårhundar. Trossen bestod av fyra stora kärror med kuskar och fyra kockar. På flaken hade man surrat mjölsäckar, socker, te, köttunnor och portabla bakugnar. Efter trossvagnarna travade tjugo extra ridhästar. Med hornboskapen i spetsen och fåren uppdelade på ett otal hjordar blev karavanen flera kilometer lång. Egerström greps av boskapsfösandets tjusning, där han blickade ut över floden av kreatursryggar och lyssnade till djurens råmanden och piskornas smällanden. Men den livfulla scenen omgavs av död och förintelse och en obarmhärtig januarisol gassade över ett landskap som ropade efter vatten. Många djur dukade under i hettan eller angreps av fotröta, som infekterade klövarna så att de inte kunde gå. Sådana djur fick avlivas eller självdö. "Flera mornar funno vi ett par dussin får döda i lägret, vilka före avfärden samlades i hög och förbrändes. Den stora stråkvägen bar flerstädes ohyggliga märken efter föregående karavaners öden, i det att marken på många ställen var nästan betäckt med benrangel och multnande kroppar, vilka kringspredo en vidrig stank."

Efter en dagsetapp på två svenska mil slog man läger. Egerström bevittnade med förvåning karlarnas kolossala aptit och deltog själv med liv och lust i det bullrande umgängeslivet efter middagen. När äntligen alla gått till vila tog han sig en stilla promenad, under vilken han med njutning inregistrerade den "pittoreska bivackscenen, där förgrunden var en lagun, i vars klara, stilla vatten den blanka månen och himlavalvets tindrande stjärnor återspeglade sig, samt genrebilderna utgjordes å ena sidan av den vilande, ofantliga boskapshjorden och å den andra av de vita tälten, allt omgivet av flammande eldar, vilka kastade ett mystiskt sken vitt omkring i den närliggande skogen där opossum och flygande ekorrar blandade sitt genomträngande skri med den vilda hundens (dingons) mera avlägsna tjut". Egerströms beskrivning är livfullare än en modern filmupptagning. Man tvekar inte en sekund om äktheten, när denne förnämlige berättare en januarinatt 1857 öppnar sinnet för stämningen kring boskapslägret i New South Wales bush.

Under marschen genom det brännheta höglandet stötte man flera gånger på infödingar, som omedelbart engagerade Egerströms observationsförmåga. Detta ledde till den svenska litteraturens förmodligen första beskrivning av Australiens aboriginer. Egerströms linneanskt exakta iakttagelser står sig fortfarande efter hundra års forskning i den australiska urbefolkningens etnologi.

I januaris slut gick karavanen över Macquariefloden. På andra sidan mötte nya boskapsmän och herdar, varför flera medhjälpare och däribland Egerström avskedades. I den närbelägna staden Dubbo fick den skrivande boskapsfösaren lyfta lönen för sina tre veckor med karavanen. Den gudsförgätna hålan gjorde ett outplånligt intryck på svensken. Där låg nämligen en diversehandel som sålde översättningar av Fredrika Bremers och Emilie Flygare-Carléns böcker. Han blev inte mindre entusiastisk när handlaren berättade minnen från svenska fregatten Eugenies besök i Sydney hösten 1852. Egerström tog genast anställning i affären. Nu

Rahm träffade mer påklädda aboriginer än Egerström.

nalkades emellertid slutet på Carl Axel Egerströms första australienvistelse. I juli 1857 nåddes han av brev från Söderköping, där det berättades att fadern hade dött och första november gick han i Sydney ombord på ett till London destinerat skepp.

Squattern Westblad och trädgårdsmästare Nobelius

Sannolikt kan man på fingrarna räkna de svenska emigranter som lyckades skapa storjordbruk i 1800-talets Australien. Den i föregående kapitel skildrade guldgrävaren Lars Fredrik Westblad från Bjurtjärn framstår som storbonden bland de tidiga australiensvenskarna. Hans station på slätten kring Murrayfloden fyllde andra jordbrukande svenskar med nationell stolthet. Se där en enkel svensk som kan mäta sig med vilken brittisk *squatter* som helst, tänkte Westblads landsmän och pekade på Westby Park i Kerang. Som vi sett lockade Westblad till sig åtskilliga bjurtjärnsbor och andra värmlänningar. När de fått nog av slitet med hacka och spade slog sig många av guldgrävarna i McIvors "svenska läger" på jordbruk och anlade gårdar kring Westblads krog och farm i Mia Mia. Längre fram följde de honom i spåren ut

136

på prärierna kring Murray och dess bifloder. Som vi nyss sett stötte Per Johnson på en del av dessa svenska farmare när han strax efter sekelskiftet prövade på lantarbetarens liv i Victoria.

Den utan jämförelse framgångsrikaste företagaren bland de jordbruksidkande australiensvenskarna var Carl Axel Nobelius. Han blev varken *squatter* eller *selector* utan var en av de talrika svenska trädgårdsmästare som emigrerade till Nordamerikas eller Australiens givmildare klimat och jordar. Nobelius föddes 1851 i Tammerfors i Finland, där fadern, trädgårdsmästaren Carl Pettersson, varit verksam sedan 1846. Familjen lämnade Finland strax efter Carl Axels födelse och slog sig först ned i Stockholm, men flyttade 1866 till moderns födelsestad Gävle. Lovisa Amalia Nobelius kom från en känd gävlefamilj — hon var befryndad med släkten Nobel — och fadern hade därför goda skäl när han antog sin hustrus familjenamn. Sannolikt hade Carl Axel praktiserat hos fadern, men när han utvandrade hösten 1872 skrevs han som handelsbetjänt. Vi känner inte till om någonting annat än äventyrslystnad låg bakom 21-åringens emigration till Australien.

Carl Axel Nobelius.

I februari anlände Nobelius till Melbourne, där han tog upp faderns yrke. Först arbetade han vid Taylor och Sangsters trädgårdsanläggningar i Toorak utanför Melbourne och längre fram fick han plats hos trädgårdsmästare Joseph Harris i South Yarra. Nobelius väckte respekt för sitt gedigna yrkeskunnande och avancerade snabbt. Omkring 1884 köpte han ett stycke skogsmark på sluttningarna i Dandenongbergen i närheten av guldgrävarplatsen Emerald sydöst om Melbourne. De röda sluttningarna var perfekta för fruktodlingar och Nobelius började på egen hand röja undan bushen. Efter det ordinarie arbetets slut på lördagseftermiddagarna brukade han ta tåget till Narre Warren och därifrån fotvandra 25 kilometer till sitt ställe i bergen. Man kan inte säga att Nobelius hörde till dem som helgade söndagen, men hans fruktträdgårdar och plantskolor tog form med förvånande hastighet. På måndagen var Nobelius tillbaka i sitt ordinarie arbete och jobbade på som om han tillbringat helgen på rygg i någon av Melbournes parker. Var och en som betraktade Nobelius yttre blev inte förvånad över att han orkade hålla på som han gjorde. Han var en blond, blåögd och synnerligen atletisk vikingatyp som blev populär inte bara för att han ansågs se bra ut utan också för sitt lättsamma sätt och sin renhårighet.

1888 hade Nobelius röjt 20 hektar land i bergen och flyttat över till gården Carramar för att sköta sina anläggningar på heltid. I fruktträdgårdarna växte äpplen, päron, plommon, aprikoser, körsbär, jordgubbar och smultron som fraktades med oxvagn till marknaden i Melbourne. Mycket snart blev emellertid frukttransporterna så omfattande att han måste anlita järnvägen. I plantskolan producerades främst europeiska lövträd för de alléer som planterades i parker och utmed gator överallt i Australien. Nobelius blev därmed en antipodisk motsvarighet till den skånske trädgårdsmästaren Per Samuel Peterson, vilken ungefär samtidigt levererade de träd som planterades kring Chicagos gator. Men inte ens Australiens väldiga behov av skuggande träd räckte till som marknad för Nobelius trädplantage. 1903 annonserade han t ex att en miljon träd var till salu och vid första världskrigets utbrott fanns två miljoner trädplantor i hans odlingar. Vid denna tid exporterade Nobelius frukt och plantor över hela världen.

Carl Axel Nobelius blev Emeralds ledande företagare med ett femtiotal mannar stadigt på avlöningslistan men under plockningssäsongen räknade arbetsstyrkan hundra och ändå fler personer. Anläggningarna i Emerald drog till sig ett dussintal svenska familjer, som därmed bildade den enda genuina svenskkolonin på den australiska landsbygden – om man inte skall räkna det kortlivade "svenska lägret" i McIvor eller det svenska inslaget i Gippsland. Också de fem sönerna och tre döttrarna – Nobelius hade gift sig 1877 med en brittisk kvinna – engagerades i företaget så fort de orkade med ett dagsverke. Pojkarna Nobelius blev härigenom förfarna trädgårdsmästare vid mycket unga år och man tog för givet att företaget skulle gå i arv till framtida generationer Nobelius.

1908, då anläggningarna i Emerald omfattade nära 120 hektar, köpte Nobelius ytterligare 240 hektar land vid Tamarfloden på Tasmanien, vars klimat var idealiskt för äppelodlingar. Här planterades 40 000 fruktträd, vilket lär ha varit södra halvklotets största privatägda fruktodling. Det berättas att de tasmanska odlingarna producerade en kvarts miljon lådor frukt om året. Därmed var den svenske trädgårdsmästaren med och lade grunden till en av Tasmaniens stora exportnäringar.

Sagan om Australiens kanske framgångsrikaste svensk fick sin vändpunkt under första världskriget, då de livsviktiga exportmöjligheterna upphörde. Nobelius, vars odlingar vid krigsutbrottet omfattade flera miljoner fruktträd, tvingades nu bränna upp alla träd som var äldre än tre år och därmed osäljbara i det kärva exportläget. En stor del av frukten ruttnade samtidigt bort, eftersom det inte fanns tillräckligt med köpare. Nobelius var emellertid inte den som gav tappt och låg därför i startgroparna när konjunkturen vände efter krigsslutet. 1920 var hans trädgårdsanläggningar utanför Melbourne och på Tasmanien åter de största i sitt slag på södra hemisfären. Under kriget hade Nobelius börjat odla lin och framstår som den moderna linodlingens grundare i Victoria

När Nobelius dog i lunginflammation på nyårsaftonen 1921 hade han förordnat att större delen av plantskolorna och fruktträdgårdarna skulle säljas. Sonen Clifford Nobelius förvärvade emellertid kontrollen över fruktimperiets kärna och ledde det fram till 1955. Arvet från Carl Axel Nobelius gör sig än idag påmint i Australiens expanderande fruktodlingar och plantskolor. Mycket av den australiska frukt – i all synnerhet äpplena – som idag importeras har mognat i odlingar som vid seklets början anlades av den äppelkindade trädgårdsmästaren från Gävle.

Mejerikungen Fromén

En med Westblad och Nobelius jämförbar berättelse om framgångar under Södra korset har smålänningen Ernst Hjalmar Fromén som huvudperson. Han föddes 1861 i Ålem i Kalmar län. Fadern var sjökapten och hade Valdemarsvik längre upp efter smålandskusten som hemmahamn. Ernst Hjalmar var knappt tonårig då fadern drunknade i Valdemarsviken. Modern flyttade då med sina sex barn till Kalmar, varifrån Ernst Hjalmar strax efter konfirmationen reste till det stora sågverksdistriktet utanför Sundsvall, där han fick anställning på sågverkskontor i Svartvik. Under de sex åren i sundsvallstrakten fick han uppleva den stora sågverksstrejken 1879. Froméns stora problem i Norrland var att han inte tålde att se snö. Det starka ljuset från snötäcket under senvinterns klara dagar blev för mycket för hans ögon. I det läget beslöt han sig för att utvandra till det garanterat snöfattiga Australien och presterade därmed den kanske säregnaste utvandringsorsak vår emigrationshistoria känner. Att Fromén fick denna kuriösa idé är inte så märkligt om man tänker på den stora träexporten från sundsvallsdistriktet till Australien.

Den 19-årige svensken anlände 1881 till Adelaide i Sydaustralien med endast femton shilling på fickan. Större delen av detta kapital investerades i en tågbiljett till Kapunda, 65 kilometer nordost om Adelaide. Här tog han drängtjänst hos en tysk vetefarmare, men klarade sig så dåligt att han fick avsked efter två veckor och rådet att resa hem. Efter några månader som hästkarl på ett hotell fick Fromén arbete hos en trädgårdsmästare, där han stannade under fyra år och följaktligen hann lära sig ett i Australien nyttigt yrke. Trädgårdsmästaren gav honom ansvaret för försäljningen i Adelaide, vilket ledde till anställning i en partihandel för grönsaker.

När guldrushen i Teetulpa, 64 kilometer norr om Adelaide, bröt ut 1886 var Fromén en av 8 000 män som strömmade ut till den dallerheta hålan. Men han brydde sig inte om att gräva efter guld utan öppnade en livsmedelshandel. Affärerna gick bra under de tre månader rushen varade och med en sparad slant på fickan fortsatte Fromén till den stora gruvstaden Broken Hill i sydvästra New South Wales. Här startade han livsmedelsaffär och handelsträdgård och på två år hade han sparat

Ernst Hjalmar Fromén. (Riksföreningen för Svenskhetens Bevarande i Utlandet årsbok, 1930)

3 000 pund som emellertid förlorades på en misslyckad gruvinvestering. Fromén började då om på nytt med grönsaksaffärer i Adelaide, lyckades åter komma på fötter och fick råd att gifta sig. 1891 var den envise smålänningen tillbaka i Broken Hill och öppnade en mejeri- och grönsaksfirma. Han startade också en ostfabrik i Adelaide.

Ett verkligt lyckokast var den ismaskin Fromén inköpte för framställning av den kanske mest eftertraktade varan i det glödheta gruvdistriktet. Han byggde också fryskammare, där känsliga livsmedel kunde förvaras. Eftersom ett stort antal skandinaver arbetade i Broken Hill, kan man utgå från att många av kunderna var landsmän. Liksom i Nobelius fall skadades affärerna svårt av de dåliga tiderna under första världskriget och Fromén accepterade därför när en korporationsförening 1919 erbjöd sig att köpa hans företag. I köpeavtalet ingick överenskommelsen att svensken skulle börja arbeta i ledningen för denna South Australian Farmers Cooperative Union med 15 000 medlemmar. Han avancerade till produktionschef och blev därmed ansvarig för en av Australiens största producenter av mejerivaror, kött, ägg och honung. Själv ägde Fromén tusentals aktier i bolaget. Han skaffade sig två mönstergårdar i det bördiga område av Sydaustralien som genomflytes av Murrayfloden och blev ändå bördigare genom de konstbevattningsanläggningar som anlades efter sekelskiftet. På den mindre av gårdarna höll han 200 mjölkkor, medan den större på 540 hektar betades av 150 nötkreatur och 1 500 får. Därmed blev förmodligen Ernst Hjalmar Fromén Sydaustraliens störste svenskfödde farmare.

Genom ålänningen Gustaf Erikson och hans stora segelflotta blev Adelaide och de andra vetehamnarna kring Spencerviken på ett unikt sätt sammanlänkade med Skandinavien. När finska regeringen behövde en representant på platsen var det naturligt att vända sig till Sydaustraliens mest kände skandinav. Därmed blev Fromén finsk honorärkonsul. Beundrad och ärad avled Ernst Hjalmar Fromén i Adelaide 1942.

Värvning av svenska jordbrukare

Efter guldrushernas slut blev det åter aktuellt att värva emigranter till Australien. När guldet inte längre lockade gällde det för myndigheterna att framhålla Australiens andra attraktionskrafter, så att den lovande samhällsutvecklingen inte skulle stagnera genom brist på arbetsvilliga armar. Automatiskt blev då jordbruket och dess binäringar aktuella. Enligt Wakefields system skulle ju emigranterna erbjudas billiga transporter som finansierades genom inkomsterna från försäljningen av kronans land. När nya områden började koloniseras gick man därför ut med stora kampanjer, där utvandrarna erbjöds fria oceanresor och assistans vid ankomsten till Australien. Efter guldrushen utvidgades emigrationspropagandan till utanför Storbritannien belägna länder som Tyskland och de skandinaviska staterna, där som vi skall se Queensland och Nya Zeeland utannonserades vid 1870-talets början.

Den intensiva emigrationsvärvningen var inte lika livsviktig för Victoria och New South Wales som för de mer avlägsna och exotiska staterna Queensland och Tasmanien. Sedan ytguldet börjat sina i de "gamla" kolonierna fanns som vi sett mindre glamorösa men stabilare emigrationsmagneter som storstädernas arbetsmarknad och lättillgängliga jordbruksmarker med hygglig vattentillgång. De centralt belägna farmarbygderna i Victoria och New South Wales var emellertid upptagna redan vid guldrushens början och då måste jordsökande emigranter dirigeras mot perifera och därmed mer svårbrukade kolonisationsområden som det

Carl Erik Rahms teckning av en färja på Murray River.

magra Gippsland. Vid 1800-talets slut stod det klart att de savannliknande utmarkerna kunde besegras med sofistikerade jordbruksmetoder som *dry farming* eller torrmarksbruk, där man använde sig av förädlade vetesorter, vattenmagasin, omfattande gödsling med superfosfat och regelbundna trädor. Strax efter sekelskiftet fick man väldiga områden att blomstra genom stora konstbevattningsprojekt kring Murrays flodsystem i Victoria och Sydaustralien eller vid den väldiga Burrinjuckdammen vid Murrumbidgeefloden i New South Wales, där man planerade att konstbevattna 80 000 hektar. Kampanjer startades för att locka jordbrukare och lantarbetare till de nyerövrade markerna, vilka delades upp på mindre jordbruk enligt de idéer om "closer settlement" som utformats under trycket från de många mindre bemedlade jordbrukarna. Efter sekelskiftet började därför även de "gamla" staterna värva icke-brittiska invandrare med jord, arbete och billiga transporter som lockbeten. Denna emigrantvärvning kom strax före första världskriget också till Sverige.

Birger Mörners envig med emigrationspropagandan

Staterna Victorias och New South Wales emigrantvärvning i Skandinavien gav i förhållande till kampanjerna i Storbritannien och Tyskland ett obetydligt resultat och skulle ha gått förbi obemärkt om inte Sveriges officiella representant i Australien reagerat som han gjorde. I och med tillkomsten av australiska statsförbundet 1901 och svensk-norska unionsupplösningen 1905 blev det aktuellt att skicka en svensk yrkesdiplomat till Australien. Valet föll på greven, författaren och den blivande forskningsresanden Birger Mörner, som i början av 1906 tillträdde befattningen som generalkonsul med Sydney som högkvarter. Mörner välkomnades entusiastiskt av australiensvenskarna, vilka betraktade den magnifike greven som en symbol för kungadömet Sverige. De var naturligtvis också imponerade av Mörners kulturella utstrålning. Generalkonsuln var den perfekte högtidstalaren och uttryckte sig lika briljant på engelska som på svenska. Trots sin aristokratiska utstrålning hade han lätt att umgås med vanliga människor, vilket gjorde honom populär bland emigranterna. Kring en sådan man ville de etniskt aktiva australiensvenskarna fylkas och känna att han var ledaren.

Det har sagts att när Birger Mörner kom till Australien var det som när greven marscherar in i drängstugan. Detta likriktade och något plumpa nybyggarland i civilisationens utkant kunde knappast tilltala en person av Mörners dimensioner. Ändå fascinerades han av landets virila mentalitet och väldiga naturresurser och blev starkt engagerad i naturvården. Men när australierna började värva svenskar för utvandring till sina nyodlingsområden tändes storsvensken i generalkonsuln och han kände sig manad att säga ifrån på skarpen. "Här i demokratins och socialismens förlovade land ägas större jordlotter på en enda hand än av svenska adeln under storhetstiden", skrev Mörner sarkastiskt på tal om emigrantvärvningen. "Det finns gott om arbete på landet, men detta gäller tjänstehjons- och dagsverkssysslor, vilka australierna själva icke älska att åtaga sig, och vilkas utförande här icke

Birger Mörner i generalkonsulsuniform. (Professor Magnus Mörner, Lidingö)

underlättas genom det patriarkaliska förhållande, som på svenska landsbygden mellan husbondfolk och underhavande finnes nedärvt", varnade generalkonsuln. Han beskrev också landets tilltrasslade jordlagar, som gjorde det mycket svårt för invandraren att bli ägare av homesteadmark. "Sveriges jordabalk . . . motsvaras här av ett bibliotek, där stadganden från Vilhelm Erövrarens tid samtidigt med socialistiska statuter, tryckta i år måste rådfrågas", häcklade Mörner.

Den pågående emigrantvärvningen fick Mörner att vränga av sig diplomatens tvångströja och ta på sig riddarens glänsande stridsrustning. Vid ett besök i hemlandet vid årsskiftet 1908/1909 förklarade han sig beredd att göra allt han kunde för att hindra svenska emigranter att söka sig till Australien. Landet var alltför avvikande för att passa svenskar och Mörner hade dessutom fått intrycket att endast invandrare med pengar kunde lyckas därnere, de svenskar som utvandrade skulle få nöja sig med drängsysslor. Den svenske generalkonsulns negativa rapporter om Australien som invandrarland publicerades i början av 1910 i tidskriften Svensk Export och blev därmed kända för en större allmänhet. Det hela väckte ont blod i Melbournes skandinaviska koloni, där flera upprörda invandrare tog till orda i tidningen Norden. Denna tidning hade vid flera tillfällen öppnat spalterna för den australiska

143

emigrantpropagandan, vilket resulterat i behövliga annonsinkomster. Det var därför naturligt att tidningen Nordens redaktion kände sig illa berörd av Mörners uttalanden och beredvilligt ställde sina spalter till opponenternas förfogande. Mörner lät sig emellertid inte bli svaret skyldig och en liten presspolemik utspelade sig i Australiens enda skandinaviska tidning.

Mörners åsikter om svensk utvandring till Australien uppmärksammades också utanför den skandinaviska kretsen i Melbourne och Sydney. Det hela började med att de två städernas morgontidningar den nionde februari 1910 publicerade ett telegram från London, där det meddelades att Sveriges generalkonsul i Sydney varnat landsmännen för att flytta till Australien och Nya Zeeland och att varningen publicerats i Sverige. En av tidningarna angrep dessutom Mörner på ledarsidan. Nytt bränsle lades på elden redan nästa dag, då tidningarna kunde berätta att också danske konsuln i Sydney varnat sina landsmän för att emigrera. Mörner gick flera gånger i svaromål och använde sig då av mer diplomatiskt sordinerade tongångar. Han hade främst velat varna sina landsmän för arbetslösheten i städerna, skrev han, men naturligtvis inte varit ute efter att misskreditera det australiska samhället.

Den pikanta polemiken rörde vid frågor som betraktades som livsviktiga i ett invandrarland och detta förklarar varför en rad australiska koryféer gav sig in i diskussionen. Fackföreningspampar applåderade Mörner och framhöll att Australien i det svåra ekonomiska läget inte hade råd att ta emot främmande arbetskraft. Den federale tullministern framhöll att Mörners varningar var grundlösa, eftersom invandrade jordbrukare fortfarande hade stora möjligheter i Australien. Premiärministern för New South Wales, Charles G Wade, gjorde ett uttalande om att varje emigrant som utvandrat med stöd från New South Wales omedelbart fått arbete. Mörner inbjöds också att personligen granska det statliga invandrarkontorets verksamhet. På detta svarade generalkonsuln att han skulle anta Wades inbjudan så snart han kunde för de arbetslösa svenska invandrare som upptog hans tid. I februari framträdde en av de australiensvenskar som sällat sig till Mörners motståndare i Sydney Morning Herald och Daily Telegraph med frågan varför inte Australien skulle kunna ta hand om en del av de 25 000 svenskar som årligen emigrerade till Nordamerika. Om 5 000 starka svenskar kunde komma till Australien på *assisted passage* skulle inte bara invandrarlandet gynnas. Svenskarna skulle dessutom få dubbelt så bra betalt och en kortare arbetsdag än de haft i hemlandet.

Birger Mörner upprepade sina åsikter i den stora artikel som publicerades den 25 februari i sydneytidningarna. Artikeln innehöll också en översättning av de ståndpunkter han den femte mars framförde i Norden och där han avfyrade följande kanonad: "Dit hava vi då kommit, att det är från Linnés, Berzelius', Tegnérs, John Ericssons, Nobels, Sven Hedins, Ellen Keys och Verner von Heidenstams Sverige . . . som Australiens squatter anser sig berättigad att förvänta den unga man, som håller tygeln, då han önskar stiga till häst, eller den unga kvinna, som räcker hans hustru brickan med morgonthé. Äro vi då så hjälplöst fattiga?" Debatten var emellertid inte ens slut med denna storsvenska kanonad utan mullrade vidare fram till kvällen den 25 april 1910 då Birger Mörner, hemkallad av utrikesdepartementet, embarkerade den tyska ångaren Gneissenau i Melbournes hamn.

Mörners skarpa uttalanden mot svensk utvandring till Australien gick igen i 1914 års anti-emigrationskampanj. I två broschyrer varnade Nationalföreningen mot Emigrationen för Australien i allmänhet och delstaten Victoria i synnerhet. Den ena hade underrubriken "Efter Brasilien – Australien?", vilket syftade på den katastrofala utvandringen till Brasilien några år tidigare. Jordbrukaren skulle besinna att det jordbruksland som erbjöds honom i Victoria var undermåligt och att villkoren var sådana att emigranten i praktiken blev livegen under de sex år han måste arrendera jorden. Valde han att bli jordbruksarbetare var situationen ännu hemskare, eftersom det endast fanns jobb under några få månader och emigranten därefter måste resa från plats till plats under fåfängt letande efter nytt arbete. Mat och bostäder var undermåliga så att "svinen i Sverige bo bättre än de flesta drängar få göra på landet i Victoria".

Nationalföreningen sparade inte heller på de mörka färgerna när situationen i städerna skulle beskrivas. De var överbefolkade och permanent drabbade av arbetslöshet. Under sådana förhållanden betraktades emigranterna som ett hot och frystes ut av fackföreningarna. Det bästa beviset på Victorias undermålighet som invandrarstat gav statistiken, menade Nationalföreningen. Mellan 1907 och 1911 var således endast 27 500 "kvarstannande eller döda" av en invandrarström på 416 000 personer. Resten hade återvänt till Europa. När nu engelsmännen tröttnat på detta usla invandrarland vände emigrantagenterna blickarna mot Sverige. "De hundraden av gravar i Brasilien som gömma invandrare från Sverige, tala i sin tysta stillhet ett gripande språk. Något liknande får icke upprepas", löd slutklämmen i broschyren *Australien som invandrarland.*

Civilminister Oscar von Sydow skickade den femtonde april ut ett förtroligt brev och en promemoria till sina landshövdingar som varnades för en välorganiserad australisk emigrantvärvningskampanj. Eftersom emigrantagenten förmodades använda sig av pressen, uppmanades landshövdingarna att anlägga moteld genom att "påverka tidningarna inom länet så att de ej genom införande av annonser eller på annat sätt främja denna emigrantvärvning, utan tvärtom genom upplysande meddelanden varna allmänheten att inlåta sig på de äventyr, vartill agenterna söka locka". I promemorian utpekades australiensvensken Hartsman som den förestående värvningens handgångne man. Samma dag som skrivelsen undertecknades publicerade stockholmstidningarna stort uppslagna artiklar om den australiska kampanjen och emigrantagenten Hartsman. Artiklarnas sakinnehåll hade levererats av civildepartementet.

Carl Alfred Hartsman – hans ursprungliga namn var Hertzman – var från gävletrakten och framstod med sin framgångsrika affärsverksamhet och fredsdomartitel som en av de bemärkta australiensvenskarna. Medan vi längre fram kommer att beröra Hartsmans märkliga karriär skall intresset här riktas mot det uppdrag han fick av staten Victorias immigrationsmyndighet. Eftersom man behövde en känd australiensvensk som ombud då emigrantvärvningen skulle inriktas på Sverige, erbjöds Hartsman att på statens bekostnad besöka sitt fädernesland. Som

Carl Alfred Hartsman med hustrun Alice och sonen Oscar Gordon, ca 1904.
(Kjell Hertzman, Gävle)

framgångsrik svensk emigrant var han själv bästa medlet för att vinna landsmän-
nens förtroende. Samma smarta metodik användes när man samtidigt skickade en
danskaustralier till Danmark. Hartsman framstår som en australisk motsvarighet
till de många svenskamerikaner som värvat emigranter till USA mot betald första-
klassbiljett och litet till.

Carl Alfred Hartsman hade sannolikt inte rest till Sverige våren 1914 om han
vetat att stämningarna mot emigrationen var så uppdrivna som de var. Denne i
Australien uppburne svensk som under normala omständigheter blivit lovprisad
också i Sverige, blev nu föremål för tidningarnas indignation. I en stort uppslagen
artikel berättade t ex Stockholms Dagblad att Hartsman försökte värva folk till det
gudsförgätna Gippsland som de australiska jordbrukarna skydde för den urusla
jordmånens skull. Den konservativa tidningen ironiserade över att "ordet immi-
grant nyttjas i denna arbetarestyrda stat såsom skymford". Emigrantagenten Harts-
man var enligt Stockholms Dagblad en mycket suspekt individ. Sin fredsdomartitel,
"motsvarande illiterat rådman i en svensk småstad", hade han fått strax före resan
till Sverige för att ges "en anstrykning av officiell värdighet". Denne försäkringsa-
gent hade ingen som helst kunskap om jordbruk: "Till Australien kom han som

sjöman och någon sakkunskap i jordbruksfrågor säges han inte sitta inne med." Artikeln avslutades med en skräckskildring av en sjöresa till Australien.

I Social-Demokratens bidrag till kampanjen mot Hartsman och Australien utmålades emigranternas missnöje med förhållandena på den australiska arbetsmarknaden, där arbetslösheten sades vara det mest frapperande inslaget. Redaktören Hjalmar Branting missade inte tillfället att ge den svenska kapitalismen en släng av sleven och undrade om skeppsredaren Wilhelm Lundgren och hans rederi Transatlantic, som sedan 1907 seglade på Sydney och Melbourne, skulle komma att tjäna pengar på emigranttrafiken till Australien. Också landsortspressen stämde upp indignerade tonlägen. Gävletidningarna tog heder och ära av f d gävlebon Hartsman och Smålandsposten i Växjö avslutade sin artikel den 22 april med varningsorden: "Må våra smålänningar i tid se upp! De är för goda att offras i ett främmande, förödande klimat."

I efterhand ter sig detta skall mot den australiska utvandrarvärvningen och dess representant i Sverige som en storm i vattenglas. Den var också onödig, eftersom världskrigets utbrott snart satte stopp för alla spekulationer kring Australien som invandrarland. Däremot ger det häftiga känslosvallet kring Carl Alfred Hartsmans mardrömslika sverigebesök ett övertygande intryck av den starka stämningen mot emigrationen bland opinionsbildarna i Sverige anno 1914.

Med nöd och näppe lyckades Hartsman ta sig ut ur världskrigets Europa och återvända till Australien. Här fick han ett oväntat svalt mottagande av landsmännen, som förargat sig över hans kritiska sverigereportage i tidningen Norden. Vad gäller emigrationspropagandan stod emellertid tidningen på Hartsmans och staten Victorias sida. I december 1913 hade således f d chefredaktören Jens Lyng med adress till läsare i Skandinavien publicerat råd och anvisningar för emigranter som ämnade sig till Australien. Det statliga emigrantkontoret annonserade flitigt i Norden, också efter Hartsmans misslyckande i Sverige. Landhungriga emigranter erbjöds i annonserna att teckna sig för land mot en deposition som motsvarade tre procent av landvärdet. Den totala köpesumman skulle erläggas under 31,5 år och räntan var endast fyra procent. I erbjudandet ingick *assisted passage* från England, varvid vuxna fick betala åtta och barn mellan tre och tolv år fyra pund för biljetten. Det är högst osannolikt att man nådde särskilt många emigrationsbenägna svenskar genom annonskampanjen i Norden. I den mån tidningen skickades hem gick försändelserna till Danmark. Norden hade alltid haft svårt att nå ut till svenskarna som envisades med att betrakta tidningen som dansk.

KARLAKARLAR I QUEENSLAND

"Den uslaste håla på Guds gröna jord; det sista land som vår Herre skapade, fast han aldrig gav sig tid att göra det färdigt. Passande uppehållsort åt kineser och niggrar och ormar och krokodiler och moskiter och andra flygfän! Sådant är Queensland, främling, och innan ni varit här ett år skall ni erkänna sanningen av mina ord och tacka mig för varningen till på köpet." Denna föga lockande beskrivning av Australiens tropiska blomsterstat formulerades 1888 av Göteborgs-Jim, en av de många whiskydoftande guldgrävarna i Eric Hultmans äventyrsskildringar från Queensland. Längre fram skall vi lära känna den bisarre författaren Hultman och den ännu märkligare Göteborgs-Jim, men låt oss här hisna ett tag åt spännvidden mellan den gamle guldgrävarens syn på Queensland och Per Olsson-Seffers lovsång i hans 1902 publicerade emigrantguide *Queensland. Framtidslandet i Australien*: "I detta i så många avseenden lyckligt lottade land kan den i Europa i armod trälande' lantmannen genom några års ihärdigt arbete finna det välstånd han i gamla världen förgäves sökt. I Queensland kan han bereda sina barn en ljus framtid, och om han ditkommit med den föresatsen att aldrig återvända, kan han där efter ett lyckosamt liv sluta sina dagar också med den tillfredsställelsen, att hans efterlevande familj ej är lämnad utan tillgångar." Vad skulle en presumtiv emigrant tro om han samtidigt läste Hultman och Olsson-Seffer? Förvåningen skulle säkerligen inte ha lagt sig om han också vetat att bägge författarna hade rätt, att Queensland var så gränslöst rikt på möjligheter, vegetationstyper och klimatförhållanden att det i samma andetag kunde förbannas och välsignas.

Sannolikt fanns det svenskar i Queensland redan 1859 när en linjal på kartbladet avskilde den nya kolonin från New South Wales. De första som kom torde ha varit sjömän i kusttrafik mellan Sydney och den på 1820-talet grundade straffångekolonin Brisbane. Hur bördiga stränderna kring Moreton Bay och Brisbanefloden än tedde sig, var det länge så gott som omöjligt att locka dit vanliga invandrare. Man fick därför ta till den beprövade deportationsmetoden och börja befolka med straffångar. Det gick långsamt och först 1840 inleddes kolonisationen av Darling Downs bördiga högslätter, som skulle bli Queenslands närmaste motsvarighet till emigrantbroschyrernas beskrivningar av landet som flödar av smör och honung. 1858 hade situationen radikalt förändrats av guldupptäckterna kring Fitzroy River innanför Rockhampton och när Queensland ett år senare fick kolonistatus hade 16 000 personer samlats kring guldgrävarstaden Canoona.

Sedan guldrushen efter något år ebbat ut och argonauterna börjat söka sig tillbaka till Sydney och Melbourne instiftade parlamentet i Brisbane Australiens generösaste invandrarlag. 1860 års *Immigration Act* vände sig till folk som nybyggarlandet behövde, lantbrukare, lantarbetare och hantverkare med familjer, som inte bara erbjöds fri resa från Europa utan också möjligheten att ta upp minst sexton hektar land vid framkomsten. Samtidigt engagerades emigrantagenter i London och Hamburg. Enligt australisk tradition ville man i första hand locka till sig britter, men i Queensland hade tyskarna sedan 1830-talet gjort sig kända som skickliga jordbrukare, varför man tillät tysk invandring till ett antal av 2 000 om året. När det stod klart att denna kvot inte kunde uppfyllas inbjöds även skandinaver. Skandinavaustraliernas historieskrivare Jens Lyng trodde att hälften av de 285 icke-britter som vistades i Queensland enligt 1861 års folkräkning kom från Danmark, Norge och Sverige. Emigrantvärvningens löften om fri överresa och generösa jordlotter fick draghjälp av en lång rad guldrusher som inleddes depressionsåret 1867 då tiotusentals *diggers* reste till Gympiefältet i bergslandet söder om Maryborough. Vid denna tid grundlades Queenslands anseende som Australiens nya guldland.

Emigrantvärvning på 1870-talet

Vid 1870-talets början dyker de första annonserna om Queensland upp i svenska tidningar. Den sjätte maj 1871 stod t ex följande annons att läsa i Smålandsposten: "Fri resa till Australien. Avgång från Köpenhamn den 6 Augusti 1871. Lantbrukare och arbetare, som vilja köpa jordegendom i Queensland, få alldeles fritt resa dit, utan all avbetalning. Pigor städjas mot årlig lön av 360 till 700 riksdaler. Höga arbetslöner i alla yrken. Beskrivning över kolonin och villkoren för resan erhålles per post om 1 riksdaler medföljer till postpenningar i brev adresserat till Utvandraragent Jörgen Nielsen i Köpenhamn." Den 30 januari 1872 lockade köpenhamnsgrosshandlaren och kaptenen H C Dührssen i Engelholms Tidning med "Nästan fri resa till Australien". Närmare bestämt gällde erbjudandet "den genom sitt sunda klimat och fruktbara jordmån berömda kolonin Queensland". Skeppslägenheter fanns från Hamburg: "För resan dit, för full kost från avgångsdagen, för sängkläder och under resan nödvändiga bleckkärl samt för agenturens besvär och kostnader betalar varje utvandrare från Malmö, Helsingborg och Köpenhamn 50 riksdaler." Annonsen lockade med 450 riksdalers årslön och fritt vivre för drängar och pigor och fem riksdaler om dagen för arbetskarlar och jordbruksarbetare. De som anade oråd inför detta sagolikt generösa erbjudande lugnades med följande passus: "Oaktat kolonialregeringen förskotterar reskostnaden fordras inga arbetskontrakter, utan kan envar vid framkomsten fritt söka arbete."

Att den av utvandraragenterna i Köpenhamn dirigerade queenslandpropagandan

Dansk emigrantannons från omkring 1880.

inte var verkningslös i Sydsverige omvittnas av Blekinge Läns Tidning som i april
1871 meddelade att flera hundra svenskar begivit sig till Australien, dit två sällskap
tidigare under året rest från Köpenhamn och två nya gruppresor planerades i maj
och augusti "och till dessa lära alla biljetter redan vara upptagne". Sannolikt var
dessa uppgifter överdrivna.

Queenslandfebern steg och föll i en orolig kurva sjuttiotalet ut — den femte
oktober 1878 kunde t ex Nya Wexjö-Bladet berätta att 53 utvandrare från Helsing-
borg och kringliggande socknar nyss avrest till Hamburg för att därifrån fortsätta till
Queensland. "Resan från Hamburg till Queensland anses i våra dagar under
gynnsamma omständigheter kunna göras på 90 dagar. Stundom tar det dock en tid
av 5 eller 6 månader", upplyser tidningen som flera gånger tidigare kunnat kyla ned
australienfebern med kusliga berättelser om skeppsbrott på världshaven. Sommaren
1874 cirkulerade t ex skakande berättelser från utvandrarfartyget British Admirals
undergång. Fartyget som var på resa mellan Liverpool och Melbourne, strandade
vid Kings Island och bland de 79 omkomna befann sig svenskarna Waldemar
Dahlgren och Adolph Andersson. Den nionde mars 1875 rapporterade Nya Wexjö-
Bladet om "en gräslig sjöolycka" då ångaren Gothenburg strandat på Stora barriär-
revet, "varvid 120 människor drunknade och endast fyra av de ombordvarande
personerna lyckades rädda sig". Gothenburg var trots namnet inte svensk utan
tillhörde ett melbournerederi. Dylika nyheter om katastrofer under den avskräckan-
de sjöresan till klotets baksida ventilerades vällustigt i tidningarna och måste ha
dämpat effekterna av queensländska statens emigrationspropaganda.

Utöver annonserna vet vi inte mycket om hur utvandrarvärvningen var organiserad i Sverige under 1870-talet. Via agenterna i Köpenhamn gick trådarna till generalagenten för kontinentala Europa som satt i Hamburg. 1870 diskuterades en "Queensland Agency" för Sverige som skulle ledas av en Frans Petersson men projektet lades förmodligen på hyllan. Sex år senare fungerade en likaledes okänd L Petersen som Queenslands ombud i Danmark och Sverige. Han propagerade samtidigt för utvandring till Nya Zeeland och tjänade ett pund för varje undertecknat emigrantkontrakt.

Hamburg var den naturligaste avresehamnen för tyskar och skandinaver, medan den stora europeiska utvandrarhamnen fortfarande var Liverpool. De vidriga förhållandena på tyska skepp − Georg Sass berättelse från seglatsen med Reichstag på sidan 59 gjorde dock queensländska regeringen tveksam om inte hela trafiken skulle överflyttas till England. Så skedde 1874, men två år senare var direkttrafiken Hamburg−Queensland åter igång. Den behöll sitt skamfilade rykte, vilket blåstes upp av de emigrationsfientliga tyska myndigheterna och naturligtvis inte undgick uppmärksamhet i svenska tidningar. Särskilt besvärligt fick den queensländska emigrantvärvningen det efter 1880, då hårresande berättelser om ett mördande klimat och svindleri cirkulerade i tyska tidningar. Bakom dessa skriverier låg inte bara tysk patriotism utan sannolikt också australiska *squatters* som var emot att den enorma kronodomänen i Darling Downs och kring Moreton Bay styckades upp på småbruk för landhungriga européer.

Svensk utvandring över Hamburg

Den tidigaste svenska direktutvandringen till Queensland ägde rum under 1860-talet och gick huvudsakligen över Hamburg. Från 1850 finns skeppslistor över emigranttrafiken bevarade i Tysklands stora hamnstad och de har undersökts av ambassadör Sten Aminhoff. De första till Queensland destinerade svenskarna − nio stockholmare som skulle till Moreton Bay − reste från Hamburg den 29 november 1862. Under resten av 1800-talet antecknades ca 25 svenska queenlandsfarare. Över 300 svenskar seglade från Hamburg till Queensland mellan 1870 och 1878. Det var i allmänhet små grupper som försvann i mängden av tyska emigranter. Det första av dessa fartyg, Humboldt, med Brisbane som destination hade endast två svenskfödda passagerare när det i juli 1870 lämnade Hamburg. Deras namn var Johan N Persson och Anders Wikander, de var i trettioårsåldern och uppgavs komma från Malmö. Medan Persson förblivit anonym vet vi att Wikander var född i Hammenhög i Skåne och varit handlare och repslageriägare. Vid utvandringen från Malmö "till obestämd ort", australienfararnas typiska signum, skrevs Wikander som teknolog.

I november 1870 hade det längre fram ökända fartyget Reichstag minst arton svenskar ombord på seglatsen till Queenslands andra stora invandrarhamn Maryborough och strax före jul seglade Gutenberg till Brisbane med ett tjugotal svenskar antecknade i passagerarrullan. När Friedeburg, den skandinaviska queenslandemigrationens "Calmare Nyckel", i april 1871 lämnade Hamburg med den första stora kontingenten skandinaver var 22 av de ca 350 passagerarna svenskar. 1871 och 1878 framstår med 73 respektive 103 emigranter som rekordår för den svenska emigranttrafiken till Queensland via Hamburg, medan svenskarna var tämligen lätträknade under mellanliggande år. Inte mindre än 67 av 1878 års svenskar avseglade den fjärde oktober med Fritz Reuter, som var destinerad till Brisbane. Sannolikt har vi här att göra med den största svenska emigrantgruppen till Australien under 1800-talet. Under perioden 1879–94 har inga svenska queenslandsfarare noterats i Hamburgs skeppslistor, medan ca 150 svenskar seglade från Hamburg till andra stater i Australien. Detta förvånar, eftersom utvandringen till Queensland var intensivast under 1880-talets första hälft, men torde förklaras av att utvandrartrafiken nu var koncentrerad till Liverpool och att den gick ned drastiskt från och med 1886.

Ett slagkraftigt tema för anti-emigrationspropagandan var det instabila jordbruket i Australien med långa torrperioder som gjorde den europeiske lantbrukaren hjälplös och slog samhället med arbetslöshet och depression. Ett sådant för invandrartidens Australien typiskt oår inträffade 1866, mitt i den expansionstid som igångsatts av de goda konjunkturerna för bomull och sockerrör under amerikanska inbördeskriget. Särskilt svår blev torkan och missväxten vid nittiotalets början som dessutom sammanföll med en internationell lågkonjunktur. Eländet kulminerade 1892 som blev ett år av konkurser och utbredd arbetslöshet. De dåliga tiderna i Queensland ventilerades särskilt ofta i svensk press vid 1890-talets början. Den 26 mars 1890 refererade t ex tidningen Barometern ett brev från en svensk i Brisbane som inte stack under stol med de dåliga tiderna. "Många tusende personer gå omkring arbetslösa på gatorna och be om arbete för bara födan, men kunna ej erhålla något", skrev emigranten. Den fjärde oktober samma år återgav Barometern ett brev från svenske konsuln i Sydney "som fäst uppmärksamheten på att emigranter, synnerligast de som ej äro vana vid strängt kroppsarbete, under nuvarande dåliga tider ha ringa utsikt att i Australien vinna sitt uppehälle".

Emigrantvärvningens första resultat

Resultatet av den första queenslandspropagandan i Skandinavien kan avläsas i folkräkningarna. Enligt dessa var 936 skandinaver, varav 253 svenskar skrivna i kolonin år 1871. Tio år senare hade antalet ökat till 3 278, varav 583 svenskar, och 1886 kulminerade antalet i Skandinavien födda personer med 5 756, varav minst 1 500 torde ha kommit från Sverige. Siffrorna hade med största sannolikhet legat högre om inte Queensland under sjuttiotalet haft konkurrens av emigrantvärvningen i Nya Zeeland som attraherade minst 5 000 nordbor, huvudsakligen danskar och norrmän. Genomsnittligt var 60% av Queenslands skandinaver danskar, medan ungefär en femtedel kom från Sverige. Även om man tar hänsyn till de många äldre emigranter som kommit till Queensland från New South Wales och Victoria,

152

"BLACK BALL LINE"

OF

British & Australian Clipper Packets.

QUEENSLAND.

LAND ORDERS, VALUE £30,

SUBJECT TO THE GOVERNMENT REGULATIONS,

.Are given to persons paying their own passages by this Line.

The only direct REGULAR Line of Queensland Packets.

The Ships forming the "Black Ball" Fleet are of world-known reputation; famous for their size, quick and regular passages, and elegant accommodation; and the following form a part of those already sent, and to be dispatched to this colony, sailing monthly from LONDON and LIVERPOOL.

	TONS.		TONS.
S. S. Great Victoria	4,000	S. S. Great Queensland	4,000
Flying Cloud	2,000	Chatsworth	2,000
Golden City	2.500	Whirlwind	2.000
Light Brigade	2,000	Ocean Chief	2,500
Young Australia	1,500	Sultana	2,000
Young England	2,000	Queensland	1,500
Montmorency	1,500	Golden Dream	2,500
Wansfell	1.500	Maryborough	2,000
Prince Consort	2,500	Princess Royal	2.000

The above Line also dispatch their magnificent Clippers, whose accommodation for all classes of Passengers is unsurpassed, to MELBOURNE and GEELONG, SYDNEY, ADELAIDE, HOBART TOWN, and LAUNCESTON, from London and Liverpool, every fortnight.

For further particulars as to freight or passage, apply to all Agents for the "Black Ball" Line, and to

JAMES BAINES & CO., Liverpool; or.

T. M. MACKAY & CO.,

1, LEADENHALL STREET, LONDON, E.C.

Engelsk emigrantannons från omkring 1880.

markerar folkräkningarnas siffror att direktutvandringen från Skandinavien var betydande och att den var intensivast under åttiotalets första hälft, då svenskarna nästan tredubblades i antal.

Den svenska invandringskurvan dalade skarpt från 1886 då regeringen i Brisbane trappade ned emigrantvärvningen för att överge den helt depressionsåret 1892. När emigranterna inte längre åtnjöt friresor slutade de naturligtvis att komma. Samtidigt förlorade Queensland folk genom vidareflyttningen till staterna i söder. Av sådana anledningar hade nordbornas antal minskat med över 600 personer när 1891 års folkräkning genomfördes – ca 1 200 svenskfödda var då skrivna i staten. Efter en ny värvningskampanj strax före sekelskiftet ökade numerären med närmare 500 personer under nittiotalet, så att ca 5 500 skandinaver, varav ca 1 300 svenskar, var skrivna i Queensland 1901. Då hade totalt närmare 10 000 skandinaviska emigranter sedan 1860 landstigit i Brisbane, Maryborough eller någon av de andra hamnarna mellan Moreton Bay och Stenbockens vändkrets.

Emigrantvärvning kring sekelskiftet

När Queensland kommit på fötter igen efter nittiotalets depression återupptogs försöken att värva arbetskraft med subventionerad emigration. Liksom tidigare koncentrerades propagandan till Storbritannien och Tyskland, men från våren 1898 inkluderades de skandinaviska länderna. Denna Queenslands andra och största värvningskampanj i Norden inleddes med att dansken August Larsen skickades på en rundresa i Danmark, Sverige och Norge för att kontakta de etablerade emigrantagenterna och försöka intressera dem för Queensland. Larsen blev mycket optimistisk om möjligheterna att rekrytera nordbor och rekommenderade sina chefer i Brisbane att satsa stort på Skandinavien. Eftersom bristen på arbetskraft inom jordbruket åter var kännbar inbjöd Queenslands regering skandinaviska jordbrukare och lantarbetare att resa gratis till kolonin, där de lockades med goda homesteadvillkor och höga löner. "Skandinaviens jordbrukare skulle med ringa kapital, hulpna av söner och döttrar, i Queenslands åkerbruksförhållanden finna medel att börja livet på nytt med verkligt utmärkta utsikter", skrevs i *Vägvisare till Queensland*, en skrift på 32 sidor som på regeringens uppdrag trycktes i London våren 1898. Den också på danska publicerade handboken framhöll att jordbruket i Queensland var en säkrare väg till framgång än att gräva guld och att det i allt var överlägset modernäringen i Europa: "Utländsk konkurrens, dåliga skördar, höga arrenden och så vidare göra lantbrukarens liv här hemma till en aldrig slutande kamp att hålla huvudet över vattnet", utropade handbokens okände författare, "varför ej sluta kampen och fara till ett land, där arbete och ändamålsenligt placerat kapital bringar god avkastning?"

Samtidigt som *Vägvisare till Queensland* distribuerades i tusentals exemplar anslogs 433 pund till tryckning av broschyrer och utvandringsformulär. Materialet samordnades på Queenslands Depôt i Helsingborg som under 1899 framstod som en av

Sveriges effektivaste emigrantagenturer. Dagligen distribuerade man härifrån hundratals brev, tidtabeller och formulär. Ett betydelsefullt inslag i propagandan var att trycka upp brev från nöjda emigranter. Dessa queenslandsbrev var naturligtvis alla lovordande, men en del bredde på så mycket att man kan misstänka att brevskrivaren mutats eller att innehållet förvrängts. I ett brev beskrivs t ex Queensland som landet Goosen där svin lever på komjölk, frukostägg kan plockas från marken och där jorden är så bördig att den inte behöver gödslas på femtio år. Allt var upptryckt på felfri svenska och gav sken av pålitlighet och rörande omtanke om adressaternas framtidsmöjligheter.

I ett papper märkt "Reglemente D" anmodades underagenterna att skicka in namn och adresser "på sådana personer som hava för avsikt att snart emigrera". Agenterna lockades med god provision om någon av dem på namnlistan förmåddes resa till Queensland "inom 6 månader efter det Ni meddelat adressen". Kärnpunkten i budskapet från Queenslands Depôt formulerades sålunda i cirkuläret nr 62 S: "Förhållandena i Queensland äro så goda, att en jordbruksarbetare som ditkommer, inom något år är sin egen och själv behöver leja arbetare. En mängd nya farmer upptagas samtidigt och följden är den att ständig brist råder på dugliga jordbruksarbetare... Unga tjänsteflickor åter, som utkomma till kolonin, bliva snart gifta och det är nästan omöjligt att erhålla kvinnliga tjänarinnor."

Den som efter den salvan undrade om det inte låg en hund begraven under alla vackra ord lugnades lite längre fram i texten med att enda förbehållet var bestämmelsen att "den, som erhåller fri eller assisterad resa, skall uppehålla sig i Queensland i 12 månader". Därmed berördes den känsliga punkten i emigrantvärvningen. Alltsedan denna inletts på 1860-talet hade en stor del av emigranterna fortsatt till de mer lockande nejderna söder om Queensland. Regeringen i Brisbane kom därmed att fungera som mjölkko åt de konkurrerande staterna, en ofrivillig insats som i sin betydelse för Victoria och New South Wales brukar jämföras med 1850-talets guldrusher. Bestämmelsen att den assisterade emigranten måste stanna minst ett år i Queensland var ett livsvillkor för programmet med *assisted passage*.

Trots ett reklamutbud som under en så begränsad tid saknar motstycke i svensk emigrationshistoria — år 1900 distribuerades ca 200 000 trycksaker om Queensland i Skandinavien — blev resultatet av verksamheten vid Queenslands Depôt i Helsingborg tämligen blygsamt. 1899 reste 84 svenskar och följande år 102. Bättre framgång hade man i grannländerna — 535 danskar, 265 norrmän och 180 finnar emigrerade till Queensland under samma tid. Att inte fler reste berodde främst på antiemigrationspropagandan som blev verkligt framgångsrik när ett udda emigrationsmål som Queensland attackerades. Från queensländskt håll klagade man på underagenternas passivitet — svallvågen av reklam från Queenslands Depôt rann ut i sanden — och man rekommenderade att propagandamaskineriet återfördes till London. En svår missräkning blev sannolikt också försöken att organisera kedjeemigrationer, där enligt amerikanskt mönster den första emigranten per brev övertalade släktingar och vänner att komma efter.

Från första stund hade tidningarna slagit ned på den queensländska kampanjen som liknades vid kvalificerat bondfångeri. Man publicerade rykten om att emigranter brukade tvångsrekryteras till engelska armén för det pågående boerkriget i Sydafrika och det gamla talet om att utvandrarna bundit sig vid slavkontrakt och skulle förgås i det osunda klimatet gavs ny fräschör. När Queenslands Depôt stängdes och emigrantvärvningen också i övrigt lades i malpåse var emellertid anledningen inte så mycket missnöje med resultatet som den vikande ekonomiska konjunkturen och torråret 1902. Den australiska statsfederationen hade dessutom bildats 1901 och emigrantvärvningen blev därmed i huvudsak en federal angelägenhet.

Olsson-Seffers emigrantguide

De queensländska kolonisationsmyndigheternas intresse för skandinavisk invandring höll dock i sig och resulterade i att Queenslands premiärminister Robert Philp gav den svenske invandraren Per Olsson-Seffer uppdraget att författa boken *Queensland. Framtidslandet i Australien.* När denna 1902 trycktes på delstatsregeringens bekostnad lades den första boken på svenska språket under australiska tryckpressar. Författaren skulle kunna beskrivas som finlandssvensk, eftersom han föddes i Ekenäs i Finland 1873. Fadern var en från Värmland inflyttad trävaruhandlare som skaffat sig inte mindre än elva barn. Äldste sonen Per tog studenten i Åbo och vistades något år i London strax innan fadern beslöt att med sin stora familj utvandra till Queensland. Eftersom året var 1900 kan man antaga att utvandringsbeslutet påverkats av propagandan från Queenslands Depôt.

Fadern investerade i en sockerplantage men fann sig tydligen inte tillrätta, eftersom familjen, inklusive Per, efter några år fortsatte till Kalifornien. Här skrev Per in sig vid Stanforduniversitetet och disputerade 1905 på en avhandling i botanik. En tid senare hade han kommit i mexikanska statens tjänst som expert på tropisk agrikultur. Mexiko efter sekelskiftet var ett oroligt land med revolutioner och kringströvande rövare. Under en av sina många resor i landet råkade Olsson-Seffer ut för ett tågöverfall. Kulor avlossades och en träffade svensken som genast avled. Sannolikt hade han varit dumdristig nog att sätta sig till motvärn med påföljd att en lovande karriär fick ett tragiskt slut vid järnvägsstationen El Pacific den 29 april 1911.

Att Per Olsson-Seffer var en sällsynt begåvad och kunnig man bevisas övertygande av hans 168 finstilta sidor om Queensland, som är den grundligaste och till sakinnehållet mest respektingivande emigrantguide som publicerats på svenska språket. Ingen tvekan råder om att det var en naturvetare som höll i pennan. Om uppdragsgivarna kunnat läsa svenska hade de sannolikt inte blivit helt nöjda, eftersom de skulle ha funnit innehållet aningen kompakt och stilen för saklig för att gå hem hos den knappast läsvana lantbefolkning man adresserade sig till. I långa stycken har boken mer karaktären av uppslagsverk än emigrantguide. För att ackumulera så många fakta och ge så många levande referat måste författaren ha gjort omfattande resor och tillbringat hundratals timmar i biblioteken. Under alla förhållanden var Per Olsson-Seffer en sällsynt receptiv person, dessutom begåvad med ett fint sinne för naturstämningar och en ur stilistisk synpunkt lysande penna.

I vilken mån hans många vackra ord om "Framtidslandet i Australien" var en eftergift åt uppdragsgivarna är naturligtvis omöjligt att säga — man får inte glömma att fadern gav upp sina sockerrörsodlingar och fortsatte till Amerika. Hur som helst försågs emigrantvärvarna med ett hjälpmedel som skulle ha varit utomordentligt om inte emigrationskonjunkturen varit i dalande. Av bokens omslag framgår att den trycktes i 3 000 exemplar. Om alla dessa distribuerades i Sverige är okänt.

Ankomsten till Brisbane

De svenskar som hamnade i Queensland, landsteg i allmänhet från tyska och engelska emigrantfartyg eller från inrikesskepp som kommit tuffande från Sydney. Brisbane var den stora invandrarhamnen men många lämnade sina fartyg i Maryborough, Bundaberg, Mackay eller Townsville. Att efter en kvartalslång sjöresa segla in i Moretonviken var en jublande upplevelse. Män och kvinnor som blivit skumögda av tre månaders havsvyer, hade trott att det var en hägring när horisonten naggades av Queenslands kustlinje. Nu nalkades fartyget en bred klyfta i strandbergen. Det var Brisbane River som öppnade sig likt en välkomnande famn. Med lotsens hjälp navigerades fartyget in på floden och omslöts i samma stund av det subtropiska Queenslands tunga vegetation. Det frodiga landskapet kring floden tedde sig som en biblisk uppenbarelse och i sitt utmattade tillstånd kände sig emigranterna säkra på att broschyrerna haft rätt och att de nu seglade rakt in i det förlovade landet.

Väl inne i staden skingrades de romantiska intrycken av landstigningens vedervärdigheter. Där var alla svårförståeliga frågor och kommandoord från härskaran av uniformerade män och där var den stora emigrantstationen, Australiens Castle Garden, som broschyrerna talat så gott om. "När vi ankom till Brisbane, var där sänt ner en svensk från Emigrantdepôten, vilken skulle ledsaga oss med tyg och allt. Där erhöllo vi mat och sängplats för natten", skrev skåningen N P Backman i mars 1900 i ett av de emigrantbrev Queenslands Depôt publicerade. Backman fortsatte: "Sedan på morgonen så skulle vi upp vid 6-tiden för att vara färdiga att utgå till de olika depôterna landet runt. Av föreståndaren på depôten i Brisbane fick jag reda på var Fors och Sten fått arbete . . . Staten betalade resan för mig och de mina jämte tyget (arbetskläderna) till arbetsplatsen".

Denna sannolikt glättade skildring av en utvandrares ankomst till Brisbane kontrasterar bjärt mot de statliga emigranthärbärgenas dåliga anseende. De var fulla av ohyra och kunde vara överbelagda som ett tyskt utvandrarskepp. Tvärt emot vad Backman skrev blev emigranterna ofta kvar i härbärget under veckor och månader. Löftet att utvandraren skulle få bo där tills han funnit arbete eller fått hänvisning till ett *homestead* kunde kännas som inträdesbiljett till ett koncentrationsläger när emigranttrafiken var stor eller tiderna dåliga. Under sådana förhållanden

157

Emigranternas ankomst till Brisbane. (E E Morris, Australia's First Century)

blev utvandrarnas hemlängtan olidlig och allteftersom dagarna gick kändes ångern över emigrationen allt bittrare. Detta påskyndade beslutet att bryta mot klausulen om den ettåriga vistelsen i Queensland och istället fortast möjligt ta båten ned till Sydney, där arbetsmarknaden säkert var givmildare.

Brisbane visade sig vara en het och dammig plats, där luften alls inte var så hugsvalande som broschyrerna gett vid handen. Trots att arbetsmarknaden i Brisbane alltid var övermättad ville de flesta emigranterna stanna kvar i storstaden. Särskilt engelsmän slogs med näbbar och klor för att slippa ge sig ut på landet. De var i stor omfattning utsöndrade från stadsproletariatet och kände enbart fruktan för Queenslands tropiska landsbygd. Också erfarna lantbrukare talade med fasa om "bushen", som de trodde vimlade av vildar, dingos och moskiter. Staten gjorde inte mycket för att hjälpa dylika "missanpassade" emigranter. De handlade ju stick-i-stäv med myndigheternas strävan att slussa ut folket på landsbygden och fick därför skaffa jobb på egen hand eller sälla sig till stadens växande slum.

Till skillnad från de som invandrare alltid prisade britterna var skandinaver och tyskar betydligt följsammare gentemot emigrantvärvningens målsättning. Nästan alla nordbor hade ju lockats ut av jordbrukets möjligheter och var beredda att ta jordbruksarbeten med siktet inställt på en egen gård. För en sådan målsättning var storstaden en föga lämplig startpunkt. Att jordbruket och drömmen om en gård hade större betydelse i Queensland än i övriga Australien omvittnas av att endast var sjunde av Queenslands svenskar under 1800-talets slut var skriven i Brisbane, en låg andel jämfört med andra delstatshuvudstäders attraktionskraft.

Förutsättningarna

"Vilken underbar möjlighet de hade", skriver Jens Lyng om skandinaverna i Queensland, "Australiens rikaste koloni låg öppen för dem, fritt land väntade dem överallt, det fanns gott om arbete, allting var präglat av ungdom och tillväxt och själva luften var fylld av uppdämd energi som plötsligt släpptes loss i den väldiga expansion som nu började i det outvecklade, underbefolkande landet." Trots den svåra anpassningsprocessen till ett i allt främmande invandrarland menade Lyng att möjligheterna fanns där för den som var arbetsam och uthållig. Så kunde situationen på 1870-talet te sig i idealiserat efterhandsperspektiv. Verkligheten var betydligt bistrare. Endast de som anlände med en slant på fickan kunde ta upp ett *homestead*. De flesta fick därför börja som diversearbetare i städerna eller lantarbetare i bushen för att spara ihop det startkapital som behövdes också när jordbrukslandet skänktes bort. Arbetsmarknaden var utomordentligt instabil i en ekonomi så beroende av vädrets makter eller investeringsviljan i London och Melbourne. Emigranten fick vara beredd på att gå arbetslös flera månader om året och hann då göra av med vad han sparat under den period han tjänade pengar. På det sättet kunde vägen till en egen gård bli oväntat lång och slingrande. Men denna tids svenskar var vana att försaka och hoppet var det sista en emigrant gav upp.

Efter Brasilien framstår Queensland som det mest exotiska av de svenska emigrationsmålen. Bägge områdena var helt eller delvis tropiska och därmed ur klimatsynpunkt särskilt svåra för nordbor. Huvudanledningen till att engelsmännen höll sig kvar i städerna var ju att de fruktade klimatet och gjorde sig överdrivna föreställningar om naturens ogästvänlighet. Om sommaren behövde "the new chum", som nykomlingen också här kallades, endast resa några kilometer från Brisbane eller Maryborough för att omslutas av drivhusfuktiga skogar med ogenomtränglig växtlighet och ljud som lät både sällsamma och farliga. Nykomlingen svettades på de slingrande bergsvägarna och tittade förfärad ned i floddravinernas explosion av giftgrön växtkraft. Han fasade för tanken att ge sig ned där med yxa och spade, ryste åt de många giftormar som säkert krälade på marken under träden och var tacksam för att han inte redan fått ett infödingsspjut i ryggen.

Sökaren av land och arbete fortsatte över de första bergskedjorna och kom in i torrare vegetationszoner med böljande kullar och solstekta slätter med strävt manshögt gräs. Hur skulle han kunna överleva i denna brännheta halvöken? Upptäcktsresan förde honom rakt in i gränslösa trädlandskap, där gummiträd och akacior bredde ut sina luftiga grenparasoller över uttorkade flodbäddar och där de betande djuren tycktes nära törstdöden. Här och där höjde sig rostbruna klippor över det pinade landet. De kunde vara inseglen till dödsriket, där de gnistrade metalliskt under en sol som inte längre var livgivaren utan den allsmäktige förbrännaren av liv. Naturligtvis återvände invandraren ganska så betryckt från en sådan rekognosceringstur till Queenslands inre, särskilt om den företagits när landskapet var som mest förbränt och livlöst.

Men det gällde att förstå att Queensland har fler ansikten än det törstförvridna, att höglandet var fyllt av svalkande vindar under vintern och att hettan, särskilt i homesteadregionen, mildrades av torrt klimat och hög luft. Om nykomlingen bara lät kroppen anpassa sig till det ovana klimatet skulle det inte dröja länge förrän han upptäckte att Queensland var ganska uthärdligt, menade Olsson-Seffer: "Nykomlingen från de kallare trakterna av Europa finner kanhända till en början det varma klimatet i Queensland något besvärande, i synnerhet om han råkar anlända dit mitt under sommarsäsongen. Men luften är klar och torr och följaktligen mycket mindre tryckande än en kvav och het dag i det fuktiga klimatet i hans hemland, och hans kroppssystem vänjer sig snart vid förändringen." Enligt Seffer var detta klimat särskilt hälsosamt för barn och vuxna med lungbesvär. Det är tydligt att han här främst tänkte på Darling Downs och andra förhållandevis tempererade höglänter innanför kustbergen, medan han uteslöt de livsfientliga ökentrakterna i väster eller regnskogarna utefter kusterna och på Yorkhalvön. Det gjorde också författaren Teodor Knös som reste i Queensland 1874 och efter hemkomsten publicerade reseskildringen *Lifvet i Australien* (1875), som byggde på de resebrev han tidigare skickat till Aftonbladet. Om klimatet i Queensland skrev Knös att det var "milt och ljuvligt året om, några häftiga växlingar förekomma aldrig ... Året om strålar samma varma sol på en klarblå himmel." Och Knös borde ha vetat vad han uttalade sig om eftersom han rest till Australien för att kurera sin bräckliga hälsa!

Den natur som mötte invandraren i Queensland var, liksom klimatet, beroende

Skogsväg i Queensland. (T Knös, Lifvet i Australien)

på var i det vidsträckta landet han hamnade. Det mesta erbjöds, från trädgårds-landskapet kring Brisbane och Maryborough till regnskogens förkvävande växtrike-dom, från ändlösa galleriskogar till vindpinade gräsöknar. Kustlandet med floder, småsjöar och leende odlingsbygder, rad efter rad av ändlösa bergskedjor som endast malmletaren kunde finna intressanta, eller de pastorala jordbruksbygderna i Dar-ling Downs representerade andra landskapstyper. Det gjorde också de mörka myr-tenskogarna, där marken kunde vara täckt av bländvita liljor, eller de gyllenbruna majs- och vetefälten i söder, de melassdoftande sockerrörsdistrikten och sumpiga mangroveskogarna i norr eller den ändlösa kammen av dyningar över det grönskim-rande Stora barriärrevet. I Queensland kunde mitchellgräset gnistra av frost en julimorgon uppe i bergen, samtidigt som ett tropiskt regn gjorde lervällingen ändå besvärligare för guldgrävarna på Yorkhalvön. Detta mångskiftande nybyggarland bjöd på ett ställe vederkvickelse vid ett källsprång under blommande akacior, medan vandraren några hundra kilometer därifrån i dödsskräck grävde efter vatten i en uttorkad flodbädd. Queenslands identitet återfanns lika mycket i månadslånga monsunregn som i nybyggarens vånda över årslånga torrperioder. Detta var i sanning mänsklighetens yttersta odlingsgräns "där obarmhärtiga torrperioder svinga sitt fruktansvärda gissel, där regntidens vattenfloder understundom förändra landet så att man efteråt icke längre kan känna igen det, där vilda dingos anfalla fåren, där vägarna äro ändlösa, dåliga och farliga, där kreatur och hästar äro lika vilda som kängurus och emus".

Om landskap och klimat var omväxlande sett i fågelperspektiv dominerade enformigheten på den gräsrotsnivå där nybyggaren befann sig. Teodor Knös tyckte visserligen att den queensländska skogen var vackrare och mer omväxlande än den i New South Wales, men de många som färdades mindre komfortabelt var ense om att klimatets och vegetationens monotoni gick dem på nerverna. Också Olsson-Seffer erkände att sydöstra Queenslands natur hade sina brister: "Inga snöklädda bergstoppar återkasta solstrålarna. Inga ändlösa urskogar, svärmande av ett brokigt djurliv, inga större insjöar, som sprida sin friskhet till omgivningarna, inga stråkvägar mellan vitt avlägsna trakter längs ständigt rinnande floder och vattendrag. En monoton blågrön färg kännetecknar vegetationen, landdjuren äro sällsynta och huvudsakligen i rörelse om natten. Litet finnes som gläder ögat och eggar fantasin."

Efter en tids vistelse i landet skulle dock invandraren upptäcka en rad goda kvaliteter som hemlandet saknade: "Låt honom inandas den friska, ozonmättade morgonluften och låt honom efter slutat dagsarbete vandra hemåt till den torftiga stugan eller lägerplatsen, då skuggorna begynna förlängas på kvällen, och kanske han ändrar åsikt! Eller låt honom vid lägerelden röka sin pipa och lyssna till alla dessa tusende olika ljud ur skogens mörka djup . . . Låt honom senare på kvällen, när allt tystnat, förgäves söka uppfånga det minsta avbrott i den stora tystnaden, då han endast tycker sig höra den sovande naturens långa, regelbundna andetag! Han lär sig snart älska denna natur, skön i sin enformighet, högtidlig i sin allvarlighet, stor i sin tystnad." De högstämda ordalagen lämnar inget tvivel om att Seffer var en naturfilosof i Linnés efterföljd och en av de få européer som letat sig fram till det queensländska landskapets innersta väsen. Sin trollbundenhet försökte han nu förmedla till läsare som sannolikt var okänsliga för naturscenerier och skulle så förbli livet ut. Den som går ut ur sitt land för att röja ny odlingsbygd får sällan tid att analysera naturstämningar!

Per Olsson-Seffer skrev åter om den sydöstra mer tempererade del av landet, där flertalet skandinaver bosatte sig. Hans bok adresserade sig ju till den invandrade svensken och kunde därför koncentreras till trakter som var lämpliga för jordbrukande nordbor. Den forskningsresande skolmannen och östgöten Conrad Fristedt gav en helt annan bild av Queensland i boken *På forskningsfärd* (1891), som skildrar hans resor 1889–1891 till Afrika, Ceylon, Indien, Australien och Nya Zeeland. Fristedt var den förste svenske zoolog som besökte Australien, där han utvalde norra Queensland för sina observationer. Efter en kort vistelse i trakten av Brisbane reste han till Cardwell på Yorkhalvöns östkust. Från denna tropikhåla följde Fristedt floderna in i landet för att studera en fortfarande okänd flora och fauna.

Intrycken från en av dessa expeditioner kunde gälla en stor del av det skogbevuxna höglandet på andra sidan kustbergen. "En vandring genom dessa s k öppna skogar över de ändlösa gräshaven är mödosam nog och då därtill kommer en brännande tropisk sol, för vilken de endast i topparna glest belövade träden icke lämna någon skugga, kan man göra sig en föreställning om, vad det vill säga att månad efter månad såsom jägare uppehålla sig i dessa trakter. Förgäves skall man

Kängurujakt. (T Knös, Lifvet i Australien)

kanske efter milslånga marscher i nästan olidlig värme speja efter en skuggig plats, och om man av en lycklig slump skulle påträffa en sådan, må man icke tro att man i lugn och ro utan vidare kan slå sig ned och vila ut litet. Giftiga ormar, vilkas bett äro dödande inom ett par timmar, skorpioner och tusenfotingar av en hands längd vimla i det höga gräset, och man gör bäst i att se sig väl för, innan man går till vila." Fristedt hade inte svårt att beakta landets sed att bränna bort gräset där han slog läger.

Den svenske forskningsresanden kämpade sig igenom mil efter mil av soldränkta galleriskogar, som dominerades av titräd och den allestädes närvarande eukalyptusen. Här och var bröts enformigheten av en flod med stränderna klädda av frodig buskvegetation, *scrub:* "Åldriga lövträd, tätt bevuxna med fint tecknade orchideer, praktfulla ormbunkar, mossor och rikblommiga slingerväxter pryda stränderna av de små strömmarna och bilda ett tätt lövvalv över dem. I dessa floddistrikt trivas också palmerna bäst. Deras smärta, resliga stammar å den ena sidan och en mur av

Infödingar på emujakt. (T Knös, Lifvet i Australien)

gummi- och fikonträd, hopflätade av fantastiskt slingrande lianer å den andra göra tavlan storslagen, trolskt hänförande." Också Fristedt fångades alltså av den otämjda skönhet som dolde sig under enformighetens grågröna växttäcke. Liksom Olsson-Seffer fann han att det lönade sig att visa tålamod med ett ytligt sett frånstötande landskap. Belöningen blev sällsamma naturstämningar, som gav nytt perspektiv på det vilda landet: "Inget världsligt buller, inga dova slag av vedhuggarens yxa eller koherdars muntra sånger avbryta den nästan hemska tystnaden i dessa mörka skogar. Under dagens hetaste timmar kunde jag färdas utefter dessa floder mil efter mil utan att se någon annan levande varelse än kanske en ibis, som under ett hest skri förskrämd flög upp ur mangroveträsket, eller en alligator, som störd i sin middagsslummer, ljudlöst gled ned från strandbanken."

I Queensland som överallt annars i Australien måste nybyggaren göra sig förtrogen med en djurvärld som var annorlunda allt han tidigare känt till. Här fanns kontinentens största artrikedom av pungdjur från jättekänguruer och koalas till opossums, pungråttor och flygande ekorrar. Det taggiga myrpiggsvinet och det urtidsmässiga näbbdjuret tillhörde särlingarna i en märklig djurvärld, där dingos, råttor, möss och de allestädes närvarande kaninerna var däggdjurens enda representanter. Enligt Olsson-Seffer, som ger många upplysningar om djurlivet, var Queensland ett ornitologiskt paradis. Förutom de överallt i Australien vanliga kungsfiskarna och papegojorna väcktes invandrarens förundran av svarta svanar, lyrfåglar, kolibriliknande honungsfåglar eller den enorma strutsfågeln emun. Vid solnedgången vibrerade luften av fågelsång alltifrån papegojornas hesa skrän till näktergalsliknande tonkaskader. "Huru felaktigt blev icke Australien fordom skildrat såsom ett land, där fåglarna icke ägde någon sångförmåga", utbrast Conrad Fristedt efter en solnedgång i Queenslands bush.

Olsson-Seffer kunde lugna sina läsare med att de i norra Queensland så vanliga krokodilerna inte gick söder om Fitzroyfloden och endast var talrika i floderna och utmed kusterna i norr. "Oaktat rovgiriga äro de ej farliga för andra än dem, som äro oförsiktiga nog att gå inom räckhåll." Queenslands svenskspråkiga emigrantguide visste berätta att inte mindre än ett femtiotal ormarter förekom i staten. Hälften var emellertid ofarliga och endast fem arter kunde räknas som verkligt giftiga. "I de ytterst få fall, då döden varit en följd av ormbett," skriver Olsson-Seffer, "har den svarta eller bruna ormen varit orsaken. Den förra blir stundom ända till 10 fot lång (över tre meter). En tredje giftig orm kallas death-adder. Den är ytterst giftig samt plägar ej såsom alla andra ormar fly undan människan." Författaren upplyser också om att bett från giftiga ormar kännetecknas av två tandavtryck i såret, medan de ofarliga åstadkommer ett sår med sex fördjupningar. Olsson-Seffer gör sitt bästa för att ta stinget ur läsarnas ormskräck när han försäkrar att ormarna ingalunda hör till vardagen och "det finnes mången som under årslång vistelse i Queensland ej sett en enda orm . . . ju mer en trakt blir uppodlad, desto sällsyntare bliva de".

Den myllrande insektsvärlden, i synnerhet allestädes närvarande myror, termiter, moskiter och flugor, var betydligt besvärligare för människan än ormarna och gav Queensland ett välförtjänt dåligt rykte. Olsson-Seffer ansåg dock att moskiterna var beskedliga som änglar i jämförelse med sina svenska kusiner, i all synnerhet de som surrade i Lappland. Däremot undvek han visligen att sammanställa den svenska flugan med den queensländska, en jämförelse där bushens svärmar av envisa och snabbreagerande blodsugare onekligen skulle ha kommit till sin rätt.

Skandinaviska bygder

Queensland hade som nämnts större attraktionskraft på danskar än på andra nordbor. Danskarna, som i särskilt hög grad var jordbruksinriktade, reste ofta i familjegrupper och blev därmed mindre rörliga än de svenska ungkarlarna. De blev stigfinnare för svenskar och norrmän när de slog sig ned i kustbygderna mellan Brisbane och Bundaberg för att röja mark och ta upp *homestead*. En sådan avstyckning av kronomark omfattade i odlingsbygderna kring Moreton Bay och Hervey

Ormmåltid. (C Lumholtz, Bland Menniskoätare)

Bay 16 hektar medan ett nybygge i Darling Downs högland kunde vara fyra gånger större. Om marken skulle användas till boskapsavel fick ända till 256 hektar av kronlandet avstyckas som *homestead.*

I Queenslands nybyggarområden smälte skillnaden mellan svenskar, danskar och norrmän bort. De kände att de hörde samman, eftersom de förstod varandras språk och var uppväxta i likartade miljöer. Dessutom var de så få att de borde hålla ihop för att tillsammans möta omgivningens misstänksamhet mot "utlänningar". Skandinaviska nybyggarområden i amerikansk bemärkelse uppstod lika litet i Queensland som i övriga Australien, men man kan peka ut några trakter som skandinaverna föredrog och där de utvecklade samhörighetskänsla. Många sökte sig till Burnett-flodens dalgång, där staden Bundaberg var det kommersiella centrumet. Andra slog sig ned kring Nikenbah och Pialba vid Hervey Bay, där ett femtiotal familjer bodde, eller i det närbelägna Tinana, intill Mary River, vid vars utlopp Maryborough låg. Eftersom många landsteg i denna stad blev den utgångspunkt för en omfattande dansk kolonisation. Alltfler nordbor lockades av ryktet om de rika jordbruksbygderna i Darling Downs och fortsatte från Brisbane och Maryborough mot trakterna kring Dalby.

Det var långt mellan gårdarna i dessa skandinaviska "bygder", men avstånden var inte längre än att gemenskapskänslan frodades. Som i svenskbygderna i Amerika utnyttjades de etniska stämningarna av kyrkan, vilket ledde till att de norska predikanterna Christopher Gaustad och I H Hansen på sjuttiotalet började organisera skandinaverna i lutherska församlingar. De fick snart hjälp av dansken Georg Sass, som vi tidigare mött ombord på emigrantfartyget Reichstag. Kyrkolivets verklige samfundsspelare var den danske sjömansmissionären I C Petersen som reste omkring bland nybyggarna över hela Queensland. När han 1886 återvände till Danmark hade en tysk-skandinavisk synod bildats med danska kyrkan i Brisbane som högkvarter. Den började dock spricka i fogarna kort efter Petersens hemresa.

I Brisbane grundades 1872 en klubb som fick en lång rad efterföljare, bl a Svensknorska sällskapet 1879 och den danska Heimdal, som existerar än idag. Skandinaviska föreningar grundades också på 1870-talet i Maryborough och Rockhampton. I kraft av sitt antal och sina många skickliga ledare dominerade danskarna över de andra skandinaverna i sociala sammanhang. Man får därför icke förvåna sig över att danskarna i Queensland gärna satte likhetstecken mellan danskt och skandinaviskt. I den mån organisationerna överlevde blev de också med tiden heldanska.

Nybygget vid Moreton Bay

Även om samvaron med andra nordbor lättade upp tillvaron var invandrarens första tid i Queensland ofta svårare än i staterna i söder. Den queensländska "ekluten" kunde fräta så hårt att den en gång så hunsade drängen med längtan i rösten började tala om "gamla landet". Det verkar som om den queensländska nyodlaren hade ännu mindre kontanter än sin broder i Victoria. En svensk vid Burnett River mindes hur svårt det var att skaffa krediter för de nödvändiga inköpen och den blivande skörden fick intecknas hos handelsmannen inne i samhället. För att få kontanter tog männen det arbete de kunde få medan kvinnorna skötte gården. Arbetsplatserna låg ofta så långt bort att karlarna måste leva skilda från familjerna under månader. De kom hem några gånger om året för sådd, skörd och andra tunga sysslor.

Kustområdet lämpade sig bäst för spannmål, grönsaker och fruktodlingar, medan nybyggarna varnades för att ge sig i kast med fåravel eller köttproduktion i större skala, vilket de ändå inte skulle haft råd med. Den täta vegetationen ansågs nämligen olämplig för fårbete och den besvärliga tickfästingen, som orsakade ett slags blodförgiftning, var vanlig öster om kustbergen. Däremot var kustbygderna utmärkta för mejerihantering.

För den som arbetat med Sveriges karga jordar måste växtkraften i den queensländska kustbygdens välbevattnade scrubmylla ha verkat övernaturlig. "Här tycks vad som helst kunna växa bara man gör ett hål i jorden och spottar i det", skrev en hallänning till syskonen därhemma. Inte att undra på att svensken liksom andra invandrade jordbrukare trodde att markerna aldrig kunde sugas ut och att grannarna hade rätt när de sade att man aldrig behövde gödsla. Övertron på Queenslands välsignade jord bestod när Olsson-Seffer vid seklets början skrev sin emigrantguide. "Ännu idag som är kan man få höra farmare, som påstå att djupplöjning ej är nödvändig i detta land, och att något sådant som gödningsmedel ej behöves på Queenslands fruktbara jord", berättar Seffer men varnar för följderna av ett sådant lättsinne. "En farmare som vill vidmakthålla bördigheten hos sin jord, måste sköta den här som annorstädes. Men en okunnig och likgiltig person kan här, om han lyckas få ett gott jordstycke, taga skörd på skörd i många år, förrän någon märkbar förminskning i avkastningsförmågan blir synlig."

Skötte man sin jord med gödsling och bevattning kunde upp till tre skördar om året påräknas. Glädjen över en bra skörd fick dock aldrig tas ut i förskott. De gyllenbruna sädesfälten kunde snabbt fördärvas av bränder, gräshoppor, wallabies eller — jordbrukspolitiken. Sådana olyckor hade drabbat dansken Mikkelsen som den 30 april 1904 beskrev sitt elände i en insändare till tidningen Norden. Föregående års torka hade fört honom nära ruinens brant. Nu rådde visserligen godår men också ett sådant kunde bli magert när spannmålsuppköparna dumpade priserna och järnvägarna höjde fraktavgifterna. "Som följd av detta har vi i krigsråd bestämt oss att avstå från tobak och kaffe och tidningen Norden tills tiderna bli bättre", avslutar Mikkelsen sin insändare. Brevet åskådliggör jordbrukarens dilemma i Queensland. Antingen förstördes skördarna av väder och skadedjur eller också blev de så rika att uppköpare och fraktbolag kunde dra åt tumskruvarna på farmarna.

Under sina predikoturer mellan de skandinaviska nybyggena hade pastor Georg Sass otaliga tillfällen att samla intryck från landsmännens tillvaro i bushen. Också han konfronterades med hungersnöd och olyckor men den bestående minnesbilden fick han av harmonin och förnöjsamheten i nybyggarlandet: "Om man besökte en sådan utvandrares hem, där yxan hade arbetat i de täta skogarna, då såg man en hydda som var byggd av kluvna trädstammar och med en väldig eldstad av trä på ena väggen", berättade pastor Sass i en artikel som tidningen Norden publicerade den nionde januari 1904. "Inne i hyddan var bekvämligheterna så få som möjligt: några sängar, ett träbord, några skåp och bänkar. Utanför fanns ett större eller mindre majsfält, tätt inhägnat med staket för att förhindra de näsvisa wallabies att tränga sig in. Annars skulle grödan ödeläggas så snart den sköt upp ur jorden. I landen intill huset såg man den ljusgröna, bredbladiga bananväxten, den kottliknande ananasen, sötpotatis och pilrot medan vinstockarna skickade ut sina druvklastyngda rankor i vild förvirring över husväggarna. Husdjuren gick alltid ute och fähus var obehövliga. Farmaren kom en gärna till mötes med trohjärtat danskt gemyt. Hans klädnad var lätt men passade klimatet: vida byxor, en ullskjorta som var öppen i bröstet samt hatt med flugnät och kraftiga skor."

Sass fann nybygget enkelt men långtifrån fattigt för "där fanns tillräckligt med mat och dryck och kläder behövde man knappast". När han tillfrågade nybyggaren hur han trivdes i Queensland brukade han få svaret: "Tack, jag ångrar inte bytet. Hemma var jag helt utblottad och såg inte någon utväg för mig och de mina." Den romantiska nybyggaridyll som pastor Sass målar upp för tanken till Gustaf Unonius idealiserade nybyggarskildringar från 1840-talets USA. Samma längtan till det oskuldsfulla naturtillståndet, där jordbrukaren lever i harmoni med skapelsens lagar, tycks ha fyllt Sass när han tänkte tillbaka på förhållandena i 1870-talets Queensland. Det behöver knappast sägas att Sass vildmarksidyll liksom Unonius endast existerade i minnets förgyllda värld.

Drömmen om en boskapsstation

Under den hälsoresa författaren Teodor Knös företog genom Australien åren 1873 och 1874 kom han till Darling Downs, får- och boskapsuppfödarnas paradis i Queensland. Knös som skriver kunnigt och intressant om allmänna förhållanden, var knappast intresserad av invandrare och kom följaktligen sällan i beröring med landsmän. Desto mer drogs han till folk i sin egen goda samhällsställning och trivdes därför utmärkt bland välbeställda *squatters* i de pastorala högländerna. De snabba intryck Knös tecknar ned från ett besök på en fårstation i Darling Downs äger sitt intresse, eftersom flera av de svenskar som just anlänt när Knös besökte Queensland några decennier senare satt på en lika fin gård som den engelske *squatter* Knös hälsade på någon gång 1874.

Under ritten till stationen iakttog Knös hur arbetarna brände ned gräs och vid några tillfällen var han omgiven av eld och rök. Det man brände var manshögt präriegräs som blivit så hårt i torkan att inte ens får kunde äta det. "I följd av solhettan har all saft borttorkat och blott man kastar en brinnande svavelsticka på marken, rullar sig genast med vinden en eldslåga över slätten och inom några ögonblick är marken endast betäckt av en svart aska."

"En station ligger mitt inne i de djupa skogarna, alltid vid stranden av någon liten flod eller bäck", skriver Knös. "Några obetydliga hjulspår eller ridstigar, som stundom förlora sig i gräset, leda dit genom busksnåren och över slätterna. För huvudstationen uppsökes ett vackert och ändamålsenligt läge, och det är alltid en glad syn att efter en lång dagsritt över de soliga slätterna få syn på densamma. Själva boningshuset ligger mitt i trädgården med framsidan mot söder och, så vitt möjligt är, på toppen av en höjd för att uppfånga så många svalkande vindar som möjligt. I de flesta fall nöjer man sig med ett envåningshus, nätt och trevligt, helt och hållet kringbyggt med en rymlig veranda."

Vid grinden möttes Knös av skällande hundar och skränande påfåglar, men *squattern* och dennes familj välkomnade desto hjärtligare och hade snart tagit hand om ryttare och häst på bästa sätt. Med en kall dryck i handen lät gästen från korgstolen på verandan sina blickar behagfullt svepa över gården: "Närmast kring huset står en krans av stora, skuggrika bunya-bunya-träd, och däromkring finner man en parkanläggning med höga buskväxter. Fikonträden stå fulla med kart. Den stora vinplanteringen erbjuder en vacker syn, druvklasarna hänga fullt utvuxna och börja redan rodna. Orangeträden se däremot duvna ut i följd av det heta klimatet . . ."

Många detaljer i det Knös skrev ned går igen i Olsson-Seffers emigrantguide när han nästan trettio år senare ger råd och anvisningar om hur svensken bör ordna sin lantgård i Queensland. Det som på Knös tid var förbehållet engelska godsägare var 1902 möjligt också för invandrare, särskilt om de anlänt med en slant på fickan, och sådana fanns — även om de var lätträknade — bland jordbrukarna som utvandrade från Sverige strax före sekelskiftet. Den förhållandevis välsituerade nybyggaren var alltså inte så utopisk som man skulle tro mot bakgrund av att de flesta australienfararna var fattiga på allt utom armstyrka och energi.

Vilka råd gav då Olsson-Seffer den svensk som sparat ihop tillräckligt för att anlägga en gård i Darling Downs? Boningshuset skall vara av trä och uppfört på stolpar för att befrämja ventilationen. På en östsluttning undgår man den antingen för heta eller för kalla västanvinden. När skogen avverkas bör några eukalyptusträd lämnas kvar i närheten av huset, eftersom "de draga till sig de honungsätande papegojorna, vilkas muntra kvitter göra platsen livlig". Det är emellertid viktigt att de höga eukalyptusträden inte står så nära att de blåser ned över huset när orkanen slår till. Närmast mangårdsbyggnaden rekommenderar Olsson-Seffer därför en gräsmatta, medan andra planteringar bör hållas på avstånd för att undvika fukt och mögel. Avloppsrör måste läggas ut, bäcken dämmas upp och en brunn sprängas i sluttningen. Dessutom får nybyggaren rådet att följa den australiska seden och montera upp en plåttank dit regnvattnet från taket kan ledas. Däremot vill författaren varna för att i australisk stil bygga envåningshus med tak av galvaniserad plåt, vilka gör rummen glödheta under sommaren och kalla under vintern. Om järnplåt måste användas till taket bör detta först isoleras. Det är också rekommendabelt att bygga i två våningar med sovrummen på den luftiga övervåningen. Huset bör naturligtvis förses med en lång veranda.

Verandan, den australiska lantgårdens stora uterum och kännemärke, ger nybyggaren skön avkoppling efter en lång arbetsdag, skriver Seffer. Här kan han pusta ut, ta sig en svalkande dryck och blicka ut över sina fält och kreaturshjordar, alltunder det solen sjunker bakom bergen i väster. Ordmålaren Olsson-Seffer breder på tjockt med färg när han skildrar den ljuvliga kvällen efter en solig dag i höglandet. Tavlan är idyllisk i överkant men naturbeskrivningen tillräckligt nyanserad för att vara intressant. Läsaren får följa nybyggaren där han vandrar hemåt medan kakaduorna skränar och solens sista strålar silar genom trädkronorna. Han tvättar sig för natten, äter en anspråkslös kvällsvard, och tänder därefter sin pipa för en angenäm siesta på verandan. "Djurlivet i skogen, som under den varmaste tiden av dagen varit nästan utdött, begynner nu röra på sig. Ännu en hånande avskedsduett från ett par gäckfåglar, innan de slumra in för natten. Ännu ett sista uppträdande av fröken Läderhätta, som från akacians gungande topp utsänder sina näktergalsliknande drillar, ännu ett flöjtsolo av herr Skata efterföljt av papegojornas gälla bifallsskrik och eftermiddagskonserten är slut. Vi höra blott ännu några pisksmällar från kuskfåglarna vid vägen samt skränande varningsrop från fågelvärldens poliskon-

En squatters gård. (C Lumholtz, Bland Menniskoätare)

staplar, de i vit uniform med gul hjälmbuske stoltserande kakaduorna, och ett ögonblicks tystnad inträder. Men denna varar ej länge. Så snart solen gömt sitt rodnande anlete bak trädens toppar och så snart mörkret fallit på, hastigt som alltid i söderns länder, begynner grodkonserten i närmaste vattenpöl. . . Dingon, omusikalisk som alla hundar, begynner tjuta . . . Nybyggaren hämtar en bok och begynner läsa i månskenet − kl. 9 på kvällen. Vi följa hans exempel och timme efter timme sitta vi där, läsande som i fullt dagsljus, och icke det ringaste ljud avbryter oss. Vilken egendomlig värld här under Södra korsets stjärnbild!"

Frontieranda och buskdemokrati

Amerikanarnas spekulationer om kampen vid odlingsgränsen som alstrare av jämlikhet och demokrati var aktuella också i Queensland, där man långt in i vårt sekel har talat om "frontieranda" och "buskdemokrati". I detta gigantiska stycke orörd natur och sovande möjligheter som utbjöds till den som vågade ta tillfället, borde den strävsamme skandinaven komma till sin rätt, resonerade Olsson-Seffer. I Queensland var det arbetsförmågan som avgjorde en mans status, medan man inte fäste sig vid klädsel och utseende. Här hörde det till vanligheten att den som på dagen varit klädd som en arbetare med yxa, spade eller andra verktyg i handen om kvällen uppträdde i "klanderfri sällskapsdräkt, alls ej generad av sina grova händer". Den svettiga och smutsiga arbetaren på åkern kunde mycket väl nästa kväll

171

återfinnas på en mottagning i guvernörspalatset. "Med andra ord, den som kommer till landet för att arbeta och hushålla tillvinner sig snart allas aktning." Penninginkomsterna betydde litet i naturasamhällets ekonomi, varför en årsinkomst på 250 pund var mera värd i Queensland än det dubbla hemma i Sverige, menade Olsson-Seffer. Det var gårdens avkastning i spannmål, kött och ull som räknades, inte tillgången på kontanter och fina maner.

Skånskan Anna Persdotter berättade på gamla dar om hur buskdemokratin upplevdes av en ung invandrarkvinna strax efter sekelskiftet. 1895 hade hon kommit till Bundaberg med sina föräldrar och tre syskon, men när hon fyllt tjugo ville hon försöka stå på egna ben. Anna reste därför västerut för att ta arbete som tjänsteflicka på någon större gård. På högslätten väster om Roma var en släkting sedan flera år anställd som förman på en boskapsstation och han skaffade flickan arbete som hjälpreda åt farmarens hustru. Närmare bestämt skulle hon tjänstgöra som barnflicka och lärarinna åt småbarnen på gården.

Resan tog tre dagar och Anna var ensam kvinna i det framsniglande tågets enda personvagn. Ressällskapet bestod av skäggiga *bushmen* med hattarna neddragna i pannan och käkarna malande över tuggtobaken. Deras blickar var fastsmetade vid flickan, men de yttrade inte ett ord och höll det idisslande ansiktsuttrycket oförändrat. Den sista sträckan fram till gården Sunrise var så skumpig att flickan trodde att ekipaget skulle stjälpa. Landskapet var vackert böljande med spridda träddungar. I mulgaträdens kronor surrade jättecikador, ungefär som när man frenetiskt drar spikar över tvättbräden. Flugornas närgångenhet överträffade allt vad Anna hört berättas om denna bushens landsplåga. I fåfänga försök att hålla de pilsnabba plågoandarna borta från ögon och mun svepte hon schaletten som ett bandage kring ansiktet.

Gården med det stolta namnet Sunrise blev en chock för Anna. *Squattern* sades vara miljonär och hans ägor kanske var lika stora som Malmöhus län, men han residerade i ett hus som en skånsk jordbrukare skulle tvekat att upplåta åt kreaturen. Denna ruckliga mangårdsbyggnad på stolpar med verandan täckt av bråte var omgiven av ändå fallfärdigare ekonomibyggnader som tycktes ta stöd mot boskapsfållorna. Gården stank av gödsel och enorma flugsvärmar rörde sig som surrande flor kring kreatur och människor. Allt gräs var uppbetat eller bortnött så att den rödbruna leran dammade upp från marken vid minsta beröring eller vindil. Stationen var omgiven av ett värmedallrande savannlandskap som var prickigt av oräkneliga kor och oxar. Aftonsolen blänkte i de silverskimrande gummiträden kring en snårig bäckravin som verkade helt uttorkad.

Anna fördes in i boningshuset där husmodern tog emot med en hjärtlig handtryckning. Allt därinne var präglat av vanvård och elände. Kunde det vara möjligt att dessa människor ägde tiotusentals nötkreatur och kanske 50 000 får? Maten var det dock inget fel på och efter en lika riklig som välsmakande måltid visades Anna in i gästrummet, där hon skulle tillbringa första natten. Sängen verkade inte ha bäddats efter föregående nattgäst och den var ett tillhåll för kacklande hönor och gnällande hundvalpar. En av hyndorna hade häromnatten fött valpar under sängen, förklarade matmodern urskuldande. Hettan under plåttaket var kvävande och något

172

drag kom inte genom fönstren, fast rutorna var uppdragna bakom spjäljalusierna. När Anna undrade var hon kunde skölja av sig vägdammet kom matmodern fram med en liten bunke med några deciliter vatten på botten. Något uppbragt förklarade flickan att hon inte bett om dricksvatten utan att få tvätta sig. Svaret innehöll grundregeln för livet i vattenbristens land: "Gör du det riktigt kan du visst tvätta dig i det här vattnet!"

Anna Persdotters första natt på stationen Sunrise började och slutade oroligt. Innan hon blåste ut lampan hade hon upptäckt en fet spindel på fönsterkarmen, vilket inte precis befrämjade lusten att somna. Medan det ännu var nermörkt väcktes hon av gårdens otaliga hundar som verkade utvilade efter dagens siesta under verandagolvet. Hon skulle just somna då himlen lystes upp av en blixt åtföljd av svagt muller i fjärran. Det var förebudet till ett oväder som var så häftigt att Anna trodde att huset skulle brytas i bitar. Nästa morgon fick hon uppleva sensationen att vada i ankeldjup lervälling där hon dagen förut känt kruttorr lera damma kring benen. Landskapet hade förvandlats under morgontimmarnas åskregn. Nu ångade fukten i morgonsolen och kring bäcken blänkte en kilometerlång sjö. Naturen kändes renad, det gick lätt att andas och Anna greps av människornas och djurens tacksamhet över vederkvickelsen.

Den unga skånskan kom att stanna flera år på boskapsstationen Sunrise i Queenslands *outback*. Flickan från Norden lärde sig att överse med det materiella armodet, det låg ju bara på ytan och gällde saker som var betydelselösa härute i får- och kolandet. Istället började hon uppskatta den rättframma umgängestonen som inte tog hänsyn till en persons ställning på gården. I en diskussion var *squattern* själv inte förmer än pojkvaskern till fåraherde eller Anna själv. Hon fylldes av arbetsglädje och kände att hennes insatser uppskattades, även om lönen var skamligt låg. Först när fadern omkommit i en olycka på järnvägsstationen i Bundaberg kom sig Anna för att återvända till kusten. När hon fyllt 25 gifte hon sig med en tysk bagare. Äldste sonen förde hennes berättelse från boskapsstationen i väster vidare till eftervärlden.

Svenska boskapskarlar

Nästan alla svenskar kom i kontakt med de otaliga varianter okvalificerat arbete som under lantbrukets högsäsong erbjöds dem som mer frågade efter husrum och mat än stora inkomster. Många av de påhugg som stod till buds, har beskrivits i föregående kapitel. Man blev herdar, skördearbetare, hantlangare till fårklippare, skogshuggare eller tog något annat av de tillfällighetsarbeten invandraren hade att välja på i jordbrukslandet Queensland. I regel stannade man inte länge på en plats. Queenslandssvensken levde som nomad fram till den dag han gifte sig och skaffade gård eller flyttade in till staden.

De svenska pojkar som valde att bli *stockmen*, dvs motsvarigheten till Amerikas cowboys, råkade ut för världens kanske ohanterligaste kreatur. Conrad Fristedt observerade att det var så gott som omöjligt att till fots nalkas en queensländsk boskapshjord, endast från hästryggen kunde boskapsherden bemästra de halvvilda djuren. "Vid ankomsten till hjordens lägerplats tidigt på morgonen låter herden höra ett par pisksmällar, vilka likt pistolskott genljuda mellan bergen, och nu börjar mönstringen", berättar Fristedt i en livfull skildring från stockmannens nappatag med hornboskapen. "Come along, 400 heads to be draughted before breakfast", kunde förmannens morgonorder lyda. Ordern innebar att djuren skulle motas in i olika fållor, en del för slakt, andra för att senare drivas ut på färska betesmarker, ungdjuren för att brännmärkas. "Sjuka eller lemlästade djur nedskjutas på stället och få där kvarligga till rov för hökar och vilda hundar", noterar Fristedt under besöket på en boskapsstation med flera landsmän bland kofösarna. Om många djur saknades vid mönstringen måste karlarna ge sig ut i bushen och leta, vilket kunde ta resten av dagen i anspråk.

Betydligt arbetsammare än att leta efter bortsprungen hornboskap var att föra samman kalvarna till märkning eller ta ut slaktdjuren. "Vid sådana tillfällen få de hurtiga herdegossarna visa, vad de duga till. Oavbrutet svingande piskan rida de mot mitten av hjorden för att till en början skingra den litet. De uppretade och förskrämda djuren löpa vilt hit och dit, ofta nog gående lös på häst och ryttare, som dock, skicklig som en toreador, förstår att hålla sig på ett behörigt avstånd från den anfallande." Stockmannen har hela tiden ögonen på kalvarna, som han fortast möjligt måste skilja från hjorden: "Ett djärvt närmande med hästen och några välriktade slag med piskan sätta snart nog liv i besten som då han ser sig oupphörligen förföljd, i förbifarten rusar ut ur kamraternas led och i vild karriär söker undkomma sin plågoande." Väl ensam är kalven utlämnad åt kofösaren som snabbt jagar in honom i brännmärkningsfållan eller slaktgården.

När detta sekel var ungt hörde Eric Hultmans berättelser från vildmarkerna i Queensland till den verkligt uppskattade ungdomslitteraturen. Den numera helt bortglömde Hultman var stockholmare och son till en känd matematiklärare. 1887 reste han till Australien och stannade där i fjorton år. Queenslands tropiska guldgrävarområden blev hans favorittillhåll. 1904 återkom han till Stockholm, där han fick plats som kontorist och fyllde fritiden med att sätta sina antipodiska eskapader på pränt. Det blev korta, slagkraftiga historier som sammanvävdes till små böcker med fantasieggande namn som *Vildar mer eller mindre* (1907), *Svarta diamanter* (1910) eller *Utan jury* (1915). Eftersom Hultman rest kors och tvärs i Queensland kunde han påstå sig ha upplevt alla de äventyrligheter han i Münchhausens anda lät sväva mellan dikt och verklighet. Denne skojfriske ordekvilibrist gjorde mer än någon annan för att rikta sina landsmäns uppmärksamhet på Australiens tropiska vildmarker. Han kunde glädja sig åt imponerande upplagor − *Svarta diamanter* kom t ex ut i minst fyra upplagor och 22 000 exemplar. Eric Hultman avled vid jultiden 1911 i en leversjukdom som han sannolikt ådragit sig i Queensland. Han var då endast 44 år.

Under några månader arbetade Hultman som *drover*, ett arbete som landsmannen Egerström trettio år tidigare prövat på i New South Wales och som gick ut på att övervaka förflyttningen av en boskapshjord från uppfödningsstationen till uppköparna vid kusten. *The drover* kom att bli en lika legendomspunnen figur som Amerikas cowboy. Så var han också lika oumbärlig för boskapshanteringen och sina uppdragsgivares väl och ve. I Hultmans fall är det inte förvånande att han skulle få uppleva det kusligaste som kunde hända en boskapsherde. Den "rush" eller panik bland kreaturen som han råkade ut för, inträffade under tiden på Lyndhurststationen i norra Queensland, berättar han i *Vildar mer eller mindre*. Hultman och fyra andra *drovers* skulle driva 2 000 oxar till slakterierna och inkokningsverken i Townsville. Kamraterna var de typiska australier Hultman trivdes så bra med: "långa, smala, gladlynta, från barndomen uppväxta på hästryggen och utan sorger och bekymmer för morgondagen". Dessutom medföljde negergossen Bully med uppgiften att varje morgon driva samman hästarna, och hindun Sinjaub, vilken fungerade som kock. Förutom packhästarna hade varje boskapsherde fem ridhästar till sitt förfogande så att han alltid skulle kunna sitta på ett utvilat djur. Så släpptes den råmande massan ut ur fållorna och kreatursdriften hade inletts.

Den svenske boskapsherden fick erfara hur svårt det var att hålla ordning på 2 000 vilda oxar som vräkte sig fram över stock och sten utan minsta förstånd om färdriktningen. Särskilt besvärligt var det att få stopp på hjorden när nattläger skulle slås efter den första dagen som också var resans arbetsammaste: "Klockan var nära tolv, innan de lagt sig till ro, och då vågade vi ej dela på vår styrka, utan beslöto oss att allesamman hålla vakt till soluppgången. Runt den vilande hjorden redo vi hela natten och när solen höjde sig över horisonten dukade Sinjaub fram curry och ris och vi åto en välförtjänt frukost och började en ny dags strapatser."

Följande dag tillryggalades endast tretton kilometer, trots att driften var igång från arla morgonstund till sextiden på kvällen. Kvällsvarden var överstökad och Hultman hade just tänt sin pipa med en gren från lägerelden när den stora boskapspaniken utbröt lika oförmodat som om blixten slagit ned: "Ögonblickligen darrade marken som en jordbävning, och tvåtusen vilda och vettskrämda oxar rusade som ledda av en enda tanke genom skog och snår, vägande för intet och nedtrampande allt som kom i deras väg!" Hultmans liv räddades genom att hans häst sprang fram till honom. Snabbt som tanken kastade han sig upp på hästryggen och djuret började i svindlande fart hålla undan för syndafloden av muskler och horn: "Kvistar och grenar piskade mig och sleto sönder mina kläder, men jag hukade mig ned längs hästryggen och lämnade resten åt slumpen och försynen. Ett par gånger snavade hästen över kullfallna träd men lyckades komma på benen igen, innan någon olycka skett." Efter nästan en svensk mil började den vettskrämda hopen shorthorns och baldfaces minska farten och det svettiga jobbet att rekonstruera hjorden inleddes. Hultman och kamraterna fick skatta sig lyckliga att de inte trampats till döds under klövarna. Nu började man fundera över vad det var som orsakat oxarnas "rush". Ett egendomligt skrik hade satt igång paniken. Det kunde ha kommit från en dingo men hade skallat betydligt mer hårresande än vildhundarnas yl.

När man några nätter senare slagit läger vid Dead Mans Lagoon hördes det gastkramande vrålet igen åtföljt av en ny rush bland oxarna och samma pilsnabba räddningsmanöver. Denna gång hann dock inte den indiske kocken undan utan trampades till en blodig massa. Minuterna innan paniken utbröt hade Sinjaub i vettskrämda ordalag berättat att han förföljdes av en ond ande. Hultman lät det

En boskapsrush. (Wolfgang Forsbergs samling)

vara osagt om det var anden eller indiern själv som framkallat de avgrundsvrål som två gånger jagade musten ur karlar och slaktoxar.

Gränsridare och andra i törstlandet

Kampen mot törsten tillhörde vardagen för de många invandrare som tog plats som kontrollanter av stängslen kring boskaps- och fårstationerna i det torra höglandet i Darling Downs utkanter. Gränsridarens jobb var mer påkostande i Queensland än i staterna söderut. Här var stationerna större och landskapet vildare och otillgängligare. En gränsridare kunde ha ett område av Östergötlands storlek att övervaka. Under sådana förhållanden var det omöjligt att bo på huvudstationen, utan han fick ha sitt högkvarter i ett litet plåtskjul hundratals kilometer från närmaste vita granne. För det mesta sov gränsridaren emellertid ute i bushen. Plåtkojan kunde han bara vistas i någon gång i månaden.

176

The boundary rider var en del av Queenslands soldränkta vildmark. Här red han med blicken riktad mot inhägnaderna medan vinden rasslade i det sträva spjutgräset och himlen välvde sig oföränderligt ljusblå över saltbuskvegetationen. Då och då steg han av hästen för att knyta ihop en remsa trasig taggtråd, gillra arsenikbeten för dingon eller bara kisa håglöst mot en eukalyptusdunge eller några betande jättekänguruer. När molnslöjan i väster färgades blodröd slog gränsridaren läger, gjorde upp eld och lagade mat. Föga bekymrade det honom att dammet och smutsen måste sitta kvar i ansiktet, eftersom vattnet liksom whiskyn endast räckte för invärtes bruk. Men vad gjorde väl det? Gränsridarens hud var garvad av sol och vind och den mådde bäst utan vatten. Så rullade han in sig i sin *swag* och dåsade bort från bushens enformighet. För trettio shilling i veckan utförde gränsridaren en syssla som ingen avundades honom. Hans anseende stod lågt, trots att stationens väl och ve i så hög grad berodde på honom. Arbetskamraterna tog nämligen för givet att en så utpräglad eremittyp hade ett skumt förflutet. Enstöringslivet passade den som ville komma bort från ett brott eller glömma en olycka, men det var också lämpligt för den som hade svårt att uttrycka sig begripligt och varken hade släkt eller vänner. Av sistnämnda anledning blev många invandrare från Norden gränsridare.

För den som färdades på Queenslands högslätter var det en trygghetskänsla att veta att där ute i soldiset vistades herdar och gränsridare. Red man vilse kanske de kunde hjälpa en ur nöden − om man nu hade turen att stöta på dem. Att komma ur kurs i bushen under den torra årstiden eller som uttrycket löd, ”to be bushed”, var i

Törstens offer begravs. (The Illustrated London News, 1862)

de flesta fall likvärdigt med en förfärlig död. Detta hände guldgrävaren Karl Sjögren som fyrtio år före sin olycka utvandrat från Karlskrona. Charlie Seagren, som han kallades, hade gått ut i bushen för att leta reda på några hästar och inte hörts av på tre dagar. I den räddningspatrull som skickades ut ingick Eric Hultman. Manskapet leddes av infödingen Lord Byron. Vid en uttorkad bäck upptäckte denna mänskliga spårhund märken efter den vilsegångne svensken och åtta kilometer nedströms vid samma *creek* vände stigfinnaren rakt upp i bergen.

Det var förstås omöjligt för Hultman och de andra blekansiktena att urskilja de spår aboriginen nosade sig till: "Några avbrutna, torra grässtrån här och där, eller någon mindre sten, som rubbats från sitt ursprungliga läge, var allt vad man hade att följa; men med framåtböjd kropp och ögonen skarpt fästa på marken ledde han färden – uppför och nedför backar och raviner och runt bergspikar – tills det mörknade och vi måste stanna för natten." På sjätte dagen efter Seagrens försvinnande fann man honom. Hästarna hade stannat till för en krokodilstor goanna som dök upp ur en sandgrop och försvann bakom ett titräd. På marken intill denna köttätande ödlas tillhåll avtecknade sig en gestalt. "Det är guldgrävaren Charles från Karlskrona som äntligen funnit vad han sökt. Huvudet hänger över kanten på gropen och de knutna händerna äro nedpressade till handleden i våt sand. Hjälpen har dock kommit för sent. Vi behöva ej Lord Byrons skarpa sinnen för att veta att mannen hade varit död i nära två dygn." Svensken hade varit ironiskt nära räddningen. Några meter därifrån fann räddningspatrullen rikligt med vatten. Man gjorde nu upp ett bål och brände liket som därmed räddades från goannor och dingos. I en metertjock eukalyptus ristade Hultman in landsmannens namn, hemort och dödsår. "Sen hämtade vi mera vatten och bryggde te."

John Lundhs vandring i dödsskuggans dal

Hultman avstod från att fantisera om de fasor Karl Sjögren genomlidit timmarna före sin död. Törstdöden var den stora skräcken i nybyggartidens Queensland. Ingen var okunnig om dess kvalfullhet och man visste att vem som helst kunde råka ut för den. Endast under regnperioderna slutade man tänka på följderna av att gå vilse i urskogen eller det väglösa höglandet.

Svensken John Lundh var nära att bli "bushed" under en färd i de gudsförgätna nejderna väster om Alpha. Lundh, som var bördig från jönköpingstrakten och ca tjugofem år 1891, red i sällskap med en äldre dansk kamrat. Männen hade lovats jobb på en utgård nära Barcaldine. Vattensäckarna var så gott som tomma och de hade letat sig ned i en flodfåra, där vatten borde finnas någonstans. Hästarna leddes i betslen under vandringen på den asfalthårda flodbottnen. Olika varianter av eukalyptus, akacior och mulgaträd lutade sig törstigt över flodfåran där lövverket rasslade som en dödssymfoni på små benknotor. Strändernas snåriga buskvegetation rev och skavde mot männens och hästarnas ben. Solen stod så gott som i zenit och det var minst fyrtio grader i skuggan. Landskapet låg tyst och öde, endast flugorna tycktes vara i verksamhet, men vandrarna orkade inte längre vifta bort dem utan lät dem motståndslöst krypa omkring i ögon och näsor. Lundh oroade sig för att han skulle råka ut för en rejäl attack av "sandy bligh", en otäck ögoninflammation som kunde leda till blindhet om den ej kurerades.

Nordmännen vandrade med läpparna hårt sammanpressade medan de sög på små stenar för att pressa fram saliven i den uttorkade munnen. Men de många råden mot törst verkar meningslösa när man känner hur tungan svullnar tills den tycks fylla hela munhålan. Tinningarna brände och pulsslagen ekade i öronen som stångjärnshamrar. Flimret för ögonen var tidvis så intensivt att Lundh trodde att det snöade. Visionen av fallande snö övergick i en lustfylld hägring. Var det inte en småländsk sjö med lövklädda stränder och små holmar som bredde ut sig där i sänkan mellan de orangefärgade grusåsarna? Men dansken såg endast en rosaskimrande saltslätt.

Mot kvällen upptäckte skandinaverna ett vattenhål just där en bäck förenade sig med floden. Vattnet hade varit stillastående i månader och det stank fruktansvärt. Runt omkring låg skeletten av djur som när hålet varit större gått ner sig i leran och inte orkat ta sig därifrån. Fortfarande låg några känguruer och ruttnade i vattenbrynet. Trots den vämjeliga anblicken var det svårt att motstå lusten att kasta sig ned på magen och börja dricka som ett oskäligt djur. Hästarna kunde inte hindras men själva uppträdde Lundh och dansken mer metodiskt. Vattensäckarna fylldes, de gjorde upp eld och började koka vattnet som dessförinnan silats genom en filt. På filten fastnade otaliga maggotas, vita maskar, antagligen sådana som tidigare kalasat på kadavren i vattenhålet. Också efter filtreringen luktade vattnet kloak men blandat med te svalkade det underbart i törstsvullna munnar.

Följande natt vaknade Lundh av ett jordbävningsliknande muller. Det kom från floden som i månskenet fått liv och förvandlats till en silverglittrande massa. Ett störtregn några hundra kilometer därifrån hade plötsligt fyllt ravinen med grötigt vatten som ryckte med sig allt i sin väg. Kamraterna skattade sig lyckliga att de inte följt utmattningens impuls och slagit läger intill vattenhålet. I så fall hade de som nyss undkommit törstdöden dränkts som två kaniner i ett gryt.

Under den fortsatta färden tog vattnet slut igen. Denna gång räddades Lundh och dansken av ett flaskträd med en väldig svulst på stammen. Ett par rejäla yxhugg och en gulbrun men fullt drickbar vätska började sippra fram ur trädstammen. Det tog åtskilliga timmar att fylla en vattensäck på detta för bushmannen välbekanta sätt. De hade gått förbi det räddande flaskträdet om inte Lundh kommit ihåg lärdomarna från en svart gränsridare han en gång slagit följe med. I en infödings sällskap kunde den som reste i Queensland känna sig trygg åtminstone för törstdöden. De svarta tycktes kunna vädra sig till vatten, de visste vilka klippor som dolde källsprång och vilka gropar som omslöt vattensamlingar. Men för infödingarna var vattentäkterna ofta heliga och de ville ogärna leda en vit man till platser där avlidnas andar höll till. Upptäcktsresanden Eric Mjöberg brukade under sina expeditioner i Nordterritoriet och Queensland få de svarta att avslöja vattensamlingarna genom att bjuda dem på salt kött som gjorde dem ordentligt törstiga.

Genom de många otäcka historierna om törstdöden i Queensland flaxar oftast

Rast under ett flaskträd. (C Lumholtz, Bland Menniskoätare)

dödens hantlangare, de blåsvarta kråkorna. Dessa asätare var alltid medvetna om dödens vägar. Kråkorna lockades till den döende vandraren långt innan han fallit omkull för att aldrig resa sig mer och de började hacka på honom medan blodet ännu pulserade i lemmarna. Hur omtöcknad den vilsne bushmannen med tom vattensäck och blödande läppar än var, kunde han uttyda kråkflockens avsikt och han darrade av fasa så snart han hörde fåglarnas kraxande.

Skräcken fyller musklerna med kraft och den vilsne fortsätter den meningslösa vandringen i cirklar som blir allt snävare. Under tiden ökar kråkornas närgångenhet, en del snuddar redan med vingarna vid mannens huvud och axlar. Den döende vet att fåglarnas näbbar är beredda att hugga in i hans kött och betvingar den törstandes lust att slänga av sig kläderna. När den stackars mannen slutgiltigt faller omkull, drar han *swagen* över huvudet och trycker ansikte och händer mot marken. Det sista han förnimmer är trycket från kråkor som landar på hans rygg. Men ansiktet är skyddat, ögonen ska de inte få hacka ut . . .

180

Giftiga kryp, bush-fire och cykloner

Bushlife, dvs arbete och liv i vildmarken, var en färdighet som det tog år att vinna. Den som pinat sig genom de första åren som invandrare, var ett slags övermänniska som kunde uthärda det mesta. Av den bleksiktige ynglingen från Sverige hade blivit en senig gestalt som satt fastnaglad i hästsadeln med det solgarvade ansiktet vänt mot äventyret. Flugor, ormar och småkryp kunde inte längre besvära honom, eftersom korkhatten tog hand om den värsta flugplågan och det hårt åtdragna känguruskinnet kring benen, "bowyang", hindrade myror och spindlar att krypa in i byxorna. Han hade levt tillräckligt länge i det ändlösa "Never-never-countryt" för att på sin höjd rynka pannan om han en morgon skulle vakna med en tusenfoting på filten. Inte heller skulle han råka i panik om han i mörkret satte handen på en luden spindel eller om han väcktes av en orms vindlingar uppför benet där han låg och dåsade intill lägerelden.

Den sanne bushmannen visste att sådana erfarenheter var en del av livet härute och att han förmodligen inte skulle bli biten om han höll sig lugn. Därför sov han för det mesta lika ostört ute i markerna som i barndomens bagarstuga. Men han höll sig alltid beredd, visste att olyckan en dag skulle vara framme och att armen då kanske skulle svullna upp av en tusenfotings bett eller att han skulle stiga barfota på en jätteskorpion. Därför var han noga med att *swagen* innehöll en liten medikamentpåse med desinfektionsmedel, kompresser och en skalpell. Den svenske bushmannen kom nogsamt ihåg den segdragna pinan efter tusenfotingens bett, hur han själv varje morgon med kniven måste tappa decilitervis med var ur vänsterarmen. Han glömde inte heller den bruna giftormen, som säkert skulle ha gjort slut på honom om inte mollskinnsbyxorna hindrat gifttänderna att tränga in i vaden. Värre hade det gått för Bertie. Han hade dött i förfärliga konvulsioner någon timme efter det den långa svarta ormen ringlat in i stenskrovlet vid *billabongen* (bäcken).

Ändå var Australiens giftiga kryp oskyldiga jämfört med "the bush-fire". Den otämjda elden var lika fruktad i skogarna som ute på de böljande gräshaven. I en terräng som var fnösktorr tio månader på året kunde en brand på några minuter utveckla sig till ett inferno som svartbrände milsvida skogar och grässlätter. Oftast var det blixten som gav den tändande gnistan. Himlen täcktes plötsligt av blåsvarta moln och åskknallarna började eka ihåligt mot bergen. Plötsligt lystes landskapet upp av ett blåvitt sken, följt av en knall som kom marken att darra. Ett eukalyptus-träd avtecknade sig som ett självlysande benrangel mot horisonten strax innan blixten splittrade stammen och kom grenverket att explodera i eldsflammor. Gum-miträdets eldfängda sav fungerade som krutdurk och kastade meterhöga lågor mot angränsande träd. "The bush-fire" hade börjat och åt sig nu fram i vindriktningen med en hastighet som ingen människa kunde undkomma. Inte ens med den snabbaste häst under sig kunde man rädda sig. Bushmannen visste dock hur man med intelligens överlistar eldstormen. "Är man stadd på vandring och överraskas av en präriebrand och det faller sig omöjligt att undkomma över någon flod", skrev Eric Hultman i *Svarta diamanter*, "räddar man sig lättast genom att själv antända gräset åt läsidan och med lövruskor förhindra eldens spridning mot vinden, där man själv

Bush-fire. (The Illustrated London News, 1853)

står. På den sålunda avbrända marken kan man därpå invänta eller undfly den annalkande faran." Att vänta är i detta fall värt besväret: "ehuru man blir varm och sotig och halvkvävd av rök, undgår man det större obehaget — att bli levande bränd".

En vandring genom marker där elden nyss gått fram är en skrämmande upplevelse. Allt liv tycks förintat och vandraren ser svartbrända träd och förkolnade djurkroppar vart han än blickar. "Färdas man över avbrända marker förefaller det underbart att man förut kunnat undgå att bli ormbiten", noterade Hultman, "ihjälbrända reptiler synas lite varstans." Ändå pulserar livet under förintelsens yta. Insekter och maskar bereder jorden, frön sprängs av groddarna och plantor börjar skjuta upp. Skogselden är rent av en förutsättning för många växters utveckling från frö till skott och den tänder därmed miljontals livslågor. Det livsodugliga har rensats undan och om några veckor är askan täckt med en färgsprakande blomstermatta. Likt Fågel Fenix återuppstår landskapet ur elden, starkare och skönare än någonsin. Det som händer efter skogsbranden är det största av alla under i Australien.

Med jämna mellanrum härjades Queensland av tropiska cykloner. Alla svenskar som vistats i det exotiska landet har mer eller mindre skrämmande minnen från luftvirvlarnas framfart. Den herde som klarade hjorden genom en cyklon hade,

182

ansågs det, avlagt det slutgiltiga mandomsprovet. När Eric Hultman hälsade på Göteborgs-Jim vid Percy River, mitt inne i guldgrävardistriktet på Yorkhalvön, råkade de ut för ett av dessa himmelska dråpslag just som de tömt några flaskor porter. Det hela inleddes med öronbedövande muller som kom svenskarna att tappa glasen och springa ut ur tältet. Hultman berättar i *Vildar mer eller mindre*: "Vad vi sågo var lika hemskt som storartat. Ur en kolsvart molnvägg, som hastigt nalkades söderifrån, sköto oräkneliga blixtar, somliga röda, andra blå, tills firmamentet formligen liknade ett eldhav. Medan vi ännu betraktade fenomenet mörknade det och dånet av cyklonens framfart kom närmare och närmare. Det var icke blott vindens tjut och åskans oupphörliga mullrande, utan braket av miltals fallande skog, som under dessa väntans minuter ljödo i våra öron. Nu kom en vindpust! Så åter en, något starkare, så ett par öronbedövande åskknallar och så bröt det lös! Instinktivt höggo vi tag i tältet för att hålla det kvar, men lika gärna kunde vi ha blåst på det för att hjälpa stormen! Tältet flög sin väg för att på egen hand uppsöka nordpolen. Samtidigt började regnet ösa ned, och det hade väl gått an, om icke en hagelskur även hade hjälpt till att mörbulta oss; icke små, nätta, runda hagel, utan ispiggar och trianglar och stjärnor och alla möjliga fantastiska figurer av is kommo neddansande, och om ovädret icke gått över lika fort som det kommit, fruktar jag, att vi tagit allvarlig skada. Ungefär fyra minuter rasade cyklonen, några minuter senare upphörde regnet och solen lyste fram."

Skogsarbetare och rallare

Eftersom förutsättningarna var så annorlunda blev också de arbeten invandraren kände till hemifrån ovana och riskabla i Queensland. Även för den svenske utvandraren typiska jobb som skogsarbete och järnvägsbyggande gav totalt nya erfarenheter i "landet upp och ned". Vi vet inte mycket om Queenslands svenska skogsarbetare och rallare. Eftersom skogen och järnvägarna behövde ungkarlar i armstyrkans bästa år kan vi utgå från att hundratals svenskar lät händerna gripa om yxan eller släggan. Sannolikt gapade de alla lika förbluffat när de första gången gav sig i envig med en jätteeukalyptus och kände yxan studsa mot det stenhårda virket. "Stora jack gick ur yxans egg och sågarna blevo slöa på några minuter", berättade en gammal man som varit skogsarbetare några år i ungdomen. "Utan förmannens kunskaper och sammanhållningen i arbetslaget skulle man inte ha tjänat många shillings i början", tillade han. "Men sedan kom de ångdrivna sågarna och spelen som drogo ned träden med enorma kedjor och då var det som vilket arbete som helst."

En företagsam skogshuggare kunde ta ut en licens som gav honom rätt att på egen hand avverka i kronoskogarna och leverera virket till sågverken med hygglig förtjänst. Detta var idealiskt för den som inte ägde någonting utöver arbetsviljan. Han blev sin egen, kunde rentav anställa några medhjälpare och snabbt tjäna ihop en imponerande slant, förutsatt att ryggen höll och avståndet till virkesuppköparen inte var för långt. Skogsbruket, som börjat i kustområdet kring Moreton Bay, spred sig

Eric Blomqvist framför en timmerstock och hans skogshuggarlag ca 1920

Järnvägsbro i timmerdistriktet (Eric Blomqvists fotoalbum, hos Anne-Marie Lekander, Växjö)

mot norr och väster allteftersom odlingsgränsen avancerade. Eftersom de hårda australiska träslagen ofta ansågs vara ett hinder för jordbruket menade mången nybyggare att alla träd runt farmen borde huggas ned och ersättas med europeiska lövträd. Detta gav upphov till många arbetstillfällen för skogskarlar, men också en omfattande skogsskövling som myndigheterna snart fick ögonen på.

Den verkliga storskogen utbredde sig utefter kusten och på Yorkhalvön, där Hultman anade att kolossala förmögenheter låg och väntade på sågverkspatronerna: "Jättelika cedrar, kauris samt, kanske det största av Australiens alla trädsorter, det väldiga fikonträdet, vars stam ofta mäter fyrtio fot i genomskärning, stå sida vid sida med hundratals andra arter, mer eller mindre kända såsom Bunya Bunya, Kwondong, Muskot och Bönträdet. En svårgenomtränglig mur bilda dessa träd, då de vanligtvis äro konstnärligt sammanflätade med lianer och vinrankor ... Ovantill bilda trädens kronor ett för solstrålarna ogenomträngligt valv, under vilket mångfärgade papegojor, och otaliga andra fåglar bidraga till att giva liv och fägring åt scenen." I dessa väldiga urskogar började yxhuggen eka allteftersom guldgrävare, mineraloger och timmerhandlare lade under sig Queenslands tropiker.

Järnvägarna var livsviktiga i ett land av Queenslands utsträckning. Tack vare dem kunde vete och majs odlas långt inne i landet, samtidigt som ullbalar och kött kunde fraktas från stationerna vid randen av halvöknarna i väster. Utan järnvägarna hade fraktkostnaderna blivit för höga och odlingsgränsen hade stannat vid Darling Downs. Järnvägarna var i sanning civilisationens främsta vapen mot avståndens tyranni. Järnvägsbyggandet förde svenska rallare till trakter som endast kände den svarte mannens stigar. De lade ut slipers och räls över savanner där termitstackarna höjde sig över den flacka omgivningen som raukar. Tjäran ångade från brännheta syllar medan rallarna slog in rälsnaglarna i dem. De hackade och skyfflade sig genom öknar, regnskogar och böljande odlingsbygder med gyllenbruna vetefält, de drog med sina kärror och tält in i det vilda bergslandet, där dynamitsalvorna snart började eka. Rallarna sprängde milslånga tunnlar, byggde broar över regntidens fradgande floder och pålade sig ned i mangroveträsken i norr. Hela Queensland var arbetsplatsen för dessa avståndens besegrare som var med under några år tills de kände att kroppen började svikta.

Svenska odlare av sockerrör, ananas och kaffe

En och annan rallare som torparsonen Magni Håkansson, född 1876 i Urshult i Småland, blev arbetsledare. Håkansson, som utvandrat vid sekelskiftet och försörjt sig på olika jobb i Melbourne, Sydney och Brisbane innan han givit sig ut på Queenslands landsbygd, etablerade sig som kontraktör för ett järnvägsbygge vid Innisfail på Yorkhalvöns östkust. Detta innebar att Håkansson själv anställde ett lag rallare som han avlönade och lejde ut till statsjärnvägarna. Den påhittige smålänningen hade naturligtvis inte så litet besvär med att leta upp folk som gjorde rätt för sig. Detta var viktigt för då kunde han ta bra betalt för sin styrka och därmed få god avans i fickan.

Pengarna investerades i land. Håkansson började med en majsfarm, men eftersom Innisfail låg i sockerrörsbältet beslöt han sig för att anlägga en plantage i bushen utanför samhället Mourilyan. Våren 1911 berättade han i ett brev till sin syster att han ägde 158 tunnland bördig jord och sysselsatte upp till tjugo karlar som arbetade på ackord. Det gick så bra att han önskade att någon av de hemmavarande kunde komma ut till honom. "Vad jag anker på (ångrar) är att jag icke reste härin många år tidigare. Australien är en paradise", skrev sockerrörsodlaren. När Håkanssons anläggningar den tionde februari 1918 drabbades av en cyklon, hade han hunnit bli en av traktens ledande sockerrörsodlare med ägor som ansågs värda minst 50 000 pund. Eftersom han var ungkarl levde han på enklast möjliga sätt och gjorde inte av med pengar i onödan. När Håkansson i mars 1928 dog i en hjärtattack, lämnade han efter sig en stor förmögenhet i fast egendom men inga arvingar i Australien. Brorsönerna Gösta och Roland Håkansson i Karlstad reste då till Mourilyan för att reda upp affärerna, men fann att tillgångarna var mycket svåra att realisera. Ville de njuta av farbror Magnis förmögenhet måste de stanna i Queensland, vilket föreföll allt annat än lockande under de svåra åren på tjugotalets slut.

De dagböcker brorsönerna förde under besöket på Magni Håkanssons gård i slutet av 1920-talet ger en lång rad intryck från sockerrörsodlarens miljö. Sockerrör

Magni Håkansson och t h en kanak som skördar Håkanssons sockerrör.
(Tandläkare Sören Håkansson, Stockholm)

kräver riklig nederbörd och stället låg därför i en av Queenslands regnrikaste trakter. Markerna ångade av kväljande fuktighet och svetten rann av kroppen antingen man arbetade eller låg stilla. Landskapet hade ett slags giftig skönhet med skarpa färger. Växtligheten var skrämmande i sin väldiga frodighet. De vidsträckta sockerrörsfälten låg som en böljande matta mellan gården och de violetta bergen i fjärran. Mellan fält som mognade till skörd sträckte sig långa trädor ned mot mangroveskogen kring South Johnstone River. Den var rik på krokodiler och dit hade Håkansson kastats av cyklonen 1918, dock utan att odjuren reagerade. Över landskapet vilade den söt-ruttna doften av melass.

Pojkarna Håkansson förundrade sig över de primitiva förhållanden farbrodern levt under. Köket var ett eländigt skjul under ett stycke korrugerad plåt och i vardagsrummet fanns inte mycket mer än en fallfärdig säng. Att myror och kackerlackor frodades i stugan berodde inte så mycket på bristande hygien som omöjligheten att hålla kryp borta från bostäderna i tropikerna. Gossarna från Karlstad fylldes av nordbons avsky för tropikernas krälande och fladdrande djurliv. Med en rysning betraktade de krokodilerna kring flodstränderna eller de nästan lika stora goannaödlorna som kilade omkring i mangrovesnåren på jakt efter fågelägg. Nej, Magni Håkanssons Bonanza var ingenting för de värmländska brorsönerna!

När bröderna Håkansson med hjälp av farbroderns vän och medhjälpare tysken Max Thieme rekonstruerade den avlidnes förflutna som sockerrörsodlare, häpnade de över den hårda tillvaro Magni Håkansson måste ha haft. Han hade börjat lika tomhänt som de flesta andra småbrukare som anlade en sockerplantage i bushen. Först hade Håkansson huggit ned och bränt urskogen. Marken hade därpå hackats upp och sticklingar från sönderhuggna sockerrör hade myllats ned i fotsdjupa hål. Omedelbart därpå började evighetsarbetet med att hålla undan ogräset. Nästan ett och ett halvt år hade han fått vänta innan den första skörden var mogen, men sedan kunde tre nya skördar i rask följd tas upp ur fältet.

Skördandet var ett väldigt styrkeprov för armar och rygg. Första momentet bestod i att man skulle böja sig ned och gripa tag i ett knippe rör. Sedan skulle man slå till med den platta, armslånga kniven och fånga upp de avhuggna rören. Sista arbetsmomentet var att hugga av bladen och lägga rören i högar. Denna procedur upprepades timme efter timme medan bin, getingar och andra stingande flygfän svärmade kring ansiktet och allsköns giftig ohyra krälade runt fötterna. När skörden var inhöstad brändes fältet, varpå det bara var att vänta på att nya skott skulle skjuta upp ur rotsystemet under askan. Inte ens under begynnelseåret kunde Håkansson klara av allt detta ensam. Han lejde kanaker från söderhavsöarna och vita sockerrörsarbetare, varav en och annan landsman. Sockerrören fraktades till ett närbeläget bruk, där de genomgick den omständliga behandling som resulterade i gulfärgat råsocker och melass. Den slutliga raffineringen skedde i de stora sockerbruken i Brisbane eller Melbourne.

Skåningen Peder Feldt var en annan svensk som försökte sig på sockerrörsodling i Queensland. 1878 hade han kommit till Moreton Bay med det kända utvandrarskeppet Friedeburg. Feldt fortsatte omgående till landets tropiska nord och hamnade i trakten kring Herbert River, väster om Innisfail, där han anlade en sockerrörs-

Max Thieme flankerad av bröderna Håkansson den 15 februari 1929. (Tandläkare Sören Håkansson, Stockholm)

plantage och blev så framgångsrik att han kunde sända efter ungdomskärleken Augusta Blixt. Efter 37 år i sockerrörsdistriktet sålde Feldt 1915 och flyttade tillbaka till Brisbane. Här avled han 86 år gammal vid årsskiftet 1939/1940.

Svenskar arbetade med det tacksamma sockerröret också i den "skandinaviska" bygden kring Hervey Bay. Så nära Stenbockens vändkrets var jordmån och klimat idealiska för sockerröret. I kustområdet mellan Brisbane och Rockhampton försökte man sig också på ananasodlingar. Ananasen var en givmild växt som varken krävde penninginvesteringar eller stort arbete och därför lämpade sig bra för nybörjaren. Under en resa till Rockhampton besökte geografen Gunnar Andersson småbönder som odlade ananas, några mil utanför staden. Ananasväxten befanns vara en halvmeterhög ört med breda gräsblad i bukettform och med den kottliknande frukten i mitten. Några större hortokulturella kunskaper krävdes inte av odlaren, eftersom hans växter förökade sig av egen kraft med sidoskott. Hundarbetet bestod i att hålla undan ogräs, gödsla, plocka frukten och paketera den i trälådor. De ananasbönder Andersson besökte, klarade sig mycket bra på sina små jordlotter.

Svenskar försökte sig också på att odla apelsiner, äpplen och kaffe, men ingen Nobelius slog sig ned i Queenslands för fruktodling idealiska kustremsa. De svenska fruktodlarna höll sig på en blygsammare skala och kombinerade i allmänhet fruktodlandet med traditionellt jordbruk. Den ende svenske kaffeodlare vi känner till var Ragnar Söderholm som sökte sig upp till Daintree River innanför Port Douglas på Yorkhalvöns östkust. Här grundade Söderholm vid seklets början Woondoo Coffee Plantation.

Guldrusherna i Queensland

Som redan nämnts var det upptäckten av guld kring Fitzroyfloden vid Stenbockens vändkrets som startade den första större invandringen av fria män till Queensland. 1859 års tiotusenhövdade rush till guldgrävarstaden Canoona blev emellertid en kortlivad företeelse och redan efter något år återvände argonauterna från vad som har beskrivits som guldgrävarhistoriens största fiasko i Australien. Vi kan ta för givet att svenskar var med på de kustbåtar som 1858 och följande år fraktade guldgrävarna från Melbourne och Sydney till Rockhampton.

Queenslands skamfilade anseende bland guldgrävarna förbättrades radikalt hösten 1867 då de sensationella nyheterna om guldfynden vid Mary River i bergslandet söder om Maryborough kom i svang. Gympiefältet var som en gåva från ovan, eftersom kolonin befann sig i svår ekonomisk kris och behövde draghjälp upp ur eländet. Den guldrush som inleddes 1867 fortgick med obetydliga svackor 1800-talet ut. 1903 gav t ex Gympiefältet större vinster än någonsin. Upptäckterna av nya guldfält kom slag i slag under sjuttiotalet. 1872 inmutades de guldbemängda kvartsbergen kring Charters Towers och Ravenswood i det tropiska bergslandet sydöst om Townsville och följande år lockades guldsökarna till Palmer och Hodgkinsonfälten innanför Cooktown respektive Cairns på Yorkhalvön. Dessa guldfält kring Palmer

River och andra krokodilvimlande floder hade sin glansperiod vid sjuttiotalets mitt. Samtidigt upptäcktes guld i regnskogarna kring Coenfloden, ännu högre upp på Yorkhalvön, men då var guldgrävarna så långt inne i tropikerna att de lika gärna kunde fortsätta över Torres sund till malmletarparadiset Nya Guinea.

1883 kulminerade de alltmer befängda ryktena om Queenslands klippbeslagna rikedomar med nyheten om Mount Morgan, sydost om Rockhampton. Detta guds-förgätna bergsskrovel som man trott endast innehöll järnmalm, visade sig nämligen ruva på otroligt rika guldådror som kunde frigöras med dynamit, stenkrossar och kvicksilver. Under nittiotalet var Mount Morgan Australiens rikaste guldfält och dess till synes outsinliga guldådror fortsatte att ge enorma vinster till långt in på 1900-talet. De fåtaliga aktieägarna i Mount Morgan Gold Mining Company steg från småhandlarnivå till Kung Midas jämlikar. Den ledande aktiägaren William Knox D'Arcy gladde under många år londonsocieteten med furstliga tillställningar och riskerade samtidigt sitt queensländska guld på att leta olja i Persien. När Mount Morgan äntligen började visa tecken på utsinlighet upptäcktes kopparmalm och berget utvecklades till en av Australiens största koppargruvor.

Omkring 1880 hade en 1 600 kilometer lång kedja av guldfält uppdagats i Queenslands kustberg. Denna gyllene ryggrad som sträckte sig från macchian i söder till de tropiska regnskogarna i norr innehöll lika mycket guld och andra ädla metaller som det klassiska guldgrävarlandet kring Bathurst och Ballarat. Men Queenslands guld var svåråtkomligare. Guldbäckarna var betydligt snålare på lättvaskad guldsand och den gyllene metallen låg inkapslad i kvartsklippor som måste bearbetas med gruvteknik. Till detta kom ett för den vite guldgrävaren mycket svåruthärdligt klimat. Av sådana anledningar lockades de tåliga kineserna till Queenslands guldfält och 1875 lär 20 000 sådana ha arbetat i regnskogarna kring Palmer River.

Guldfälten förvandlade Queenslands sömniga kuststäder, vilkas borgmästare bör-jade drömma om att bli jämnbördiga med kollegerna i 1850-talets Melbourne och Sydney. Varje guldfält hade sin utskeppningshamn som inte bara tog emot den gyllene skörden från bergen utan också försåg guldgrävarna med verktyg och förnödenheter. Mount Morgan hade således sin navelsträng till civilisationen anslu-ten till Rockhampton. Charters Towers hade affärsförbindelserna centrerade till Townsville och Palmerfältet nåddes lättast över Cooktown. Några av guldgrävarstä-derna blev rika och mäktiga i kraft av guldbolagens storlek och guldgrävarnas antal. 1886 var t ex Charters Towers med sina 9 000 invånare Queenslands andra och hela landets femte stad i storlek och 1889 bodde 4 000 personer intill Mount Morgan.

Australiens nya eldorado lockade inte bara till sig folk direkt från Europa utan också tusentals av de diggers som tidigare misslyckats i Victoria och New South Wales. Kustångarna fylldes med oförbränneligt optimistiska argonauter som efter veckolånga resor stretade upp i bergen med allt sitt bohag på ryggen. Denna outsinliga ström av guldgrävare påminde inte så litet om de manliga migrationer som samtidigt pågick utefter Nordamerikas kust från Kalifornien till British Colum-bia och vid seklets slut till Klondike. Karlarna på de överfyllda guldgrävarbåtarna uppträdde och var klädda på samma sätt antingen målet var Queenslands tropiska berg eller Yukons frusna guldbäckar. Förväntningarna var också desamma och det fantastiska äventyret upplöstes på likartat sätt. I nio fall av tio återvände guldgrävaren lika utblottad som han varit när guldsökandet inleddes. På bägge sidor Stilla havet fick nämligen gruvbolagen hand om utvecklingen. Deras pengar och teknologi var nödvändiga för att besegra tjälen över Klondikes guldgrus eller stenen kring Queenslands guldådror.

Många diggers av gamla stammen hann dock få glitter i pannan innan inmutningarna köptes upp av bolagen. I Queensland som i andra guldgrävardistrikt var den ensamme prospekteraren guldrushens stigfinnare. Utan mannen med *swagen*, hackan och vaskpannan skulle musten ha gått ur guldrusherna och inga nya fält upptäckts. Ingen person i Queenslands historia är värd så mycken heder som den skäggige guldgrävaren i halmhatten med moskitfloret, den uppslitsade, alltid genomsvettiga jackan och de flottiga mollskinnsbyxorna. Det var hans knäande steg som ledde utvecklingen till tennfälten kring Herberton, koppar-, silver- och blygruvorna i Chillagoe och Mount Elliot nära Cloncurry eller det sagolikt rika gruvparadiset Mount Isa. Omedvetet höll han i slagrutan åt framtidens gruvbolag och deras redskap metallingenjören och gruvarbetaren. Många diggers som slungat förbannelser över guldbäckar som var rikare på krokodiler än guldsand leddes av oturen eller slumpen till metallfyndigheter som de just då fnyste åt. Hur skulle guldgrävaren kunna ana att Queenslands metallurgiska framtid inte låg i guld utan i koppar, opaler, diamanter, silver, bly, bauxit, zink, titan, kol och olja?

Svenska guldgrävare i tropikerna

Enligt Jens Lyng fanns skandinaver på alla större guldfält i Queensland, och de var med från början. I Charters Towers blev de tillräckligt många för att som trettio år tidigare i Ballarat ge underlag åt en sällskapsförening. Många av de svenskar som kom över med emigrationsvågen 1871—1886 tycks ha fortsatt till Mount Morgan och guldfälten på Yorkhalvön. Kring Palmerfloden ingick det i guldgrävarlivets vardag att höra svenskar rådbråka engelskan. Historien känner dock inga "Lucky Swedes" i Queenslands tropiker. Sannolikt fanns det betydligt fler olyckliga svenskar som drabbades av malaria och återvände till civilisationen som gråbleka skuggor av sina forna jag. Många kom inte så långt att de kunde återbördas till det normala livet — de jordades och glömdes i den fuktångande myllan kring Palmer River eller någon annan segflytande flod. För anförvanterna i gamla landet hade emigranten "försvunnit i Australien", men föräldrarna gav inte upp hoppet om att han levde och syskonen drömde om allt det guld australienfararen måste ha hunnit gräva fram.

De flesta som grävde guld på Palmer- och Hodgkinsonfälten kom i beröring med den svarte urinnevånaren och fick därmed erfara hur föraktet för aboriginen vek undan för respekt och beundran — se där människor som hade lärt sig att vända en ogästvänlig natur till sin förmån och som dessutom var vänliga och fridsamma!

Korrobboridans. (Fra Australien. Reiseskizzer af Bob, 1862)

Ibland stöter man på berättelser om hur en svensk blivit hjälpt av vildarna när han gått vilse i bushen eller hur han fått äta sig mätt på maskar och andra läckerheter i deras samlarkorgar. Vid ett tillfälle smög sig en guldgrävare från Västra Torsås i Småland på infödingarna när de utförde den strängt hemliga ritualdansen Korobbori. Timme efter timme låg han där i snåren och såg männen och kvinnorna dansa kring eldarna. Om han upptäckts hade straffet blivit döden.

Upptäcktsresanden Conrad Fristedt, som 1890 studerade Yorkhalvöns urbefolkning, inviterades att äta middag med infödingarna. Då stammens kvinnor återvände med sina samlarkorgar fick också Fristedt sälla sig till de hungriga männen som högg in på det krälande bytet. Huvudrätten bestod av ett slags ljusgula fingertjocka larver, som plockats ur rutten ved. Larverna lades levande på den heta askan för att gräddas under en kort stund: "I början föreföll det mig minst sagt motbjudande att stoppa ett dylikt till det yttre oaptitligt kryp i munnen, men denna motvilja för dem försvann snart, då jag fann att de voro verkliga läckerheter, med en smak, som påminde både om ägg och nötkärna. De svarta uppåto dem helt och hållet, med undantag av de hårda hornartade käkarna, själv kasserade jag dessutom skinnet." Under vistelsen hos infödingarna försökte Fristedt också baka "larvdamper", dvs ett

Infödingskvinna med samlarkorg. (C Lumholtz, Bland Menniskoätare)

slags tjock pannkaka med hackade larver men han fann resultatet så osmakligt att han övergav experimenterandet i urbefolkningens kokkonst.

Det hade varit förvånande om Eric Hultman, denne det hisnande äventyrets och snabbfotade ordets gunstling, inte grävt guld i Queenslands tropiker. När Hultman 1888 kämpade sig fram genom morasen på väg till Mulgraveflodens källor var det emellertid inte så mycket för vaskpannans skull som för att skriva om ett nyupptäckt guldfält för tidningen *The Coolindah Champion..* Efter framkomsten till det fuktdrypande guldfältet greps svensken av vaskandets tjusning och beslöt sig för att ignorera varningar som: "Unge man! Här öser vattnet ned oavbrutet i nio månader på året, därefter inträder den ordinarie regntiden." Enda fördelen med detta "torra kontinentens" fuktdrypande hörn var att moskiterna regnade bort, men tomrummet efter dem hade intagits av andra plågoandar som blodiglar och ormar.

Nämn de svårigheter som inte en *digger* trotsar! Guldgrävarna hade byggt sig hyddor av ormbunkar och palmblad, där de efter bästa förmåga försökte trösta sig med svarta *gins*, dvs infödingskvinnor. "Det var eftermiddag, då jag kom dit, och mitt första bestyr var att bygga en säng", berättar Hultman och fortsätter: "Fyra gaffeländade pålar slogs ned i marken, eller träsket, ty gyttjan räckte oss över fotknölarna. Sedan lades käppar tvärs över, därpå lövruskor, ur vilka jag först skakat vattnet och iglarna och så var nattlägret färdigt. Över detta improviserade jag ett slags tak eller paraply av palmkvistar och så flyttade jag in i mitt nya hem före mörkrets inbrott." Redan första natten höll den huttrande guldgrävaren på att få en ovälkommen sängkamrat. Hultman väcktes av ett prasslande ljud som han lokaliserade till lövverket ovanför ansiktet. Det var en livsfarlig svart orm som höll på att reda sitt nattläger på sängtaket! Men Hultman var med i svängarna och reptilsnabbt kastade han sig huvudstupa ner från sängen. Det blev platt fall i den skvimpande gyttjan med ty återföljande oväsen som hade det goda med sig att ormen blev skrämd och ringlade iväg.

En av de få omtalade svenskarna på guldfälten i norra Queensland var Johan Petterson från Göteborg, som kallades Göteborgs-Jim svenska guldgrävare emellan. Den krokodilrika Peterson River djupt inne i den tropiska bushen hade uppkallats efter den spritdoftande svensken. Han ägde en bit av ett kvartsrev vid Sunbeam nära Percy River, där han levde bland infödingar som var hans vänner, trots att de var kannibaler. Göteborgs-Jim hade varit gift med en kanakkvinna och hans svarthyllta dotter var inkvarterad hos infödingarna. Denne märklige svensk var när Hultman träffade honom omkring 1888 mer naturvarelse än guldgrävare. För länge sedan hade han slutat hoppas på att gruvschaktet i urskogen skulle ge annat utbyte än svett och muskelvärk och han hade inriktat tillvaron därefter. Fick Jim sitt te, en tallrik stuvad kängurusvans, en rykande damper och en fullstoppad pipa efteråt önskade han sig inte mycket mer av livet.

Eric Hultman stötte på sin landsman flera gånger under sina resor kors och tvärs över Yorkhalvön och han fick bit för bit av Göteborgs-Jims liv serverat för sig. "Då vi efter dagens arbete njöto av våra pipor och passadvindarnas svalkande fläktar", kunde Jim berätta om barndomsåren i Majorna i Göteborg, där han föddes 1862 som son till en obotlig alkoholist och en fiskförsäljerska. Fjorton år fyllda hade Göteborgs-Jim gått till sjöss och efter 1877, då han sista gången står antecknad i registret för Göteborgs sjömanshus, hörde de anhöriga inte av honom mer.

Efter många äventyrsfyllda år som skeppsgosse och sjöman landsteg han i Sydney, prövade på allsköns diversearbeten men hann också med en period som söndagsskollärare för infödingsbarn i Bathurst och fyra år på Söderhavsöarna, där han gifte sig. Nu hade han vistats flera år i Queenslands guldgrävardistrikt och gjort sig känd som virtuos på dragspel och angenäm sällskapsbroder så länge whiskyn fanns inom räckhåll. Man vill gärna tro att ångaren "James Peterson" som än idag kan ses i Maryboroughs hamn har uppkallats efter Göteborgs-Jim.

Carl Rick var en annan till sin bakgrund okänd svensk guldgrävare som Hultman gästade i norra Queensland. Han hade sina inmutningar vid Barronfloden som mynnar vid staden Cairns vid de väldiga Barron Falls. Rick var ägare av en egendom med tolv meter djup matjord och en areal som Gamla stan i Stockholm. Den odlade marken var enligt Hultman inte större än Operakällarens matsal, medan resten av gården täcktes av ogenomtränglig djungel. På sin lilla täppa odlade Carl Rick pumpor och höll tre höns och en tam goanna som han dresserat att inte äta upp äggen. En svart kvinna stod för hushållet, men hon var inte mer civiliserad

194

än att hon flydde in i bushen när Hultman kom på visit. Bostaden visade sig bestå av ett enda rum med hängmatta, golvfast bord, en träbock och några känguruskinn.

Vi får inget veta om Ricks förflutna, men Hultman berättar att han "endast hade sin dåtida brist på hull och sin svarta tjänarinnas vaksamhet att tacka för att en svartglänsande kannibal icke blev hans minnesvård och sista vilorum". Nu hade vildarna istället kastat sig över grannen Hobson, som de anrättat och ätit upp. Hultman, Rick och de andra vita i grannskapet samlades till gravöl bestående av whisky, kokt pumpa och kalkon. "Det var en dyster och primitiv begravning", mindes Hultman, "men en storslagnare tavla, än omgivningarna företedde, kunde man ej föreställa sig . . . några steg från oss vräkte sig Barrons väldiga vattenmassor sjuhundra fot lodrätt ned för klipporna, och dånet från detta koloniernas största vattenfall ekade milsvitt genom urskogens halvmörker."

När Hultman reste till Palmerfältet och landade i Cooktown träffade han på rospiggen Charlie Wilson, förmodligen Karl Olsson från Väddö. Denne hade hackat ihop en förmögenhet ur ett kvartsrev vid Coen River och investerat pengarna i Court House Hotel. Också Charlie Wilson var begiven på sprit och spel: "Han förtärde dagligen en helbutelj jamaicarom, utan att detta på minsta sätt tycktes menligt inverka på hans hälsa. Sin mesta tid tillbragte han i biljardrummet, ty han var stadens skickligaste spelare."

Egerströms sista dagar

Sitt intressantaste sammanträffande med en landsman gjorde Hultman 1888 tre kilometer utanför staden Thornborough, väster om Cairns. Här residerade guldfältens i särklass mest kände svensk. Vi har tidigare lärt känna Carl Axel Egerström som både guldgrävare i Victoria och boskapsherde i New South Wales och vi skildes från honom när han hösten 1857 stod i begrepp att återvända till hemlandet från Sydney. Nu var denne rastlöse man sedan decennier tillbaka i antipoden och bosatt i Queenslands tropiska guldgrävardistrikt. Egerströms sverigevistelse blev inte längre än det år som behövdes för att sammanställa dagboksanteckningarna till boken *Borta är bra men hemma är bäst* och i juni 1859 lämnade han hemstaden Söderköping och Sverige för gott. Egerström hade fångats av tidens vurm för Fijiöarna, där han slog sig ned som affärsman och plantageägare i kaffe och bomull. Här är inte platsen att redogöra för den spännande utveckling som denne äventyrets gunstling fick uppleva på den sägenomspunna ögruppen i Söderhavet. Må det vara tillräckligt att nämna att han fick säte i Fijis första parlament och ett tag kommenderade försvarskåren i huvudstaden Suva. Egerström gifte sig dessutom med en engelska som skänkte honom en son.

Sedan hustrun omkommit vid ett skeppsbrott 1873 bröt Egerström upp från Fiji och begav sig, åtföljd av sonen, till Nya Guinea där han etablerade sig som gruvman. Något år senare kom han till Australien och tjänstgjorde under tre år som platschef för en stenkolsgruva utanför Sydney. Men ryktet om guldfyndigheterna

Carl Axel Egerström. (Nornan, 1905)

långt uppe i norr väckte liv i den gamle *fortyninern* och 1877 hade han etablerat sig på Hodgkinsonfältet, där han inregistrerade "The Egerstrom Line of Reef" nära Thornborough.

Livets hårdaste slag drabbade Egerström när den 20-årige sonen avled i malaria och från den stunden sordinerades den forna rastlösheten av luttrad livsvisdom. Han framstod alltmer som en profetisk gestalt mitt i det larmande och självförtäran- de lycksökarlivet. Men det var inte bara för att få ett vist ord på vägen som guldgrävarna sökte sig till Egerström. Den gamle *fortyninern* hade nämligen rykte om sig att vara en ovanligt skicklig gruvman. Egerström hann dessutom med att engagera sig i kommunala sammanhang. "Ingen, som jag känt under min vistelse i Australien, har varit så allmänt aktad och älskad av sina medmänniskor som han", skriver Hultman och anslår för en gångs skull en allvarlig ton. "Även vildarna hyste vördnad för den gamle mannen och betraktade hans lilla trädgård som fridlyst område."

Egerström njöt sitt otium på en liten gård vid foten av de berg där han hade sin gruvanläggning. På en sluttning hade han grävt ut terrasser och anlagt en trädgård, vars blomsterprakt gav passande inramning åt en vis mans meditationer. Från en brunn i berget tog han vattnet till de fruktträd och sällsynta blommor som fyllde terrasserna. Här fick Hultman äta sig mätt på saftiga sydfrukter, medan han

196

bläddrade i halvårsgamla stockholmstidningar. I ett klipputsprång strax utanför trädgårdsmuren hade Egerström sprängt in sin egen grav. Gravstenen utgjordes av ett stort dioritblock som än så länge användes som soffa.

Sitt enda dagliga sällskap hade den gamle argonauten i en skotsk hund som följde varje steg han tog. Denne man, som efter ett rastlöst liv följt Voltaires råd och dragit sig undan för att odla sin trädgård, bekymrade sig in i det sista för hunden och växterna. När Egerström låg för döden och vännerna ville flytta honom till sjukhuset vägrade han i det längsta. "Vad skall det då bli av min stackars hund och mina blommor kommer att dö", viskade han. Först sedan man lovat att hunden skulle få följa med var han beredd att åka till sjukhuset. Egerströms fyrbenta vän gick närmast kistan när begravningståget nalkades klippgraven med det nu bortvältrade dioritblocket.

Om den i hemlandet år 1900 helt bortglömde världsmedborgaren skrev ortstidningen i Cairns: "Carl Axel Egerström var en man med hög bildning och intelligens, en manlig, oberoende ande. Han dog med staten såsom gäldenär för olönta tjänster vid grundläggandet av vår blomstrande gruvindustri och livliga hamn." Vackrare nekrolog har ingen svensk i Australien fått.

En svenskamerikansk guldgrävare

Också svenskamerikaner lockades till guldet i Queenslands regnskogar. En sådan hackade och skyfflade grus på Palmerfältet 1877. Han kallades Flyspeck-Carlson eller flugskit-Carlson, därför att han brukade besvara frågan om hur mycket guld han funnit med ett "jag har bara lyckats få ihop litet flugskit". I själva verket var svenskamerikanen framgångsrik och hade minst 200 skålpund guldsand nedgrävda under lergolvet i palmhyddan. I den berättelse tidningen Norden 1936 (22/8) publicerade om Carlson framstår denne som den typiske svenskamerikanen, sävlig, godtrogen och lite religiös.

Godtrogenheten ledde till att en skojare lyckades nästla sig in som Carlsons *mate*. Medhjälparen var naturligtvis ute efter guldet under golvet och tog chansen den dag svenskamerikanen drabbats av ett sällsynt svårt malariaanfall. Foster, som skurken hette, lastade guldsäckarna på en av Carlsons hästar och satte av genom bushen i riktning Smithfield. Han hade emellertid inte räknat med svenskamerikanens trogne hund, en vildsint korsning mellan schäfer och dingo som endast lydde sin herre. Vid ett tillfälle hade Foster sparkat hunden medvetslös och nu följde den efter för att ta hämnd för sin och husbondens räkning.

Tjuven var inte van att rida i obanad terräng, och det förfärliga motstånd bushen kring Palmer Gold Field erbjöd blev honom övermäktigt. Foster red fast i snåren, men hans öde blev varken att slitas i stycken av en vildsvinsgalt eller strypas av en pytonorm utan det var Flyspeck-Carlsons trogne hund som gjorde slut på Foster med sina fradgande käftar. När de massakrerade resterna återfanns var det svårt att förstå att de tillhört en människa. I snåren intill morrade hunden. Den låg på

Guldgrävarläger utanför Cooktown. (T Knös, Lifvet i Australien)

guldpåsarna och vägrade att flytta sig förrän man sänt efter ägaren. Då gav hunden ifrån sig ett gällt gnäll och hoppade fram för att slicka Flyspeck-Carlsons händer.

Borgmästare Sjögren i Cooktown

Åtminstone en svensk i Queensland lyckades förverkliga alla moment av Drömmen om Australien och bli både välsituerad och beklädd med ämbeten. Hans namn var Per Erik Sjögren eller Seagren och han tjänstgjorde som ålderman, shire councillor (landstingsman) och slutligen borgmästare i staden Cooktown under sammanlagt ett kvarts sekel. Enligt skeppslistorna i Hamburg reste Sjögren den femtonde december 1870 med tyska skeppet Gutenberg till Brisbane. Han var då 25 år och stod antecknad som hemmahörande i Köpenhamn, vilket naturligtvis inte ger någon ledtråd till hans rötter i Sverige. I själva verket härstammade han från Sala. Det verkar troligt att Palmer-rushen lockade Sjögren till dessa guldfälts hamnstad som också var den plats där James Cooks fartyg nödlandat den 17 juni 1770 och där Daniel Solander gjort sina observationer av känguruer och termitstackar.

I vad mån Sjögren 104 år senare ägnat sig åt guldletning vet vi ej, men det står klart att han snabbt gjorde sig känd som en skicklig snickare och byggmästare. Hans gedigna svenska hantverkskunnande räckte till för både möbler och husbyggen, varav några märks än i dag i den viktorianska bebyggelse som är Cooktowns stolthet. Per Sjögren drev också en farm vid stranden av Endeavourfloden, uppkallad efter Cooks fartyg. Allmänt känd blev han under sina två borgmästarperioder 1898—1901 och 1905—1908. Som borgmästare fick svensken stort inflytande över Queenslands största hamnstad i norr. Cooktown var inte bara en avnämnare för guldet från Palmer-fälten. Hit fraktades andra malmer, trävaror och dessutom råsocker från den omgivande landsbygden. Handeln med sandelträ från söderhavsöarna var också lukrativ. Cooktown var hemmahamn för en fiskeflotta som fångade fisk, ostron och trepanger i de grönskimrande vattnen kring Stora barriärrevet. Många svenskar deltog under årens lopp i detta tropiska fiske medan andra var sjömän eller hamnarbetare.

Per Sjögren och hans engelska hustru Rosetta grundade en stor familj som fram till 1904 inkluderade Pers mor Greta. Hon levde tills hon blev 95 och vande sig sannolikt aldrig vid tillvaron i Queenslands tropiker. Dottern, som var uppkallad efter modern och farmodern, blev en känd lärarinna i staden. Äldste sonen Endeavour lär ha varit det första vita gossebarn som föddes i Cooktown.

I DEN
GYLLENE VÄSTERN

Väster om 140:e longituden eller bortom Victoria, New South Wales och Queensland härskar en av jordens mest oinskränkta vildmarker. Den röda ökrenregionen söder om Stenbockens vändkrets och de grön-grå monsunområdena norr därom är väldiga nog att rymma större delen av Europa. I detta ofattbart stora inland vilar Australiens "döda hjärta", som geografiskt kan preciseras till ökenområdena kring Alice Springs. Ayers Rock, världens största monolit som urbefolkningen håller helig och kallar Uluru, skulle kunna anses som kontinentens centralpunkt. Den sedan tidens början vindpolerade klippan kurar likt en petrifierad jättesköldpadda på den australiska tallrikens eroderade botten. Fast man inte kan se det från toppen på den 335 meter höga monoliten sluttar kontinenten sakta in mot sin geografiska medelpunkt. Det är som om den australiske jätten skulle ta spjärn mot de avlägsna kustbergen för att pressa sig ned i glömskans ökenhav, där tystnaden stämt möte med vinden, solen och tidlösheten.

Från flygplanet ter sig området som planeten Mars enligt bilderna från Vikingrymdkapseln. Så långt bort blicken når från flygplansfönstret på 12 000 meters höjd välver sig enorma högplatåer genombrutna av skrovliga bergskedjor och ringlande flodraviner. Men det är slätter utan sädesfält, berg utan skogar och floder utan vatten. Också sjöblänket i fjärran vittnar mer om död än om liv, eftersom det kommer från förtorkade saltsjöar. Odefinierbar buskvegetation fyller några dalar med en färgton av ärgat silver. I övrigt brunt i rött och rött i brunt i alla tänkbara nyanser. Inga spår av vägar, inga solreflexer från silos eller boskapsstationernas plåttak. Inget liv, ingen rörelse sånär som ett dammoln från en fjärran sandstorm. Allt verkar stöpt i urtidens fossila formar. Det är en överväldigande ödslighet som en av världens mest orörda vildmarker demonstrerar för det transkontinentala flygplanets sömniga passagerare. Medan jag sitter där med frukostbrickan i knäet kommer jag att tänka på den franske geograf vilken för över hundra år sedan beskrev Australien som ett fragment från en annan planet.

Detta väldiga inland fanns inte på de kartor som ritades över Nya Holland. Vad som låg innanför de kustlinjer holländarna utforskade från Timorhavet i norr till Stora australiska bukten i söder var öppet för gissningar. Den vanligaste, som levde till in på 1800-talet, var att ett innanhav uppfyllde Australiens inre. Floderna rann ju inåt landet, så varför inte? Men en rad djärva inlandsexpeditioner avslöjade att kontinentens inre var täckt av berg, grus och sand. Detta fyllde knappast forskningsresandena med entusiasm och man kan förstå varför de östliga kusttrakterna drog till sig de första kolonisterna. Under tiden föll holländarnas upptäckter i glömska.

Det var främst strategiska intressen, bl a föranledda av fransmännens aktiviteter kring Australiens södra och västra kuster, som fick engelsmännen att 1826 anlägga hamnstaden Albany vid King George Sound på kontinentens sydvästligaste halvö. Fram till sekelskiftet var Albany den viktigaste hamnen i Västaustralien med utskeppning av vete, timmer, frukt och andra varor från det rika upplandet. 1827 seglade kapten James Stirling in i Svanfloden och bedårades av den bördiga dalen kring nutidens Perth. Hans hänförda rapport om ett land som jämfördes med Lombardiet ledde till Thomas Peels koloniseringsförsök med 400 emigranter av medel- och överklassbakgrund. Som vi minns var det till "den nya kolonien vid Svanfloden i Nya Holland" den första kända svenska autralienfararen avseglade hösten 1830. Under de kommande decennierna förde bosättningen kring nutidens Perth en tynande tillvaro tills regeringen 1850 började sända straffångar till Västaustralien. Den första guvernören James Stirlings dröm om blomstrande jordbruk i Västaustralien förverkligades inte. Så sent som 1891 låg endast 25 000 hektar under plogen, men sedan ett homesteadprogram antagits två år senare utvecklades jordbruket snabbare så att 80 000 hektar var odlat land vid sekelskiftet. Liksom i Sydaustralien koncentrerades produktionen på vete.

Strax efter Thomas Peels misslyckade koloniseringsförsök grundades en annan utopisk koloni på stränder man tidigare endast uppfattat som en linje att inräkna i navigeringen. Tanken var att locka fria emigranter att bosätta sig på slätterna kring nutidens Adelaide i Sydaustralien, där man planerade en halvprivat jordbrukskoloni under den ekonomiska liberalismens baner. Av sådana anledningar ville kolonigrundarna inte veta av straffångar utan inbjöd välsituerade jordbrukare och energiskt arbetsfolk. De senare skulle attraheras med hjälp av Wakefields idé om fria resor som subventionerades genom försäljning av kronland till ett fixerat pris. Ett privat sydaustraliskt landkompani med 320 000 pund i fonder var ansvarigt för koloniseringen, medan den världsliga makten som i de andra kolonierna skulle utövas av en i London utsedd guvernör och en koloniförsamling. Denna blandning av idealism och realpolitik lockade till sig de första invandrarna 1836, då femton fartyg anlände till kolonin.

Också i Sydaustralien rämnade idealen inför verklighetens påfrestningar. Det wakefieldska systemet ledde till landpriser som endast de kapitalstarka orkade med. Den penningsvage invandrarens dröm om egen jord grusades och kolonisterna delades upp i ett burget mindretal, som spekulerade i jord, och den stora massan av fattiga löntagare. Därmed stagnerade jordbruket redan i starten och befolkningen koncentrerades till den enda egentliga staden Adelaide.

Också i Sydaustralien stod den europeiske bonden handfallen inför jordbrukets totalt annorlunda villkor. För att få fart på ekonomin fick man därför börja kalla in frigivna straffångar och andra erfarna bushmän. Landpriserna började sakta bli överkomliga för vanliga invandrare. Idén om att kolonin skulle förvaltas gemensamt av landbolaget och kronans representanter fick också läggas åt sidan så att Sydaustralien erhöll samma status som de andra kolonierna.

När drömmen om en liberal koloni i Wakefields anda fördunstat och makten centraliserats under en maktfullkomlig guvernör kunde utvecklingen till Australiens kornbod inledas omkring 1845. Slätterna kring St Vincent- och Spencervikarna var idealiska för veteodling och 1850 framstod Sydaustralien som landets stora sädesmagasin, en ställning som hölls till in på 1870-talet när järnvägarna nådde vetefälten kring Murrayfloden. Veteproduktionen i Sydaustralien gynnades av att odlingarna låg nära havet. "Avståndets tyranni" var från början besegrat och de kapitalstarka jordbrukarna kunde inrikta sig på storproduktion och export.

Tidiga svenska kontakter

1850 fanns 66 000 kolonister i Sydaustralien. De flesta var engelsmän, men en betydande immigration av tyskar inleddes under 1840-talet. De var till stor del förföljda lutheraner som hoppades på den andliga friheten i Sydaustralien och de kom att bilda Australiens största icke-brittiska koloni med sin mest kända enklav i Barossadalens vindistrikt.

En och annan svensk befann sig ombord på de tyska emigrantskeppen. Den tidigare nämnde kopparslagargesällen Håkan Linderson från Kristianstad reste sannolikt med ett fartyg från Hamburg när han i sällskap med landsmannen A Hultgren omkring 1844 anlände till Sydaustralien. Ändå tidigare kom den gåtfulle "utvandrare vid namn Thomsson från Kristianopel" som enligt en notis i Blekinge läns tidning den 10 augusti 1882 varit bosatt i Adelaide mellan 1837 och 1882. Enligt tidningen hade han som 74-åring återvänt till födelsebygden "med fortfarande goda krafter och god hälsa". Medan Linderson blev en framstående affärsman får vi ingenting veta om Thomssons sysselsättning. Enligt tidningsreferatet hade han haft det arbetsamt i Adelaide och svårigheterna hade tidvis varit så stora "att om han på förhand tänkt sig dessa hade han aldrig utvandrat". Thomssons namn har inte kunnat identifieras i Kristianopels kyrkoböcker. Sannolikt blev hans utvandring aldrig registrerad och namnet kan ha tagits i Australien.

Adelaide och Perth, dessa två platser som ligger lika åtskilda som London och Moskva, blev utgångspunkter för erövrandet av den australiska västern. Koloniseringen följde kusterna, där en kedja av hamnar anlades och där livslinan till Melbourne och Sydney förankrades. I hamnarna landsteg stigfinnarna, äventyrarna och de vanliga invandrarna och här etablerades den första arbetsmarknaden väster

Den legendariske skeppsredaren Gustaf Erikson (1872—1947) som ledde världens största segeldrivna högsjöflotta. (Ålands Sjöfartsmuseum, Mariehamn)

L'Avenir av Mariehamn, ett av Eriksons stolta fartyg. (Ålands Sjöfartsmuseum, Mariehamn)

om Victoria. Hamnstäderna länkade också samman Syd- och Västaustralien med Europa och Sverige. Som vi sett angjordes Adelaide i mars 1842 av Liljevalchs brigantin Bull, vilket blev inledningen till en segeltrafik med svenska trävaror på utresan och australiskt vete på hemresan. Vetetraden kulminerade i sen tid med ålänningen Gustaf Eriksons klipperskepp som på 1920- och 1930-talen erbjöd en lika imponerande som alldaglig anblick på Spencervikens redd eller i Port Adelaide.

Virkesexporten från de magnifika pelarskogarna av jarrah- och karriträd i Västaustraliens sydvästligaste hörn drog till sig fartyg från hela världen. Fram till 1905 var Bunbury områdets livligaste timmerhamn. Skandinaviska skepp var vanliga i Bunbury och då kung Oscars födelsedag firades av svenskarna och norrmännen lär hela staden ha varit på fötter. När fartygen seglade ut från hamnen var de så nedtyngda av det blytunga virket att vågorna slog in över däcket. Mer än en iakttagare undrade om de norska och svenska båtarna skulle nå fram till Sydamerika med sin last av "hardwood". Swanflodkolonins stora hamnstad Fremantle var en viktig importhamn för svenska trävaror och industriprodukter, vilket ledde till att staden vid den azurblå oceanen blev ett begrepp för hundratals svenska sjömän. Egentligen var inte någon av hamnarna runt Australiens syd- och västkuster okända för svenskar. Deras exotiska namn förekom ofta i de historier gamla sjöbjörnar berättade för landkrabborna därhemma.

Sjömän som simmade iland

Ofta kryddades historierna från Syd- och Västaustraliens hajrika kuster av skrönor passande ett okänt land, men andra sjömän kunde berätta mer initierat, eftersom de utforskat vad som dolde sig innanför den låga strandlinjen vid horisonten. I allmänhet hade de då följt maneret från Melbourne och Sydney och rymt från skeppet. Med undantag för guldrushernas 1850-tal torde de svenska skeppsrymlingarnas antal i Port Adelaide och Fremantle relativt sett ha varit större än någon annanstans i Australien. På unga mäns sätt drömde skeppsdesertörerna om lättförtjänta pengar och romantiska eskapader, men arbetsmarknaden var minst sagt ensidig och kvinnobristen skriande. Få sjömän tänkte på att bli farmare, inte minst därför att en förrymd *sailor* saknade kapital. Ryktena om guldfyndigheterna inne i landet lockade desto mer, men i den mån rymlingen rotade sig och blev medborgare inriktade han sig på mindre konjunkturkänsliga sysselsättningar som dessutom låg bra till för en sjöman. Han blev stuvare i hamnen, tog hyra på båtar i kusttrafik eller etablerade sig i något hantverk. Kanske blev han gruvarbetare i Broken Hill eller arbetade på järnvägen mellan denna stad och malmhamnen Port Pirie. Ibland blev sjömannen fåraherde, som författaren Harry Martinsons far Martin, som vistades i Australien några år under 1880-talets slut. I de flesta fall blev den svenske skeppsrymlingen dock stadsbo, ofta i den stad där han simmat iland.

Av sådana anledningar var svenska ett ofta hört språk på Syd- och Västaustraliens kajer. På kustbåtarna var det inte ovanligt att en stor del av besättningen, skepparen inräknad, var nordbor. 1891 lär var fjärde av Sydaustraliens sjömän ha varit svenskar eller norrmän och i Port Adelaide fanns då en svensk sjömanskoloni som förmodligen var den största i Australien. "Talar man med en skandinav finner man att han nästan alltid har varit sjöman och har lämnat sitt skepp för att pröva lyckan här", skrev tidningen Nordens korrespondent i Fremantle den sjätte oktober 1900. Enligt följande års folkräkning var 161 av Västaustraliens 754 svenskfödda skrivna i den stora hamnstaden.

I "fjärran västern" tycks det ha varit särskilt lätt att få synderna förlåtna om de bestod i att man rymt från ett fartyg. Före 1890-talets stora guldrusher var invandrare hett eftertraktade och om de, som många svenska sjömän, hade teoretiska och praktiska kunskaper vände även myndigheterna bort blicken för ett olagligt invandringssätt. Fartygens skeppare såg naturligtvis på deserteringarna med betydligt större allvar. När en oceanseglare angjort kaj fick officerare och båtsmän gå på som vakter och kaptenen såg till att de var beväpnade med knölpåkar och bössor. Var han förutseende tog han dessutom kontakt med hamnpolisen och fick löfte om hjälp vid uppspårandet av eventuella rymlingar. Helst ville skepparen ankra ute på redden och då se till att alla småbåtar var ordentligt låsta.

I Spencerviken var det vanligt att lossning och lastning skedde med hjälp av pråmar och mindre ångbåtar som pendlade mellan fartyget och hamnen. Ändå kunde befälet inte känna sig säkert på att besättningen skulle hålla sig lugn. Uppfinningsrikedomen var ändlös hos sjömän som slagit sig i sinnet att rymma. Man kröp in i säckar och lårar och lät sig vinschas över bland styckegodset till den australiska båten eller man gled ned i vattnet och hängde fast vid en repstump när pråmarna om kvällen bogserades iland. Om skeppsdesertören var god simmare kunde det hända att han en mörk natt dök ned i Spencervikens kalla vatten och riskerade att drunkna eller bli uppäten av hajar under en kilometerlång simtur mot land. Var skeppet ankrat utom simavstånd från land brukade flera rymlingar slå sig ihop och bygga en farkost av bräder och skeppskistor, som de sedan försökte paddla iland under natten. Sjökaptenen Eric Åberg från Skanör har i sina memoarer berättat om de spännande rymningsförsök han var med om när han som ung besättningsman ''på vetetraden'' vid seklets början anlände till Sydaustralien med fyrmastade engelska barken Howard O Troop.

Svårigheterna att rymma skildras ingående av grosshandlarsonen Carl Erik Rahm från Gävle, som 1876 eller 1877 deserterade från ett svenskt fartyg i Port Adelaide. Så fort befälet upptäckt rymningen i morgonväkten kontaktades polisen. Denna hade vanan inne att jaga sjömän och nitet sporrades av det pris kaptenen satt på den 20-årige ynglingens huvud. Därför hjälpte det inte att Rahm noga följde skeppsrymningskatekesens första bud att hålla sig dold på dagen och förflytta sig om natten. Rätt vad det var omringades han av beriden polis och fick sedan finna sig i

Huvudgörat på en båt illustrerades på detta sätt av P W Bergelin. (P W Bergelins dagbok)

en korrekt men kompromisslös behandling. Vid återbördandet till fartyget sattes Rahm under minutiös bevakning, samtidigt som han kommenderades till sjömanslivets tråkigaste arbeten. En framtid fylld av straffkommenderingar och dessutom skräcken för sjösjukan, som i stackars Rahms fall var kronisk, fick honom att rymma igen. Denna gång lyckades han, vilket ledde till den årslånga australienvistelse han så levande berättat om i *Minnen från Australien*. 1882, två år efter bokens publicerande, avled Rahm endast 24 år gammal.

Också när flykten lyckades hängde hotet från myndigheterna länge över den förrymde sjömannens huvud. Så länge fartyget låg kvar höll han sig på behörigt avstånd från hamnkvarteren, eftersom polisens energi var avhängig av skepparens svordomar och belöningar. Men när seglen satts kunde han börja visa sig mer öppet, även om han alltid fick vara beredd på snabba reträtter. Vad rymlingen fruktade mest av allt var att ställas öga mot öga med en nitisk poliskonstapel. Var denne frågvis kunde det stå sjömannen dyrt, i all synnerhet om han inte kunde engelska eller väckte misstänksamhet med sin brytning. Det gällde därför att göra sig osynlig och framför allt inte hamna i en situation där en myndighetsperson frågade efter identitetshandlingar. Utan hjälp av landsmän och arbetsgivare, som var måna om billiga arbetare, skulle skeppsrymlingen obönhörligt åkt fast. Nu lyckades han förvånansvärt ofta skaffa sig ny identitet, i många fall under antaget namn, vilket gör det extra svårt att forska efter förrymda sjömän.

En svenskaustralisk Forsytesaga

En av de hundratals svenska sjömän som genomförde en lyckad rymning i Sydaustralien var skollärarsonen Axel Hugo Wahlqvist, född 1871 i Hällaryd i Blekinge. I övre tonåren hade han lämnat arbetet som snickarlärling och 1891 tog han hyra på en australienfarare. Trävarorna var lossade och man höll på att avsluta ilastningen av vetesäckarna när Hugo en stjärnklar natt gled ned i Spencerviken utanför Port Pirie. Våt och huttrande kröp han en kvart senare in bland hamnmagasinen, där han fick värma sig vid en eld som några *sundowners*, dvs luffare, gjort upp. I gryningen tog han sig in i staden och gömde sig på ett hotellrum.

När fartyget seglat vågade sig Wahlqvist fram för att börja söka arbete. Kunskaperna från snickeriet därhemma kom väl till pass och han behövde sällan gå arbetslös. Arbetsgivarna visste att svensken "saknade papper" men det var en tyst överenskommelse att de skulle hålla poliserna på avstånd. År fogades till år och Wahlqvist hade nästan glömt att han tagit sig in i landet på illegalt sätt. Ung som han var lärde han sig språket fort, anammade australiska maner och ansökte slutligen om medborgarskap. 1898 hamnade han hos tyske snickarmästaren Kaesehagen i Adelaide. Wahlqvist blev som son i huset och det togs snart för givet att han skulle gifta sig med mästers dotter Freda. Med giftermålet 1900 grundades en släkt som skulle kunna kallas en svenskaustralisk Forsytefamilj.

Makarna fick sex barn som kom att nå respekterade ställningar inom affärsliv,

Axel Hugo Wahlqvists fästmö Freda.

teknik och kultur. Ståndscirkulationen uppåt har fortsatts av barnbarnen, där bl a Marc Wahlqvist är professor i näringslära vid ett universitet i Melbourne och Eric Gilbert Wahlqvist driver en vingård i New South Wales, sannolikt världens enda där vinflaskornas etiketter är försedda med ett svenskt namn. Professor Marc Wahlqvist blev intresserad av sina släktrötter under studieåret 1970–1971 i Uppsala. Sedan dess står han i kontakt med Emigrantinstitutet och har gjort mycket för att stärka släktingarnas medvetenhet om deras svenska bakgrund.

Västaustralisk guldfeber

I Sydaustralien, som var förhållandevis fattigt på ädla metaller och därmed guldrusher, attraherades sjömännen av den expansiva arbetsmarknaden i och kring sjöstäderna. Tillsammans med landsmän som flyttat in från Victoria och New South Wales tog de också plats inom jordbruket, som järnvägsbyggare eller blev industriarbetare, t ex vid de stora smältverken i Port Pirie. Andra började i stil med Ernst

Hjalmar Fromén som jordbruksarbetare och reste sedan vidare till gruvstaden Broken Hill, 480 kilometer in i landet, där de blev gruvarbetare eller etablerade sig inom servicenäringarna. Många gick som nämnts i australisk sjötrafik. En och annan svensk blev fiskare och kämpade med haj och annat havets storvilt i strömmarna kring Kangaroo Island.

I Västaustralien uppenbarades däremot på nytt guldets makt över sjömännens drömmar. Det som på 1850-talet inträffat i Melbourne och Sydney upprepades fyrtio år senare, om ock i blygsammare skala, i Fremantle och Geraldton. Under det gyllene nittiotalet var inte så få av de unga guldgrävarna ilandgångna sjömän som sett dagens första ljus i Sverige. Vi känner inte antalet på de svenskar som rymde med de guldklingande namnen Murchison och Kalgoorlie på sina läppar men de torde kunna räknas i hundratal.

I Västaustralien hakade den ena rushen tag i den andra som länkarna i en nuggetkedja och spred sig samtidigt från norr till söder och ut i öknarna mot öster. När hysterin året 1896 kulminerade kring ökenstäderna Coolgardie och Kalgoorlie tycktes landet i yttersta västern vara lika rikt på guldgruvor som saltbuskar. Detta resulterade i att Västaustraliens folkmängd under 1890-talet växte från 48 000 till 180 000 och att Sydaustralien utsattes för en folkminskning som också märks i uppgifterna om skandinaver (se sidan 269). Medan endast 21 svenskfödda var skrivna i Västaustralien 1881 räknade folkgruppen ca 750 individer både 1901 och 1911. Svenskarna var utan jämförelse den största skandinaviska gruppen i Västaustralien och tycks också ha varit det i Sydaustralien, där 653 svenskfödda var registrerade 1911. Trots sin obetydlighet markerar de svenska siffrorna för 1911 det största antal svenskfödda som någonsin inräknats i Syd- och Västaustralien.

Västaustralien skapades av guldrusherna på samma sätt som Victoria fyra decennier tidigare. Det var inte bara så att guldet drog till sig män med energi och uppfinningsrikedom och att platser som tidigare endast existerat som namn i lantmäterihandlingar nu fylldes med febrigt liv. Guldet drev fram den slutgiltiga kartläggningen av vildmarken. Hamnar, landsvägar, järnvägar och telefonledningar byggdes i guldets namn. Prospekterarna lät ingen del av det enorma landet ligga bortglömd. Guldpungarna förblev ofta tomma, men de kartor och observationer argonauten lämnade efter sig var betydelsefullare än allt guld i Kalgoorlie. Här antecknades nämligen de geologiska och metallurgiska observationer som skulle leda till framtidens upptäckter av järn, bly, zink, koppar, nickel och alla andra industriellt användbara metaller som i vår tid utvecklat Västaustralien till världens kanske rikaste malmområde. Utan guldrusherna vore det svårt att föreställa sig nutidens fenomenala malmproduktion, som förskjutit Australiens ekonomiska tyngdpunkt till Indiska oceanens stränder.

Västaustraliens jättekliv från stenålder till datoriserad metallålder började när lantmätaren Alexander Forrest och en geolog 1879 utforskade den tropiska Kimberleyplatån i nordligaste Västaustralien. Trots att landet var bland det torraste och hetaste man kan finna, siade Forrest om att det en gång skulle erbjuda beten för miljontals får. Han fastställde också att det fanns ädla metaller under de väldiga grässluttningarna, men tvivlade på att arbete och fraktkostnader skulle uppvägas av guldfynden i denna formidabla avkrok. Ändå började argonauter dra till Kimberley. Sex år senare upptäcktes guld i större mängder kring floderna Ord och Fitzroy och den första stora guldrusningen initierades. Det visade sig nu att Forrest haft rätt i sina bedömningar och att färden till guldfälten kostade mer än vad flertalet *diggers* lyckades gräva fram. Trots detta reste tusentals män med kustbåtar runt kontinenten till Kimberleys värmedallrande bush. Detta tropiska guldfält låg så långt borta, att det från Sydney räknat var likgiltigt om man följde kusten norrut runt Queensland och Nordterritoriet för att landstiga i Cambridgeviken eller seglade utmed syd- och västkusterna och landade i Derby vid King Sound.

En av de tidigaste guldgrävarna i Kimberley var skåningen Olof Olsson, som vi strax återkommer till. En annan var Johan Söderlund från Sundsvall som tillsammans med fem andra skandinaver grävde vid Fitzroy River 1886. Kamraterna omkom i bushen när de skulle skaffa proviant, medan Söderlund tog sig tillbaka till civilisationen utmed floden. Han bröt därefter upp från Kimberley och försvann i det okända. Hustrun och de två barn han lämnat efter sig i Victoria hörde aldrig av mannen som kan ha fortsatt till Klondike.

De omkring 2 000 män som hösten 1886 letade efter guld i Kimberleyområdet mötte ett flugsvärmande helvete med dysenteri och klimatfebrar som tvingade dem att gräva gravar lika ofta som gruvschakt. När det dessutom visade sig vara så gott som omöjligt att skaffa mat och vatten för en lång vistelse i urskogarna vände guldgrävarna snart ryggen åt Kimberley. Trots att detta exotiska namn smakade så elakt på läpparna fick det historisk betydelse som den första av de många guldrusher, som förde den vite mannens kultur in i Västaustralien. Halvtannat decennium efter de första fynden i Kimberley hade malmletare sökt igenom det enorma kustområdet mellan Timorhavet i norr och Stora australiska bukten i söder. Aldrig tillförne har en så stor gruvregion erövrats så snabbt och sällan har guldgrävarna så länge välsignats med glitter i pannan.

År 1888 riktades uppmärksamheten mot Pilbara-regionen, fågelvägen ungefär 1 000 kilometer sydväst om Kimberley och strax norr om vändkretsen. I november det året hade man hittat en nästan fyra kilos guldnugget vid Pilbara Creek och det ryktades om guldfyndigheter utan ände kring Coongan, Marble Bar, Robber's Gully och andra bäckraviner som ingen förut hört talas om. Guldgrävarna seglade till Cossack mellan Dampier och Port Hedland och tog sig in på de solbakade högplatåerna. Över tusen man spred sig i alla väderstreck över fårbeteslandet vid foten av Hamersleybergen, där de svängde hackorna i världens sommarhetaste trakter. Vid Marble Bar och Nullagine kunde luften dallra av 40–50-gradig hetta under 160 på varandra följande dagar. Men den australiske guldgrävaren visste att det enda bad som bestods honom var svettbadet. De flesta inhöstade inte så mycket mer än jobb, törst och insektsbett på Pilbaras högslätter. När de efter något år med en förbannelse gick ombord på båtarna i Cossack anade inte många att en ny rush skulle komma sjuttio år senare men då försmå guldet för att riktas mot världens rikaste järnmalmsfyndigheter kring Mount Tom Price, Mount Newman och Mount Goldsworthy.

1891, året efter det Västaustralien fått självstyre, jäktade guldgrävarna mot ett nytt eldorado ca 1 000 kilometer söder om Pilbara. Målet för den nya rushen var de guldådror en J F Connelly funnit under fårbetesmarkerna kring Murchisonfloden och som kom att bli ett av Australiens rikaste guldfält. Man tog sig dit med fartyg till kopparstaden Geraldton och fortsatte sedan under någon vecka genom ett tomt och vindpinat högland. I jämförelse med de tropiska fyndorterna i norr ansågs guldfälten kring Murchisonfloden och Nannine ligga centralt. Klimatet var dessutom mer uthärdligt och provianten billigare. Rushen till Nannine och Mount Magnet blev därför tusenhövdad, trots att man snart fick veta att ytguldet var sparsamt och att *diggern* måste hacka och spränga sig ned på djupet om arbetet skulle ge resultat.

Guld i öknen och depression i världen

De som drog sig för sådana strapatser kunde slå sig på guldgrävning i Yilgarn utanför huvudstaden Perth. 1888 började dessutom ett lämmeltåg av *diggers* marschera ut i öknen till Southern Cross, 400 kilometer öster om Perth. Här tog man upp väldiga förmögenheter och styrktes i tron att Västaustralien vilade på en bädd av guld. De mest sensationella fynden gjordes 1892 sedan Arthur Bayley och William Ford stött på en halvpunds guldnugget i Coolgardie. Denna gudsförgätna ökentrakt förvandlades därmed till ett sjudande samhälle och blev utgångspunkt för guldletningsexpeditioner i alla väderstreck. Ingen öken har upplevt något liknande. Guldgrävarna svärmade ut över trakten som gräshoppor och sporrades av bestämmelsen att den som kartlade en fyndighet hade rätt till en väl tilltagen upptäckarclaim. På detta sätt upptäcktes Västaustraliens mest storartade guldfält Kalgoorlie av tre lyckliga irländare den sjunde juni 1893.

Öknen blommade av industriellt liv, genomkorsades av stigar för åsnor och kameler och översållades av de fantasieggande namnen på tidens bästa inmutningar som Bulong, Kanowna, Black Flag, Broad Arrow eller Niagara, med namn efter ett vattenfall som bildades om det mot förmodan skulle börja regna. Det mest affektionsladdade namnet var Menzies som uppkallats efter en kamelryttare som en dag i oktober 1894 klättrat ned från kamelen och slagit klackarna i en hög nuggets värda 750 000 pund. Ännu en rush hade börjat.

1890-talets guldrusning till Coolgardie och Kalgoorlie präglades om möjligt av större optimism och tro på bottenlösa fyndigheter än victoriarushen fyrtio år tidigare. Hysterin i Västaustraliens öken utspelade sig nämligen mot bakgrunden av en ekonomisk världskris som kulminerade samtidigt som Kalgoorlie och Menzies upptäcktes. När industrihjulen stannade i Sydney och Melbourne blommade västerns öknar av guld. Om något var detta en demonstration av Västaustraliens möjligheter! De som ville fly arbetslösheten i öster reste därför till guldstäderna i öken eller till Perth. Därmed erhöll fyndområdet kring Kalgoorlie ett tiotusenhövdat tillskott av på guldgrävning och ökenstrapatser totalt oförberedda män. De kom från hela världen, dessa kontorister, affärsmän, akademiker och arbetare som svettades i sina stadsmunderingar och var beredda att betala vad som helst för ett glas vatten.

Liksom i Ballarat gjorde sig guldfältens servicepersonal förmögenheter på nykomlingarna. Det mesta kunde säljas med hundratals procent i vinst. Av naturliga skäl koncentrerades stor uppfinningsrikedom på olika sätt att tillhandahålla svalka och lisa för *diggerns* evige följeslagare, törsten. Iskarlar, bryggare och frukthandlare skördade mer guld än guldgrävarna i öknen. Särskilt lukrativ var handeln med vatten. Enskilda bolag satte upp väldiga järnbehållare som pumpades fulla med saltvatten, varpå de upphettades tills sötvatten kondenserades för att i avkylt tillstånd tappas på flaskor och krukor. Överallt på guldfälten såg man sådana vattenverk med sina karakteristiska tankar, salthögar och skorstenar. Vatten var också en viktig ingrediens i gruvbolagens avtal med sina anställda. En vanlig överenskommelse var att gruvarbetaren skulle ha rätt till åtta liter vatten före och efter arbetsdagen och dessutom få duscha sig i kylvattnet från maskinerna. Guldfältens vattenförsörjning löstes 1903 när en 640 kilometer lång vattenledning från Perth nådde fram till Kalgoorlie. Situationen var densamma som om malmöborna skulle dricka vatten från Mälaren. Med lån från londonbanker började man bygga djuphamn i Fremantle och järnväg ut i öknen. Det första tåget nådde Kalgoorlie 1897. I en tid då 65 000 människor beräknades vara verksamma på Västaustraliens guldfält tvivlade ingen på att banan under oöverskådlig framtid skulle välsignas med gods och passagerare. Denna järnväg blev transkontinental då den förlängdes över Nullarborslätten och 1917 nådde fram till Port Augusta, där den sammanlänkades med järnvägen från Sydney. Vid nittiotalets mitt beräknades varje gruvarbetare producera guld till ett värde av 46 pund om året och många frågade sig om inte rushen till Kalgoorlie skulle lyfta Australien ur depressionens mörker.

Är 1898 böljade rusherna särskilt vilt över det rostbruna landskapet. En av de största på 12 000 man gick till Kanowna, där man hittat alluvialt guld. Vid denna tid hade var och en av de sex rikaste gruvorna utefter "Den gyllene milen" mellan Kalgoorlie och Boulder producerat 500 kilo rent guld. Kalgoorlie ansågs överträffa Charters Towers i Queensland som Australiens rikaste guldfält. Rikedomarna var dock oåtkomliga för individuella guldgrävare, eftersom de låg insprängda i djupgående bergsådror som endast gruvbolagen hade resurser att arbeta sig ned till. Liksom i Ballarat fick därför flertalet *diggers* nöja sig med gruvarbetarens hårda villkor. Lönen var hygglig men drömmen om rikedomar dunstade bort lättare än svetten i pannan. Trots att han befann sig i ett av världens rikaste industriområden gick guldgrävaren i Kalgoorlie ofta omkring med bittra rynkor i ansiktet.

När Kalgoorlie var som störst hade det 200 000 invånare. Staden var då en australisk motsvarighet till Dawson City i Klondike. Samma överdåd av importerade bekvämligheter och lyxvaror, samma strävan att slå världsstäderna i teknik och nöjesliv och därtill en livsrytm som om varje dag var den sista. De svåraste medtävlarna fanns i grannskapet. I Coolgardie utkom lika många dagstidningar som i Melbourne och man hade ett bättre affärscentrum än Perth. I Menzies fanns ett postkontor med 30 anställda. Ökenstäderna hade elektriska spårvagnar, vattenledningar och gatubelysning. I Broad Arrow fanns två bryggerier och en liten förort till Boulder höll sig med sex hotell och en livlig affärsgata.

Geografen Gunnar Andersson besökte guldstäderna i augusti 1914 när ökenrushen tillhörde historien. Han vandrade genom Coolgardies ödsliga gator och tänkte på den hysteri som varat till åren efter sekelskiftet: "Ett par tre hundra personer lära än hålla till i staden, men inga resande lämna här tåget, inga vita blusliv synas på gatorna, inga spårvagnar gå. Jag tittar in genom fönstren. De äro hela, inga pojkar finnas, som gittat slå ut rutorna. Innanför dem på baren i hörnet står allt kvar, flaskorna i rader på hyllorna — men tomma! Gardiner för fönstren, möbler här och var, braskande skyltar. Man skulle kunna tro att människorna blott gått ut en stund, om icke det bruna dammet lagt sig tjockt överallt." Andersson greps av den melankoliska stämningen i den övergivna guldgrävarstaden och kunde naturligtvis inte ana att det område som återerövrades av öknen skulle uppleva en ny ekonomisk blomstertid ett halvsekel senare, när nickel börjat brytas utanför Kalgoorlie och turistindustrin inlett sin exploatering av guldgrävarhistorien.

Victor Nelson, William O Smith och andra svenska diggers

Enligt 1901 års folkräkning bodde 299 svenskfödda män och 18 kvinnor i guldgrävardistriktet, vilket motsvarade 42 % av samtliga svenskar i Västaustralien. 186 var skrivna i och kring Coolgardie—Kalgoorlie, dvs fler än i Fremantle och Perth. Några svenskar bodde också i Boulder, där det fanns tillräckligt många skandinaver för att i juni 1900 ge underlag för en litterär sällskapsklubb med eget klubbhus.

Källmaterialet har inte mycket att berätta om enskilda svenska guldgrävare i Västaustralien och när ett vittnesbörd någon enstaka gång dyker upp är det fragmentariskt och svårt att verifiera. Detta gäller inte minst Jens Lyngs notis om svensken som tillsammans med sin *mate* vid sekelskiftet grävde fram en av de största guldstenar som dittills påträffats i Västaustralien. Männen sålde nuggeten för 4 000 pund, varpå den icke namngivne svensken tog förnuftet tillfånga och återvände till Sverige med pengarna.

I sina ofta anekdotiska historieböcker berättar Lyng också om f d sjömannen Victor Nelson från Melbourne, en annan "Lucky Swede", som hamnade i Västaustralien vid nittiotalets början och inmutade en guldstinn fyndighet vid Cue, öster om Murchison River. Efter att ha hackat och skyfflat under 18 månader ansåg sig Nelson ha fått tillräcklig lön för mödan och sålde gruvan för 5 000 pund. Tillsammans med två kamrater begav han sig därpå under svåra strapatser till guldfälten vid Lake Darlots saltsjö, så långt ut i öknen det var möjligt att komma. Här stakade männen ut två inmutningar, som gav tillräcklig avkastning för att andra guldgrävare skulle känna vittringen. Därmed var Victor Nelson 1894 med om att sätta igång en mindre guldrush, något som ställer honom i särklass bland Australiens svenska *diggers*. 1897 återvände han till Melbourne, där guldet bl a investerades i Royal George Hotel på Elizabeth Street. Nelson hade ett generöst sinnelag och det berättas att han efter det första större guldfyndet skickade tio pund som julklapp till var och en av sina gamla sjömanskamrater.

Det mest helgjutna källmaterialet om en svensk guldgrävare i Västaustralien rör den tidigare nämnde småbrukarsonen Olof (Ola) Olsson, född 1840 i Ivö i Kristian-

Guldgrävaren Olof (Ola) Olsson Smith framför sitt tält. (Fru Elly Ridhner, Stockholm)

stads län och yngre bror till finansmannen L O Smith, "brännvinskungen" som tjänade en förmögenhet på finkelfritt brännvin och ivrade för nykterhet, trots att han nästan hade monopol på sprittillverkningen i Sverige. 18-årig lämnade Olof Olsson det fattiga föräldrahemmet och gick till sjöss. Sannolikt rymde han från fartyget i australisk hamn 1860. Han drog ut på guldfälten i Victoria men kom för sent för att göra några större fynd. Två år senare reste den unge mannen till Nya Zeeland där guldfebern rasade. Olsson vigde nu sitt liv åt vaskpannan på de hårda villkor vi känner från Billmansons livsöde, dvs han förblev ungkarl och skulle livet ut jagas av argonautens gäckande förhoppningar. Dessa förde honom tillbaka till Australien 1883. Olof Olsson, som under sina sista år skrev sig som William O Smith, avled 1896 eller 1897 i en av guldgrävarnas många yrkessjukdomar, astma. Trots att han var bror till en av Sveriges rikaste män efterlämnade guldgrävaren inte så mycket mer än tält, redskap och gångkläder. Den värdefullaste kvarlåtenskapen, breven hem, låg redan omsorgsfullt bevarade hos syskonen, främst den vanligaste adressaten grosshandlaren Carl Olsson Smith.

Olof Olsson frestade guldgrävarlyckan på fler ställen i Australien än någon annan svensk vi känner till. När han 1887 vaskade vid Mitchells Creek i norra Queensland nåddes han av ryktet om fynden i Kimberley. Med några kamrater gick han ombord på en ångare som förde dem genom Torres sund till Cambridgeviken, norr om guldfälten. "Det tog oss 10 dagar uppå ångbåt, före wi landade in de gulf. Och 6 weckors mer uppan land, före wi kom upp till den platsen, war guldet war funnet", skrev Olsson på sitt karakteristiska blandspråk i ett brev efter återkomsten till Sydney våren 1888. Olof Olsson måste ha tillhört de första guldgrävarna som lockades till Kimberley.

Minnena från den heta urskogen med de svårforcerade bäckravinerna kom i hans fall att överskuggas av en händelse som tycktes vara en övernaturlig hälsning från brodern L O Smith. När Olsson och kamraterna en kväll slagit läger vid ett vattenhål och han rotade i lämningarna efter de guldgrävare som varit där tidigare, såg han ett urblekt tidningspapper fladdra omkring i lägeraskan. Det visade sig innehålla en notis om brodern och hans verksamhet i Sverige. "Du kan icke tro, huru förvånad jag blef, till att höra utaf Brännvinskungen uti ödemarken", skrev han till brodern Carl och stoppade in notisen i kuvertet. Den finns tyvärr inte bevarad. Under fem månader 1887 genomletade Olsson och kamraterna källflödena till floderna Elvira och Ord, men behållningen inskränkte sig till sju skålpund guld.

Fabrikören Lars Olsson Smith. (Svenska män och kvinnor, 1942—55)

Efter återkomsten till Sydney prövade Olof Olsson guldgrävarlyckan på olika håll i New South Wales. I början av 1891 tog han sig till Bingara i norra delen av staten och gick i närkamp med en kvartsådra. Under arbetet i det 25 meter djupa schaktet förgiftades svensken av den dåliga luften och ådrog sig vad han beskriver som lunginflammation. Den utvecklade sig till svårartad astma. På hösten samma år seglade Olsson via Melbourne och Albany till Geraldton, där han inträffade den 19 oktober. Han gick med i ett lag på 16 män som hyrde vagn och fyra hästar och på det sättet färdades han under 22 dagar genom höglandet till Murchisonfältet. "Jag kan säga dig, Kära Broder, dät är icke något narr till att *tramp it on a Australian Summerday* (gå den vägen en australisk sommardag) wid brinnande sol och winden som blåser som om den kom från en masugn", skriver han till broder Carl. Olof vädrar sin ilska mot flugorna på Murchisonfältet: "Det är en fluga här icke större än husflugan, han går för ögonen och på 2 minuter svullnar ögat upp och blir stort som en manshand". Guldgrävaren berättar också om de kalla ökennätterna och att han två gånger vaknat med en orm i bädden.

Olof Olsson slog sig ihop med en *mate* och satte upp tältet vid Lake Austin, en purpurfärgad saltsjö i guldgrävardistriktet söder om Cue. Härifrån skrev han den 25 december 1892 ett brev som ger ett gripande intryck av guldgrävarlivets torftiga förhållanden, och hur han försöker skingra ensamheten på julafton genom att pynta tältet och fantisera om familjen i hemlandet och jular "när alla var samlade tillsammans". Blandspråket i julepisteln har här överförts till modern svenska.

"Kom till mig i tankarna och se hur jag har det", uppmanas brodern Carl borta i Sverige. "Du kommer då att se mitt tält vid foten av ett järnmalmsberg. Runt tältet står det buskar som skyddar det från vinden. Om du ser dig omkring kommer det att tyckas dig som vore du på en ö fyra miles lång och två miles bred. Runt omkring ligger en sjö utan vatten, men om du gräver fyra fot ner kommer du på vatten saltare än salt. Om du sänker ned handen i vattnet och sedan håller upp den, så skall du upptäcka att den blivit vit som snö av saltet. Du vandrar omkring under en halvtimme och känner hur rysligt hett det är. Ja, säkert 50 grader i skuggan och den varma vinden blåser som om den kom från en ugn. Litet kallare blir det när aftonen kommer och den brinnande solen har gått ned.

Nu är det julafton så kom med mig in i tältet! Stig in bara, kära Broder. Jag är ensam, ty min kamrat har rest till Sydney och ingen människa finns här på två miles avstånd. Vad vill Du ha? Jag kan bjuda dig på ett glas kall mjölk ifrån Sverige (torrmjölk) eller ett glas öl som jag själv bryggt av humle. Vin, brännvin och andra starka drycker nyttjar jag icke. Ack, säger jag till mig själv, du har det inte så dåligt för att vara guldgrävare! Tältet är vackert med blommor på bordet och prytt med blomster i alla färger. På bordet står nästan alla läckerheter som vi har i Sverige. Ja, jag tror faktiskt att det inte finns något land på jorden som inte guldgrävaren proviantrar från. Vi får tändstickor och mjölk från Sverige, smör från Danmark, ost från Holland, lax från Amerika, men från England får vi alla andra förnödenheter vi behöver.

Kom nu, käre broder, och titta på mina fåglar! Om du inte upptäcker dem med ens så vänta tills du får litet vatten att ge dem! Är de inte vackra? Den som är röd, grön och blå det är en bergspapegoja som kommer när du lockar med vatten. Här finns nämligen inte något färskvatten och vi får betala en krona kannan för det och det kostar mig 14 kronor i veckan. Jag ger fåglarna en liter om dagen och varje morgon före soluppgången ropar de på mig för att få sin dryck. Innan du återvänder till snöns och isens land, kära bror, skall du gå in i tältet igen och betrakta den vackra tavlan där vid ena änden av bordet och det fina sällskap jag har av både levande och döda. Oh, där sitter vår far! Syster Bengta och hennes barn, broder Lars, hans hustru och barn. Syster Carins dotter och jag själv . . . Jag måste nu bedja dig adjö inför din resa tillbaks till Swea land. Adjö, farewell, kära broder Carl, och mycken tack för ditt besök här på julafton!"

Sannolikt i början av 1892 hade Olof Olsson fått mottaga ett brev från svenska konsulatet i Sydney där man meddelade att L O Smith skulle komma till Australien och ville träffa sin bror i Sydney. Under svåra strapatser marscherade Olof till fots de 640 kilometerna från Lake Austin till Geraldton. Det blev 16 dagsmarscher och "jag var nära uppå till att förlora livet för nöd utan vatten, men Gud sände en dunderstorm med regn så att jag fick min vattensäck fylld". En vecka tillbringades i broder Lars sällskap innan denne jäktade affärsman seglade vidare till USA. Bröderna kunde inte känna igen varandra vid första mötet, men när de skildes hade syskonbanden knutits samman igen. Lars ville veta så mycket som möjligt om Västaustralien och broderns guldgrävarliv och i gengäld berättade han om familjen i Sverige och sin egen nu vacklande affärsställning. Han föreslog också Olof att anta namnet Smith, vilket ledde till att han i framtiden skrev sig William O Smith.

"Jag är sorry till att säga utav rikedom har jag intet. Hela min levnadstid har jag följt guldgrävarlivet, men jag har aldrig gjort några stora fynd." Med de orden i brevet den 27 november 1893 till systern Carin summerade Olof Olsson den materiella vinsten av ett liv med guldgrävarhackan. Fru Fortuna skulle inte visa sig gunstigare under de få år som återstod. Grus och sand fortsatte att rassla ihåligt i vaskpannan medan astmaanfallen förvärrades. Särskilt svårt brukade det vara under mars och april, då Olsson måste sitta uppe varje natt för att kunna andas. Breven hem blev också mer pessimistiska. Aningen om att han aldrig skulle återse fädernebygden övergick i förvissning och det gjorde den åldrande guldgrävaren bitter. Men äktenskapet med vaskpannan och hackan förmådde han inte bryta. I maj 1895 slog sig Olsson ned i Mount Magnet, som då varit utan regn under 18 månader. Han tänkte prospektera där under ett halvår: "Det är enda utväg en guldgrävare har kvar att satsa allt på ett nytt fynd." Det sista bevarade brevet från Ola Olsson eller William O Smith är daterat "10 Mile Mount Magnet, 4 oktober 1896". Sannolikt avled han i slutet av det året eller i början av det följande.

Organiserad svensk utvandring till Västaustralien?

Australienresan och mötet med brodern i förskingringen väckte nya impulser till liv hos idésprutan L O Smith. Som finansman var han naturligtvis fascinerad av den stora guldrushen, som tycktes mäktig nog att lyfta ett helt land ur den ekonomiska nittiotalssvackan. Skulle inte det rika Västaustralien vara ett lämpligt utvandringsmål för en del av de svenskar som fyllde amerikabåtarna och varför inte organisera en svensk koloni i Västaustralien? Tankar liknande dem som en gång stötts och blötts av grosshandlare Liljevalch började sysselsätta "brännvinskungen". En del uttalanden efter hemkomsten ledde som i Liljevalchs fall till uppseendeväckande tidningsartiklar. I mars 1893 berättade således tidningarna att Smith hos australiska myndigheter förhört sig om möjligheterna att organisera en utvandring av svenskar. Regeringen i Västaustralien skulle ha erbjudit sig att stå för två tredjedelar av reskostnaden och upplåta 64 hektar land till varje familj. Dessutom hade en jordbrukare på lång sikt möjlighet att ta upp ytterligare 400 hektar. Den svenske utvandraren skulle alltså kunna resa till Fremantle lika billigt som till New York och omedelbart efter ankomsten få slå sig ned på ett efter svenska förhållanden ansenligt landområde, förutsatt att han var intresserad av jordbruk. Enligt en korrespondent från Australien, som citerades i Blekinge Läns Tidning den 29 mars 1893, fanns rik jord "i mängd endast väntande på villiga armar för att lämna gyllene skördar".

Vi vet inte i vilken omfattning "brännvinskungen" stod bakom dessa idéer eller om de ens var så mycket mer än ett hjärnspöke. Men när Axel Hallbeck i Sydsvenska Dagbladet gick till storms mot artiklarna gjorde han det i vändningar som om L O Smith satsat sin prestige i företaget. Hallbeck varnade bestämt för svensk grupputvandring till ett ökenland där skördarna var magra och boskapen dog av törst. Han konstaterade också ironiskt att var tionde västaustralier enligt statistiken var en förbrytare. Det var inte troligt att Smith någonsin satt sin fot i Västaustralien, vilket påminde om situationen tio år tidigare då "brännvinskungen" på lika lösa boliner försökt lansera Australien som emigrationsmål.

L O Smith tvingades gå i svaromål, och den 23 oktober 1893 gjorde han följande uttalande via sitt juridiska ombud i Kristianstad: "Jag tog visserligen reda på alla möjliga förhållanden i Australien ävensom annorstädes var jag varit, men jag har hittills ej skrivit något om min resa, och allra minst skulle det falla mig in att tillstyrka emigration till Australien, vilket land jag anser mycket sämre än Sverige." Han tillade: "Jag har under resan för min hälsa endast velat se, vad chans de, som emigrera, kunna ha och jag har samlat ett värdefullt material, som jag dock ej lämnat för publicering och kanske aldrig gör det." Enligt detta försvarstal skulle alltså tidningarnas skriverier om L O Smith och Västaustralien ha baserats på rykten och förtal. Det verkliga förhållandet är fortfarande förborgat. Man kan gissa att den frispråkige Smith talat berömmande om Västaustraliens möjligheter och att tidningarna, kanske med emigrantagenternas bistånd, blåst upp en höna av denna fjäder.

Svenskar i städerna

Vi kan utgå från att flertalet svenska guldgrävare antingen lämnade Västaustralien eller slog sig ned i städerna när de stora guldrusherna vid sekelskiftet började falna.

Många hade långt dessförinnan slängt guldgrävarhackan för att bli rallare när järnvägar började byggas, medan andra lockades till skogsindustrin kring Bunbury och Albany. Andra åter höll sig i det längsta kvar på guldfälten, men då inte som *diggers* utan som hantverkare, affärsbiträden, lägre tjänstemän eller grovarbetare. När Gunnar Andersson 1914 besökte Coolgardie och Kalgoorlie tycks han emellertid inte ha mött några landsmän.

De största städerna i Syd- och Västaustralien hade alla svenskkolonier — 1901 var t ex 161 svenskar skrivna i Fremantle och 79 i Perth, medan 170 svenskar och norrmän var registrerade i Port Adelaide och 232 i Adelaide. Trots sin obetydlighet var dessa kolonier stora nog att ge underlag för en rad sociala aktiviteter. Enligt tidningen Nordens iakttagelser från Fremantle hösten 1900 hade flertalet skandinaver i staden "underordnade ställningar" och till största delen i hamnen.

Socialt var de i hög grad dominerade av diverse "småkungar", dvs män som lyckats och som landsmännen såg upp till. Bästa exemplet på en sådan framgångsrik invandrare var E H Fromén i Adelaide, mannen som började som förrymd sjöman och slutade som ansedd företagsledare och ranchägare. En annan symbol för svensk företagsamhet var O N Nicholson, som vid sekelskiftet skördade stora framgångar som arkitekt och byggmästare i Fremantle. Han hölls för att vara Västaustraliens rikaste skandinav och var det givna målet för landsmän utan arbete. Bohuslänningen och f d sjömannen Oscar M Olson drev sedan 1904 färjebolaget Swan River Ferries. Han hade kommit 1888 till Melbourne och efter några år inom lantbruket och som rallare lockats till Västaustralien guldrushåret 1896. Här etablerade han sig i sågverksbranschen innan trafiken på Swan River gav honom bättre chanser. Gotlänningen Aron Englund startade också ett byggnadsföretag i Västaustralien, dit han kommit som 18-åring. Han hörde till dem som haft tur med vaskpannan. När Englund dog 1954 hade han testamenterat 93 000 kronor till välgörande ändamål inom Visby stift, sannolikt en av de största donationer som gått från Australien till Sverige. Göteborgaren Karl A Forsberg beklädde den viktiga posten som fiskeriinspektör i Fremantle. Han hade utvandrat strax före sekelskiftet och deltagit i boerkriget och första världskriget innan han kom till Fremantle. Forsberg dog 69-årig 1946.

När skriftställaren Hjalmar Bengtsson besökte Perth och Fremantle 1925 fick han ett starkt intryck av en livlig svenskkoloni, som dock börjat glida bort från modersmålet. De flesta landsmännen mötte Bengtsson på kajerna. Färjetrafiken över Swanfloden sköttes t ex av bolaget Sutton och Olson, där Sutton stod för det äktsvenska namnet Sundström och Olson sannolikt var den ovannämnde bohuslänningen Oscar. Den svåraste konkurrenten i båttrafiken på floden hade Sutton och Olson i landsmannen Gus Jansson. Bengtsson stötte också på några svenskar i det trivsamma bostadsområdet South Perth. Här låg bl a villan Bredablick, som beboddes av föreståndarinnan för stadens mineralbad Asta Idlund med dotter. Vid huvudgatan i Perth hade linköpingsstudenten och sjukgymnasten Gösta Linderstam slagit upp sin praktik. Den gästande svensken lärde också känna sågverksdirektören Albin Ohman med rötter i Norrland och 30 australienär på nacken. Två bröder Lindquist drev en ansedd skrädderifirma i Perth.

Flinders Street i Adelaide. (C Lumholtz, Bland Menniskoätare)
Sutton och Carlsons varv och båtuthyrning i Perth, grundat 1897. (Riksföreningen i Göteborg)

Hjalmar Bengtssons katalog över framgångsrika landsmän i Perth skulle kunna kompletteras med en hel del sjöfolk i Fremantle och Port Adelaide. En känd profil i bägge dessa städer var sjökaptenen Olof Odman som anlänt till Australien 1867 då han endast var 17 år. När Odman dog i Fremantle 1902 hade han i åratal fört befälet på skepp i kusttrafik. En annan omtalad sjöbjörn var kapten Arnold i Adelaide, som kommit till Australien 1888 och tillbringade sina sista år som eremit i en liten stuga utanför Adelaide. Han var då känd som "The King of Mannum" och hade nästan glömt modersmålet när Hjalmar Bengtsson träffade honom.

Som i alla invandrarkolonier spelade de framgångsrika och penningstarka en ledande roll när landsmännen sammanslöt sig i klubbar. Detta var fallet med den skandinaviska klubb som existerade i Adelaide mellan 1883 och 1894. Organisationen stöp på medlemmarnas svaga intresse för kulturella aktiviteter och då hjälpte det inte att man reorganiserade klubben 1891 och skaffade lokaler i Port Adelaide, där de flesta skandinaverna bodde. De sjömän och hamnarbetare av svensk och norsk bakgrund som utgjorde medlemmarnas flertal, tyckte om starka drycker och kortspel, men sådana nöjen var förbjudna i klubbens stadgar, som skrivits av allvarstyngda män av den gamla stammen.

Sundowners, swagmen och andra vandringsmän

I ett tidigare kapitel har vi följt fåraherden Theodor Fischer på hans vandringar i 1870-talets Sydaustralien. Han var inte den ende svensk som lämnade de gyllenbruna vetefälten kring St Vincent- och Spencervikarna för att lära känna det gränslösa inlandet. Mer än en förrymd sjöman från Göteborg eller Kalmar har från en stekhet klippa kisat ut över de oändliga vidderna och filosoferat över detta Australien, där vandraren nästan alltid saknar något att luta sig mot. Till fots, från hästsadeln eller från skumpande kamelryggar har nordiska *swagmen* till leda inregistrerat den röda marken, de terrakottafärgade bergen och den lila horisonten mot stäppens molnfria himmel. Svenskfödda *sundowners*, med luffandet och tedrickandet som enda egentliga sysselsättningar, har sett "scrubben" stå gråbrun efter år av torka men ändå vandrat vidare med friskt mod. Deras stigar har kantats av förvridna buskar som burit tillräckligt med löv för att det skulle rassla övergivet i ökenvinden.

Okända svenska resenärer har mött mulgalandets metamorfos efter regnet då frön väcks till liv ur årslång dvala för att explodera i en blomstermatta så långt blicken når. Blått, violett, orange, rött och gult har då under några välsignade veckor flammat från miljoner örter av släktet compositae. Dödens dalar har förvandlats till doftande ymnighetshorn och färdemannens blick har dårats av yellowtops, vita everlastings eller meterhöga mullablomster som höjt sina lilafärgade blomkvastar över stenblocken. Eller han har undrat över det märkliga grästrädet som australierna kallar Black Boy efter den svarta stammen och den yviga gräsbusken i toppen. Äventyrare från Blekinge eller Värmland har drömt fram underbara hägringar ur det violetta saltblänket från en uttorkad sjö. De har också sett de döda floderna och

Grästräd. (T Knös, Lifvet i Australien)

sjöarna explodera av vatten efter ett skyfall i fjärran.

Samma vandringsmän har färdats genom "the mallee scrub", där eukalyptusen antagit buskskepnad för att fylla mil efter mil med spretiga grenar och ormvindlande rötter. Svenskar har förvånats över hur alla dessa fåglar kan överleva. En och annan har som geografen Gunnar Andersson kurat vid lägerelden i den iskalla ökennatten och lyssnat till detonationerna från klippor som sprängts sönder av den kanske 60-gradiga temperaturskiftningen mellan dag och natt. Även när vandringsmännen kommit fram till målet helskinnade har de känt sig besegrade av denna storslagna natur som aldrig ler men ändå fyller betraktaren med glädje över livets storhet.

Så var fallet med den tidigare nämnde vagabonden Hans Erikson, sannolikt den ende svensk som vandrat över Nullarbor Plain, den salsplatta och livshatande ökenplatån mellan Syd- och Västaustralien, vars majestätiska storhet nutidens människor kan avnjuta från tågfönstren på "The Indian Pacific". I sina starkt kryddade levnadsminnen *The Rhythm of the Shoe* berättar Erikson att han en gång genomförde historiens kanske längsta jaktexpedition på dingos. Fem shilling i

221

skottpengar hade satts på en skalp från detta fruktade rovdjur och Erikson hoppades tjäna en bra slant om han med bössan och arsenikpåsen i hand genomströvade Syd- och Västaustraliens vildmarker. Företagets kvaliteter som sportprestation lockade också.

Den tretton månader långa utflykten inleddes i stationssamhället Oodnadatta, nordväst om Lake Eyre och slutade i Kalgoorlie 1 400 kilometer längre västerut. Inför jaktexpeditionen genom Australiens i särklass mest gudsförgätna områden hade svensken lånat 50 pund till utrustningen och dessutom skaffat sig två kameler och lejt en inföding som kameldrivare och vägvisare. Trots att Erikson avskydde kamelerna, var det naturligt att använda sig av dessa tåliga fraktdjur, som introducerats i Australien under 1860-talet. Med sina pakistanska drivare, kallade afghaner eller "Gahns", blev kamelen ett oumbärligt djur i ödemarken. Kamelkaravaner genomkorsade snart Australien i alla riktningar och klangen från deras skällor blev ett välkommet ljud för isolerade fåraherdar och swagmen. Vid sekelskiftet fanns inte mindre än 6 000 kameler i Australien. Två av dessa togs alltså i bruk av Hans Erikson och aboriginen Jacky, som besatt nödvändig psykologi för att manövrera den bångstyriga tjuren Ferjesulwhacker och den illmariga kon Blossom.

Vandringen mellan Oodnadatta och Nullarborslätten var i sig ett kraftprov som höll på att kosta deltagarna livet, eftersom de gick vilse bland enorma flygsandsdyner som ständigt omformades av vinden. "Vi befann oss i det mest ogästvänliga landskap man kan föreställa sig", berättar Erikson, "ett område av en ändlös serie av låga sandkullar, alla ungefär av samma höjd och alla exakt lika och hela tiden på drift." Ibland tycktes dynerna ha rullat över sällskapet medan de låg och sov. Den sandkulle som befann sig i söder när bivack slogs, visade sig nämligen ha hamnat i norr på morgonen. "Det tog ett tag att övervinna rädslan att ett sandberg skulle begrava oss en natt." Under fjorton dagar klättrade Erikson upp och ned i denna böljande öken, hela tiden i hopp om att nästa sanddyn måtte bli den sista. Så småningom började han tro att sandkullarna rörde sig framåt i samma hastighet som han själv och därför aldrig skulle ta slut.

Just som Erikson började fundera på livet efter detta upphörde plötsligt öknen och Nullarbor Plain låg framför honom i sitt förkrossande majestät. Det var i vårens tid och slätten var till horisonten täckt av en blomstermatta, där de blodröda och svarta färgerna i Sturts ökenärtor dominerade färgskalan. "Jag stod där och skrek skamlöst i vild glädje ... Det var första och sista gången jag kunde ha kysst en kamel", berättar Erikson. Ändå var han bara i början av sin strapatsrika resa. Den skugglösa Nullarborslätten var fruktad av alla stigfinnare och känd som den trakt där flertalet odds är på solens sida, när den vill krama vätskan ur vandrarens kropp. Men den oförvägne svensken och hans medhjälpare besegrade slätten, alltunder det de sköt dingos av hjärtans lust. Under det dryga år expeditionen tog, hann Erikson smälta ihop med vildmarken i så hög grad att han började tvivla på att det fanns någon civilisation bortom den golvplatta slätten. När han fick syn på de första husen utanför Kalgoorlie orsakade den ovana anblicken smärta i ögonen. "Sedan jag anmält mig på polisstationen och utkvitterat skottpengarna för de 1 200 dingoskalper jag hade samlat sålde jag kamelerna och all annan utrustning."

Ett betydligt mer omskrivet äventyr gav sig skriftställaren Hjalmar Bengtsson ut på 1925, då han och sex australier genomförde historiens första lastbilsexpedition genom Australiens inland. Sannolikt var Bengtsson den första svensk som färdats inlandsvägen från Adelaide via Alice Springs till Darwin i Nordterritoriet. Expeditionens färdsträckning var emellertid ändå längre, eftersom den beskrev den 11 000 kilometer långa ovalen Melbourne–Adelaide–Darwin–Brisbane–Sydney–Melbourne. E H Fromén i Adelaide förmedlade kontakten med de sex australierna och i början av juni äntrade Bengtsson den skrangliga lastbilen med banderollen "1st Commercial Motor Test Thro Central Australia" (Första kommersiella motorprovet genom centrala Australien) spänd över lastflaket. Redan den 22 juli var expeditionen framme i Darwin och den femte september avslutades resan i Melbourne. Vad som hände dessemellan har Bengtsson tecknat ned i boken *Tusen mil genom Australien* (1928).

Bilismen var 1925 inne i ett hektiskt utvecklingsskede. Det var naturligt att man i landet under avståndens tyranni hoppades på de bensindrivna transportmedlen. Att köra en lastbil genom kontinentens väglösa inland var inte bara ett test av fordonets uthållighet utan dessutom ett argument för att det lönade sig att bygga bilvägar och att kamelkaravanerna snart kunde pensioneras. Lastbilsexpeditionen betingades naturligtvis också av australiernas förkärlek för märkliga rekord och sportprestationer. Att Hjalmar Bengtsson var sällskapets ende utlänning innebar inget obehag. Han kände landet efter ett halvårs resor och accepterades omgående som en *mate*, drabbad av olycksödet att inte vara född i "världens finaste land". På australiskt maner använde man smeknamn och det goda humöret var lika pålitligt som solen. Det behövdes också, eftersom resan blev strapatsrik och naturens motsträvighet tilltog med avståndet från Adelaide. Trots australiernas mekaniska finurlighet verkade lastbilen mer än en gång dömd att överges bland sanddyner och klippor. Man hade valt att genomkorsa kontinentens "döda hjärta" i australisk midvintertid, vilket innebar att middagshettan var dämpad och nätterna hutterkalla.

Efter att ha nuddat vid den enorma saltslätt som kallas Lake Eyre och kämpat sig genom flygsanden följde männen den smalspåriga järnvägen till Oodnadatta. Under tiden avlöstes sanddynerna först av grässtäpp och sedan en stenslätt som så småningom övergick i ett ondulerat landskap med flodraviner och bestånd av gummiträd och myrtenbuskar. När man slog läger vid Alberga Creek funderade Bengtsson över bakgrunden till detta namn, som sades syfta på en svensk *swagman* med namnet Alberg. Sedan flera år fanns inte en vattendroppe i flodfåran.

Bengtsson är en styv naturskildrare som lyckas förmedla intrycken från det ständigt skiftande australiska landskapet. Beskrivningarna av törst, svett och flugsvärmar är så realistiska att läsaren känner obehag, men Bengtsson klagar sällan utan viftar bort flugkräken med en "australisk honnör" och övergår till att förmedla sina imponerande kunskaper om naturens enskildheter. I oassamhället Alice Springs tog man en välbehövlig paus och njöt hejdlöst av tillgången på vatten. Expeditionen var nu inne i Nordterritoriet och tropikerna började strax norr om

Alice, där vändkretsen osynligt svepte fram över den röda marken. De sju männen reste genom de magnifika termitstackarnas landskap och Bengtsson noterade att stackarna blev högre ju längre norrut man trängde.

Längre in i Nordterritoriet dominerades landskapet av grässlätter. Bengtsson fann dessa enformigare än öknen. Norr om Daly Waters, beryktat som Australiens hetaste plats med en årlig medeltemperatur på 35 grader, började den tropiska urskogen och tunga lövkronor slog mot förarhytten, medan spindlar och larver regnade ned över passagerarna. Vid Rope River tänkte sällskapet ta sig ett bad i en idyllisk vik, men badlusten försvann då man upptäckte krokodiler i floden. Under den sista färdsträckan fram till Darwin sattes bilen på ett tåg fyllt av råmande slaktoxar.

Svenska upplevelser i Nordterritoriet

Tiden i Darwin utnyttjade Bengtsson till expeditioner i omgivningarna. Med bush-mannen Smith som vägvisare undersökte han de krokodilrika mangroveträsken. Upplevelserna bör ha aktualiserat Eric Mjöbergs namn för honom. Denne zoolog och etnolog från Naturhistoriska riksmuseet i Stockholm hade nämligen 1910—1911 genomfört en omfattande forskningsresa i nordvästra Australien. Den mjöbergska expeditionen gick till tidigare outforskade trakter och väckte stor uppmärksamhet i internationella vetenskapskretsar. Expeditionen avsatte också spår på kartbladet, eftersom Mjöberg döpte en källa i Kimberleydistriktet till Curt Springs efter sin femårige son. Mjöberg berättar att infödingarna trodde att regnets ande bodde i källan och under torrtiden brukade de samlas vid det heliga källsprånget för att frammana regnet med sina danser.

De många spänningsladdade upplevelserna inspirerade den svenske forskningsre-sanden till den digra men populärt hållna boken *Bland vilda djur och folk i Australien* (1915). Efter endast ett halvårslångt uppehåll i Stockholm återvände Mjöberg för att utforska det tropiska Queensland. Denna expedition skildras i den likaledes lättlästa *Bland stenåldersmänniskor i Queenslands vildmarker* (1918), där han framträder som något av en föregångare till Sten Bergman. Mjöberg var särskilt fascinerad av infödingarna, som han ägnade en både uppskattande och saklig skildring. En vetenskaplig redogörelse för australienexpeditionerna publicerades 1910—1913 i serien *Results of Dr. E. Mjöberg's Swedish Scientific Expedition to Australia*. Botanikern Gustaf Du Rietz var en annan internationellt känd svensk som gjorde forskningsre-sor i Australien ("Australasiaexpeditionen" 1926—1927).

Långt före Mjöbergs och Bengtssons tid hade svenskar färdats genom Australiens glödheta nord. Sedan guld 1872 upptäckts nära Pine Creek tog sig åtskilliga svens-kar in i de fuktdrypande regnskogarna. Ändå fler torde ha mellanlandat på resan till guldfälten i Kimberley. Många svenskfödda sjömän angjorde Port Darwins utmärk-ta hamn och några gick iland. När den norske forskningsresanden Knut Dahl besökte Nordterritoriet vid 1800-talets slut mötte han en icke namngiven svensk som arbetade på en fårstation vid Shaw River.

Trots att det ansågs vara en typisk syssla för kanaker och aboriginer deltog många vita i det omfattande pärlfisket i Torres sund. Flera av fiskarna utanför Darwin var svenskar som stockholmaren Per Abrahamson, utvandrad 1913 och på 20-talet bosatt på en farm utanför Adelaide, eller smålänningen Gösta Brand som lämnat Sverige 1918 och även försörjt sig på krokodiljakt. Pärlfisket bedrevs från långa segelbåtar, *luggers*. Med dykarhjälm på huvudet, blyskor på fötterna och samlarkorg på magen sänktes fångstmannen ned i det kristallklara vattnet. När han nått botten 20–30 meter ned gällde det att fylla korgen med pärlsnäckor och sedan dra i repet för upphissning och börja med en ny korg. Infödingarna dök utan luftslangar men lyckades ändå fylla sina korgar på en inandning. Under tiden var fiskelagets övriga medlemmar sysselsatta med att dra luftpumpen och bända upp snäckorna med knivar. Även om man inte kunde räkna med att hitta mer än en pärla på hundra uppbrutna snäckor representerade fångsten ett stort värde. Musselskalen skimrade av grön pärlemor, som var eftertraktad av världens smycke- och möbeltillverkare. Pärlfisket var en långt ifrån riskfri sysselsättning. Haj och saltvattenkrokodiler är talrika utanför Australiens nordkust och vattnet kan vimla av livsfarliga maneter. Det var vanligt att pärlfiskarens lungor fördärvades och att han därmed gick en kvalfylld död till mötes. Detta var fallet med den nyss nämnde Gösta Brand.

SVENSKAR I MELBOURNE OCH SYDNEY

Nästan alla australiensvenskar landsteg i någon av de större städerna. Märkligt hade det varit annars i världens mest urbaniserade invandrarland, där samhället tedde sig som en strimma europeisk civilisation kring några kuststäder. De stora undantagen från regeln att emigranternas flertal gick igenom "ekluten" i städerna var guldgrävarepokerna på 1850- och 1890-talen, men också då sögs svenskarna, som vi tidigare sett, för kortare eller längre tid in i städerna. En yrkesmässig anledning att rota sig i hamnstaden var att så många svenskar var sjömän eller hantverkare. De var dessutom unga och ogifta och storstaden har alltid lockat till sig ungkarlar. Vare sig de var sjömän eller landkrabbor hade det överväldigande antalet svenska australienfarare sina rötter i jordbrukar-Sverige. Utvandrarnas föräldrar var oftast småbrukare och de hade vuxit upp som hemmasöner eller arbetat som drängar innan kallelsen från havet och antipoden blev oemotståndlig. Också en stor del av hantverkarna hade agrar bakgrund och lärlingstiden i en svensk småstad hade inte påtagligt förändrat relationerna till landsbygden. Detta torde förklara varför inte ännu fler svenskar stannade kvar i Australiens städer.

Enligt 1911 års federala folkräkning, den första som registrerat svenskarna som en nationell grupp, var högt räknat hälften av 5 586 svenskfödda australier bosatta i stadsområden, en ansenlig andel som dock verkar mindre imponerande om man vet att samtidigt över 60 % av USA:s 665 000 svenska invandrare återfanns i stadspräglade områden. Ändå var australiensvenskarna stadsbor i större omfattning än danskarna och norrmännen. Den svenska urbaniseringsprocenten hade ökat till 55 enligt 1921 års folkräkning och låg 1933 på 61, jämfört med 69 bland svenska invandrare i USA.

Iakttagelserna ändras inte nämnvärt om man med den finske forskaren Olavi Koivukangas hjälp studerar stadens dragningskraft på de svenskfödda män som blivit så rotade, att de skaffat sig australiskt medborgarskap. Hälften av de naturaliserade svenskarna bodde i delstaternas huvudstäder. Hur stor del av de svenskfödda medborgarna som slagit sig ned i mindre städer är okänt. En försiktig uppskattning är 15 %. Enligt en sådan beräkning skulle alltså 65 % av de 5 846 svenska män som före 1947 svor brittiska monarken trohet ha bott i städer.

Stadslivets yrken avspeglar sig i den yrkesstatistik som Koivukangas grundat på uppgifter i medborgarhandlingarna, vilka tyvärr endast ger information om de mest rotade invandrarna. Mer än var fjärde av de 2 327 svenska män som tog ut medborgarskap före 1904 var sjömän eller hamnarbetare, en andel som steg till en tredjedel för perioden 1904–1915 som gäller 2 269 män. 13 % av dem som blivit medborgare före 1904 var hantverkare och 21 % var noterade som arbetare – 9 % respektive 27 % för perioden 1904–1915. En stor del av hantverkarna var timmermän, murare och andra byggnadsarbetare. Under bägge undersökningsperioderna var 4 % sysselsatta med landtransport och några procent beskrevs som "halvkvalificerade arbetare", dvs närmast hantverkslärlingar. Att även fast rotade australiensvenskar hade svårt att hävda sig utanför arbetarleden illustreras av att endast några procent sysslade med affärsverksamhet, och att gruppen teoretiskt skolade yrkesutövare representerades av lite över två procent för perioden före 1904 och strax över en procent 1904–1915. Inte ens en procent av svenskarna arbetade inom administration och de andra yrken som täcks av begreppet "public service".

Av naturliga skäl framstod Melbourne och Sydney som Australiens svenskmagneter. Tyvärr fördärvas statistiken före 1911 av att man inte skilt på svenskar och norrmän, men olikheten ifråga om bosättningsområden och yrken mellan dessa nationaliteter var så obetydlig att statistikens uppgifter kan användas när man talar bara om svenskar. Vi vågar därför påstå, att ungefär en femtedel av 1881 års och en fjärdedel av 1891 och 1901 års australiensvenskar var skrivna i de två storstäderna. Medan Melbourne sedan tidigt 1850-tal fungerade som Australiens skandinaviska metropol, gick Sydney under sjuttiotalets slut förbi så att ett femtiotal fler svenskar och norrmän 1881 var skrivna i New South Wales huvudstad, närmare bestämt 501 män och 65 kvinnor gentemot 471 män och 38 kvinnor i Melbourne. Tio år senare hade Melbourne återtagit ledningen med 1 414 gentemot 1 213 svenskar och norrmän i Sydney – med lika ojämn fördelning mellan könen. De 1 630 skandinaverna utgjorde 1881 Melbournes näst tyskarna största icke-brittiska invandrargrupp. Det för Melbourne extremt krisladdade nittiotalet resulterade i en stark uppgång för Sydneys svensk-norska numerär till 1 603 år 1901 – 949 för Melbourne. Endast 125 av svenskarna och norrmännen i Sydney och 119 i Melbourne var kvinnor 1901. Från nittiotalets slut hade Melbourne numerärt sett degraderats till Australiens andra svenskstad. Den behöll däremot ställningen som kulturellt svenskcentrum och hade 604 svenskfödda invånare 1911, varav endast 58 var kvinnor. Enligt 1921 års folkräkning hade det svenska befolkningstalet gått ned till 561.

Svenska pionjärer i Melbourne

När vi i det följande låter den svenska invandrarens erfarenheter av staden representeras av Melbourne och Sydney förklaras detta inte bara av att dessa metropoler drog till sig så många svenskar – endast något över 300 svenskar och norrmän bodde i Brisbane och ca 400 i Adelaide med hamnstad 1891 respektive 1901. Mer betydelsefullt är att ingenstans utvecklade sig den svenska och skandinaviska gemenskapen så påtagligt som i de två storstäderna. Melbourne och Sydney är de enda platser i Australien där svenskarnas etniska, dvs nationellt inriktade, aktiviteter kan jämföras med förhållandena i Svensk-Amerika.

Den danske krönikören Jens Lyng menade att nästan alla skandinaver som vistades i Melbourne före guldrushen hade anknytning till sjöfart. Vi vet inget om hur många dessa pionjärer var, men Lyngs uppskattning till ett halvt dussin tycks ligga i underkant. Tidningsmannen Corfitz Cronqvists uppgift om att ett trettiotal svenskar bodde i staden våren 1858 verkar också försiktig mot bakgrund av vad vi vet om emigrationstoppen under guldrushen. På goda grunder kan man utgå från att minst ett tjugotal svenskar bodde i vardera Melbourne och Sydney vid 1850-talets början, och att de bör ha ökat till mellan 50 och 100 vid guldgrävardecenniets slut. Lyng uppgav att svenskarna i guldrushens Melbourne var tre eller fyra gånger fler än övriga skandinaver, vilket förefaller överdrivet. Enligt den danske krönikören var flertalet svenskar hantverkare. Skräddarna och snickarna skall ha varit påfallande många.

Vare sig svenskarna efter en anhalt i städerna fortsatte till guldfälten eller stannade i sjöns och hamnens tjänst vet vi att många, tidvis majoriteten, hade rymt från sina skepp. Ivan Feodor Billmanson, sjömannen som "jumped ship" i Hobson's Bay för att bli guldgrävare, hade många medbröder i Melbournes äldsta svenskkoloni. Medan Billmanson hösten 1857 rymde från en engelsman hade många andra övergivit skepp under svensk eller norsk flagg. Melbourne övertog Sydneys roll som australisk storhamn under 1850-talet, vilket innebar att ett stigande antal svenska båtar lossade och lastade vid pirerna i Hobson's Bay. "Det är högst sällan att icke från något skepp man ser den gamla kära flaggan svaja", skrev Cronqvist i sina *Vandringar i Australien* (1859).

Medan den svenska sjötrafiken på Australien gick ned efter guldrushen hade fartygen under blågul flagg hunnit bli talrika igen på 1880-talet. Sjökaptenen Claes Anders Adelsköld berättade t ex för tidningen Norden att han vid sin invandring till Melbourne 1886 ibland såg 20—40 svenska och norska fartyg ligga för ankar i hamnen. De svenska barkarna, briggarna och skeppen var ofta lastade med sågade trävaror. När hela stadsdelar på rekordtid skulle byggas — Melbournes befolkning ökade från 39 000 till 140 000 under tioårsperioden efter 1851 — var det mjuka nordiska virket betydligt lätthanterligare än Australiens typiska "hardwood". Det för byggmästarna idealiska förhållandet uppstod när inte bara lasten utan också besättningen hamnade i land. Man kunde nämligen räkna med att de flesta svenska sjömän var förtrogna med hammare, såg och yxa. Samtidigt behövde lastningsförmännen unga, kraftiga armar som var beredda att stuva last alla tider på dygnet.

Sjömansrymningarna var som vi sett vanliga under det stora guldgrävardecenniet, men sättet att emigrera genom att slinka över relingen bestod långt fram i tiden och styrdes av konjunkturerna i Melbourne eller guldvittringens styrka. Betecknande för 1800-talets Australien var svårigheten att få returfrakt till Europa och i en tid när skepparen var ett slags seglande grosshandlare kunde det ta månader innan han hittade annat än ullbalar att vinscha ned i lastrummet. Under tiden drev sjömännen omkring i staden, slog sig i slang med landsmän, tog ett påhugg i hamnen eller träffade en eldfängd irländska. När tiderna var goda var risken stor att en eller flera karlar skulle saknas när skeppspipan blåstes och seglen hissades.

Hur vanligt det var för svenska sjömän att överge sina fartyg visar de förteckningar över skeppsrymlingar i Melbournes hamn som professor John Martin undersökt. Under den intensivaste tioårsperioden 1882—1891 rymde inte mindre än 1 421 svenskar. Trafiken kulminerade under massemigrationens 1888 då 215 svenskar "jumped ship". Flertalet var besättningsmän på engelska fartyg men många hade avvikit från skepp under blågul flagg. Den 26 januari 1880 rapporterade t ex Gurlis kapten att fem besättningsmän saknades. Gurli förekommer ytterligare minst två gånger i de undersökta listorna. I februari 1883 rymde fem av Blendas besättningsmän när fartyget låg i Sandridge och en månad senare hade Alert, också den svensk, förlorat tre svenska och en finsk sjöman. I januari 1884 rapporterade svenska skeppet Sydneys kapten att fyra karlar saknades i Sandridge, i mars rymde lika många från Margaretha och sista november 1884 hade sex svenskar och en dansk avvikit från Hilma. Listorna visar att karlarna ofta rymde tillsammans, att de i regel var i 20-årsåldern och att inte så få blev arresterade och återförda. Under nittiotalet minskar de svenska skeppsrymningarna dramatiskt till 362, vilket torde bero på dragningskraften från guldfeberns Västaustralien — det skulle vara mycket intressant att studera nittiotalets deserteringslistor för Fremantle!

Många vittnesbörd från tidiga svenskar i Melbourne talar om ett mer vedertaget emigrationssätt än desertering. I augusti 1853 landsteg som vi minns från tredje kapitlet Carl Adolf Lagergren och kamraten Hertzman från ett amerikanskt passagerarfartyg fyllt med guldgrävare, i november 1855 anlände f d prästen Wideman med ett emigrantskepp från Liverpool och i april 1856 debarkerades en skonert från San Francisco av bl a Carl Axel Egerström. Dessa och andra emigranter under guldrushen har vi kunnat följa i det föregående och vi har också dröjt en del vid deras upplevelser i storstaden.

Medan Lagergren och Hertzman konfronterades med de lägermässiga förhållandena i den tidiga guldrushens Melbourne, där nykomlingarna fick bo i tält och lätt skaffade sig enklare jobb, hamnade Wideman i invandrarmisären. Från att i guldrushens initialskede ha tömts på manlig arbetskraft invaderades Melbourne, när Wideman var där, av återvändande guldgrävare som bildade långa köer utanför arbetsförmedlingarna. Läget för emigranten var oförändrat svårt när Egerström besökte Melbourne ett år senare, men han befann sig inte i Widemans desperata situation och kunde därför flanera litet och avnjuta det exotiska gatulivet. Det Melbourne Egerströms eleganta penna hösten 1857 förevigade, var en förväxt småstad som präglades av den bisarra blandningen av "praktfulla palatser och anspråkslösa kojor". Även om många detaljer tedde sig beklämmande var helheten imponerande: "Resultaterna av människoandens outtröttliga verksamhet och strävanden på denna plats måste väcka ett intresse och en förvåning, större än den de österländska sagorna med sina diktade under kunna ingiva."

Trots att Wideman kom sig in hos en liten krets melbournesvenskar (sid 81) fann han små anledningar att rosa den stad han snart tvingades överge. Läget på

Collins Street i Melbourne. (Emigrantinstitutet)

arbetsmarknaden var mycket osäkert och en arbetare kunde få sparken närsomhelst. "Man har en (anställning) idag, i morgon eller övermorgon är man åter ledig, sedan förgår en vecka eller två, innan man får en ny." I sitt långa guldgrävarbrev ville därför Wideman varna de hemmavarande för att utvandra till Australien. Under vandringarna i Melbourne iakttog Egerström hur arbetslösa drev omkring på gatorna: "Trötta och bedrövade återvände de för natten till sitt tarvliga logis och voro redan i daggryningen samlade vid tidnings-byråerna för att i de där uppsatta exemplaren av dagens tidningar läsa annonserna under rubriken I tjänst åstundas."

Något senare inregistrerades betydligt angenämare förhållanden av Corfitz Cronqvist. Melbournaren var en gemytlig person som varit finurlig nog att genomföra "åtta-timmars-systemet (eight-hour-association) däri han förklarar, att han arbetar 8 timmar, roar sig 8 timmar och vilar 8 timmar av dygnet". En annan egenhet jämfört med Sverige var att de flesta bodde utanför stadscentrum. Detta var särskilt behagligt för den välsituerade som "kommer in per järnväg eller i ekipage från en av de förnäma förstäderna klockan 9 på förmiddagen . . . och reser hem igen klockan 4 eller 5". Den mindre bemedlade invandraren, som började arbeta senast klockan åtta, måste däremot färdas långa sträckor till fots "från en av de förstäder där man bor billigt". Inne i staden fanns nästan bara affärs- och kontorshus, varför hyrorna blev "oerhörda". Ungkarlshärbärget eller ett billigt pensionat var enda möjligheten för en ensamstående i Cronqvists situation, som inte hade råd med resorna och dessutom måste passa de obekväma tiderna på ett tidningstryckeri. I

230

januari 1858 hyrde han därför på ett enklare pensionat, där logi och kost betingade ett pund och femton shilling i veckan.

Bostadssituationen var besvärlig för den nyanlände emigranten också en generation senare. När värmlänningen Per Johnson kom till Melbourne i april 1902 hjälpte den svensk-norske konsuln honom till ett rum hos en svensk familj som bodde nära konsulatet. Rummet kostade fem shilling i veckan och maten intogs på en av stadens talrika 6-pence-restauranger. "Dessa restauranter voro huvudsakligast avsedda för arbetare. Om söndagarna spisade jag på en '1-shillings-restaurant', varest jag fick, om ej bättre mat, åtminstone finare bordssällskap." I stort tycks den emigrantmiljö Per Johnson beskriver, ha varit oförändrad sedan Cronqvists dagar.

Förhållandena på arbetsmarkanden

Oförändrad var också emigrantens svaga ställning på arbetsmarknaden. Liksom i Chicago och andra stora invandrarmetropoler härskade direktörerna oinskränkt över arbetslivets villkor. För en nyanländ svensk som inte ens kunde språket, fanns inte mycket annat att välja på än att bocka och vara nöjd med vad som erbjöds. Dög inte jobbet stod en lång rad arbetssökande efter honom i kön. Jakten på arbete och, när man väl funnit ett, kampen för att behålla platsen, fyllde invandrarens vardag. De åttatimmarspass Cronqvist kåserade om, var okända för landsmän som slet med tunga smutsiga jobb och dessutom kunde ha timslånga resor till och från arbetet.

Tillgång och efterfrågan på jobb brukade skifta som melbournevädret. Även när den långsiktiga prognosen lovade goda tider kunde staden drabbas av mindre ekonomiska konjunktursvackor, som tog sig uttryck i arbetslöshet. Då som nu var det nykomlingen som fick gå först och invandrare har alltid varit illa sedda i kristider. På 1870-talet inleddes en lång period av ekonomiskt uppsving som också hade välsignelserik inverkan på invandrarsamhällets bottenskikt, dit flertalet svenskar hörde. Under denna tid av förhållandevis stark invandring av svenskar och andra skandinaver pågick byggnadsprojekt över hela det enorma stadsområdet och industrierna sökte ständigt efter folk. Fartygen låg som stuvade sardiner i hamnen och hamnsjäarna hade full sysselsättning och mer till. Under det dådkraftiga åttiotalet då "Marvellous Melbourne" blev ett begrepp kunde många svenskar börja tänka på att skaffa sig hus, kanske också öppna egen verkstad, butik eller hotellrörelse.

Vi har tidigare följt dalkarlen Andreas Björk på hans långa resa från Mora till Melbourne (sid 55). I juni 1874 beskriver han i ett brev de första glimrande intrycken från Australiens ledande stad. Björk har fått arbete på en målerifirma och klarar sig gott. Han känner sig som en prins jämfört med de fattiga därhemma. Visserligen måste han vara mer än flitig med målarpenseln, ty tempot är hårt, men å andra sidan "veta de ej av någon spackling eller slipning". I sitt brev den 15 maj 1875 hacklar Björk de hemmavarande med att: "En god och ordentlig arbetare här, kan kläda sig och leva som en småstadsherre." Tiderna är fortfarande bra inom byggnadsbranschen och betalningen så hög att en veckolön räcker till en uppsätt-

Per Wilhelm Bergelin med hustrun Ellen Ryan och barnen Walter, Amy, Rupert och Elsie. Sydney ca 1890. (Sven-Eggert Bergelin, Lidingö)

ning kläder, något som i Sverige skulle ta månader, kanske år att spara ihop till. Björk återkommer ofta till vad han uppfattar som den sociala friheten i Australien: "Här är allting fritt, jag kan göra vad som helst, utan att ha någon tillåtelse."

Ett helt annat intryck får man av ett av de många och långa brev som Per Wilhelm Bergelin från Nykvarn i Turinge, Södermanland, skickade hem till syskonen. Bergelin hade utvandrat 1869 och efter många oroliga guldgrävarår stadgat sig och fått anställning på lantmäterikontoret i Sydney. Den 18 januari 1895 berättar han för tvillingbrodern, major Theodor Bergelin, om hur svårt det kunde vara under det krisdrabbade 1890-talet. "Tänk bara på huru jag under dessa 18 åren ej haft råd att tänka på någonting annat än arbete", skriver Bergelin. "Jag är visserligen i statens tjänst, men våra pensioner äro indragna (och jag) får kanske sluta på fattighuset." Den äldste sonen hade måst börja tjäna sitt bröd, fast han bara var fjorton år och det var bekymmersamt med försörjningen av de andra tre barnen. "Jämför min ställning med Din – vilkens är den bästa?" frågar brevskrivaren bittert sin välbeställde broder i Sverige.

För arbetarna var läget efter 1891 desperatare än för den skicklige ritaren Bergelin och särskilt besvärliga var förhållandena i det ekonomiskt överhettade Melbourne. Det var också under 1890-talet som myten om "fantastiska Melbourne" trampades ned i gruset av en oändlig kö arbetslösa och man började fly staden för det guldrika Västaustralien. Förhållandena bland emigranterna var svårare än på Widemans och Egerströms tid. Nästan alla skandinaver var arbetslösa 1893, då tiderna var så dåliga att bankerna stängdes under en vecka i maj. Influensa och kolera härjade och arbetslösa tiggde på gatorna.

Också när Per Johnson kom till Melbourne våren 1902 dröjde sviterna efter nittiotalsdepressionen kvar. Johnson lade märke till att många arbetslösa försökte tjäna sig en slant som gatuförsäljare: "Massor av hummer och ostron infördes dagligen till Melbourne, och var det, sades det mig, mycket vanligt att arbetslösa svenskar inköpte ett parti i mån av sina tillgångar och sedan utminuterade det i husen." Johnson fick rådet att själv börja sälja skaldjur, men han saknade startkapital. Efter fjorton dagars arbetslöshet övergav han Melbourne för att söka arbete på landet. Några månader senare fick Johnson anställning på ett av stadens många slakterier. Trots att svensken hade erfarenhet av yrket hemifrån, stod han inte ut med att vara slaktardräng. Särskilt svårt var det att "förlikas med mina kamrater, ty ovänligare och brutalare folk har jag varken förr eller senare påträffat". Johnson lämnade därför den stinkande arbetsplatsen och drev vidare i arbetslöshetens malström, där så många drogs till botten och drunknade i alkoholism. Denna gång blev

"Några ansikten från Collins Street, Melbournes fashionabla gata" och scen från en krog.
(Teckningar av P W Bergelin)

Per August Sköldin från Östra Vingåker räddningen. Han var förman på ett stenhuggeri och skaffade Johnson arbete mot att han lovade att sköta sig. Löftet betingades av Sköldins många sorgliga erfarenheter av supiga landsmän. "Denna den svenske arbetarens smak för dryckjom har därnere förskaffat honom ett dåligt renommé."

Ibland var Per Johnson ute på kyrkogårdarna för att sätta upp gravvårdar. Vid ett sådant tillfälle fick han från en öppnad grav höra en ramsa svordomar på ärans och hjältarnas språk. Han gick fram, kikade ned och upptäckte en dödgrävare i full aktion. "Min fråga, om han var svensk, besvarade han jakande. Jag samtalade en stund med honom och erfor, att han utvandrat för 25 år sedan (1877) i hopp om att skära guld med täljknivar. Hans gyllene drömmar hade emellertid, som så ofta händer, slagit fel och han hade efter skiftande öden slutligen hamnat som dödgräva-re. Med hembygden hade han icke under tiden stått i någon förbindelse och kunde därför endast uttrycka sig på bruten svenska." Ett slut som kyrkogårdsvaktmästare i Melbourne var avundsvärt jämfört med den fattigdom som drabbade så många austra-liensvenskar, t ex Wideman och Cronqvist, vilka lär ha slutat sina dagar i armod.

Ett omväxlande klimat

Till emigrantens obehag i Melbourne hörde väderleken, som är sällsynt växlingsrik med omkast från stiltje till storm och från dallrande hetta till huttrande köld. Skandinaverna fruktade särskilt de stormar som om sommaren blåste in från öken-landet i norr. Under en sådan skållhet "brickfielder" kändes allt arbete, ja livet självt, outhärdligt. Carl Adolf Lagergren berättar om ljusröda dammoln som på nyårsdagen 1854 förebådade stormen från norr. "Luften var redan på morgonen kvalmig, hettan tilltog mer och mer och vinden var snart i full fart, moln på moln av fint, rödaktigt damm uppstego och dammet trängde in i ögon, näsa och mun." Domedagsstämningen förtätades av att solen tycktes "stå i brand och månen (antog) ett blodrött, feberaktigt utseende, hela horisonten i rök och värmen gick upp till 47 à 50 grader". Under sådana förhållanden var det minst sagt svettigt att som taktäckaren Lagergren med hammaren i hand och ett knippe takspån vid sidan klättra omkring på hustaken i Brighton utanför Melbourne.

Trots allt var Melbourne en stad som imponerade på nykomna svenskar och fick dem att gapa nästan lika förvånat som Kalle Swanson vid foten av skyskraporna i Chicago. En som blev hänryckt över storstadens elegans var gävlepojken Carl Erik Rahm, ynglingen som rymt från sitt fartyg i Adelaides hamn. Den i bushen och på glödheta landsvägar luttrade sjömannen gav följande skildring från sitt besök i Melbourne i slutet av sjuttiotalet: "Till häst kommer bagare och slaktare, kryddkrä-mare, likmätare, en del postbud samt poliser från landet, förutom alla gentlemen och damer från samma håll. Även arbetare bestå sig med hästar . . . I varje gathörn står en polis, uppsträckt i vita byxor och blå kavaj . . . Hela gatan utföre ser man endast, snart sagt, en glasvägg, bakom vilken varorna synas i all sin härlighet. En

234

del byggnader äro ända upp till takåsen försedda med helfönster; vanligen pryda vackra stenpelare väggarna, och urnor ses uppställda efter fasad-åsen . . . Så promenerade jag, utom mig av förvåning. Herrar och damer i lätta, fastän europeiska dräkter, fyllde trottoarerna; bland dem såg man glada arbetare och 'swagmen' (vandrare med filtar kring livet). Vid hörnen stodo blinda och andra original med plåtar på bröstet och utsträckta händer, anropande barmhärtigheten, och vidare elektriska maskiner, där hälsobringande stötar bekommos för sex pence. Apelsiner och bakelser såldes lite varstans."

Svenska träffpunkter i Melbourne

Den äldsta samlingsplatsen i Melbourne kan ha varit det pensionat med utskänkningsrättigheter som sjökapten Sven Ekström och hans fru drev sedan 1850-talets mitt. Man kan utgå från att de landsmän Wideman skriver om, brukade träffas hos Ekströms. Andra tidiga melbournesvenskar, som bänkade sig kring borden i deras matsal kan ha varit möbelhandlaren E A Ekman, Karl Skoglund, som var bror till handelsmannen Oscar i Ballarat och som i många år arbetade som kypare, svenskamerikanen och smeden Karl Blomquist, som slagit sig ned i Collingwood, där hustrun Nelly från Göteborg öppnade tvättinrättning sedan Karl drabbats av slaganfall. I kretsen fanns också trombonisten Rickard Berg, sannolikt från Stockholm och med en dotter som blev organist i en swedenborgskyrka. När Berg 1853 utvandrade till Australiens guldfält lär han ha haft sällskap med Johan Lundborg, vilken varit musiker på Svea livgarde. Berg och Lundborg slog snart guldgrävandet ur hågen och återvände till Melbourne. Här kom Lundborg att bli en av stadens ledande klarinettister med teatrarnas orkesterdiken som arbetsplats. När han fyllde 77 år i december 1903 spelade han varje kväll på Princess Theatre. Enligt födelsedagsrunan i tidningen Norden hade Lundborg utan ersättning medverkat vid 526 konserter och fester för välgörande ändamål, ofta i skandinaviska sammanhang.

Andra som bör ha dragits till svenskhetens första lokus i Melbourne, var brevbärare Berglund, bagarna Flegeholm och Carl Edvard Lindström, den senare från Landskrona, samt gravören Johan Petter Cederberg som hade utvandrat från Stockholm 1853 och var gift med en svenska och yrkeskollega. Gymnastikdirektören Lars Johan Jonsson hörde till dem som brukade frekventera Ekströms pensionat. Han var född 1815 i Göteborg, där han yrkesfördes som vinhandlare, och "rymd till Californien 1853" från hustru och åtta barn. Sannolikt anlände Jonsson från San Francisco till Melbourne vid femtiotalets mitt. Enligt tidningsannonserna titulerade han sig "Professor of Physical Movement" och drev Olympic Institute of Victoria som särskilt rekommenderades för militärer. Även fysiska övningar för damer fanns på professor Jonssons program.

Veteraner i kretsen kring kapten Ekström var skåningarna Andreas Hultgren och Sven Trägårdh samt norrlänningarna William Schmith och Karl Vilhelm Lejon som anlänt före guldrushens tid. Trädgårdsarbetaren Lejon uppgavs vara född i

"Gymnastikprofessorn" Lars Johan Jonsson, fotograferad i Melbourne

Sånga utanför Sollefteå vilket dock inte kunnat verifieras. Han kan ha kommit till Australien redan på 1830-talet. Lejon stannade kvar i Melbourne livet ut och jordfästes av svenska kyrkoherden vid jultiden 1928. Under sextiotalet öppnade snickaren Anders Hultgren en vinstuga i Fitzroy som blev favorittillhåll för de många skandinaverna därute och för landsmän som reste ut från Melbourne.

Medan Ekströms och Hultgrens etablissemang tycks ha fungerat som samlingsplatser för alla svenskar i Melbourne, verkar den lilla butik vid Swanston Street Cronqvist talar om ha varit en träffpunkt för "karlar som höll på sig och utstrålade ett visst mått av bildning". Här brukade ett "litet kotteri" på ett dussintal landsmän träffas våren 1858, berättar Cronqvist. Från de svenska båtarna kom sjökaptener för att "titta in och prata bort en stund med landsmän, varav varje stund på dagen vanligen någon fanns där". Sjökaptenerna var med sina nyheter hemifrån mycket välsedda och i utbyte trakterades de med "de upplysningar vi kunde meddela dem om staden och landet". Ibland blev melbournesvenskarna utbjudna till båtarna, något som accepterades med glädje, i all synnerhet som kaptenerna ofta hade sina hustrur med på den antipodiska seglatsen. I den kvinnotorka som rådde bland Melbournes svenskar, var det "en riktig raritet att få tala med ett svenskt fruntimmer". Vid ett sådant tillfälle, berättar Cronqvist, samlades ett tjugotal befäl med damer från sju svenska fartyg i Hobson's Bay. Förnöjd kunde den på damsällskap begivne Cronqvist konstatera att de närvarande sex svenskorna motsvarade "lika många landsmaninnor som i hela Australien". Samkvämen ombord var angenäma också på andra sätt. Man drack punsch, sjöng Bellman och deklamerade poesi. Särskilt om vädret i land var kvalmigt kunde besöken på Eleonore, Australia, Carin, Montrose, Leopold och andra båtar utsträckas till en hel vecka.

Umgänget på Ekströms pensionat, Hultgrens vinstuga och "shopet i Swanston Street" representerade den behagfulla sidan av ett liv som var osäkert, inte minst för manschettens och stärkkragens män. Av det trettiotal svenskar Cronqvist kände till våren 1858, bodde flertalet "alldeles isolerade". Man kan antaga att de flesta tummat på sina förhoppningar tills de blivit solkiga och ingick nu i den breda massan okvalificerade arbetare som fick vara glada så länge de hade tak över huvudet och mat på bordet. En och annan vågade satsa på familj och eget hus, men flertalet svenska pionjärer i Melbourne förblev ungkarlar. När sjökaptenen Georg von Schéele anlöpte staden 1883 besöktes fartyget av många hemlängtande svenskar. De sysslade med litet av varje, men ingen hade nått någon framstående befattning. I bästa fall var de kroppsarbetare med stadigvarande arbete, men de flesta tycktes leva ur hand i mun, medan norrmännen och tyskarna verkade ha klarat sig bättre.

Georg von Schéeles beskrivning var nog pessimistisk i överkant. Vi vet nämligen att många melbournesvenskar redan på 1860-talet nått ett visst mått av framgång. En sådan var stövelmakaren Karl Nilsson, som anlände under guldrushen och på 1860-talet startade en skofabrik i en av förstäderna. Eller pianomakaren Karl Rosengren från Göteborg, som kom på sextiotalet och startade en pianofabrik som lär ha varit den första i Victoria. När den utländska konkurrensen befanns övermäktig gick Rosengren in för att importera och sälja pianon. Framgångsrik var också Martin Lindgren som startade en möbelfabrik på 1870-talet. Han var pionjär för tillverkning av madrasser med stålspiraler. Kollegan Anders Svensson hade kommit till Melbourne under tidigt sjuttiotal och började fabricera högklassiga möbler i en verkstad på La Trobe Street. Denna firma övertogs av en son. En av svenskkolonins många skräddare var Gustaf Ahlström, som 1886 utvandrat från Lärbro på Gotland. Under fyra decennier var han ledamot av skandinaviska, senare svenska, församlingens kyrkoråd. Stockholmaren Emil Bredenberg anlände till Melbourne 1885 och öppnade hotell i en förstad men kom i dåligt sällskap och frånlurades sina tillgångar. En känd affärsman var Adam Winkler, född i Stockholm 1831 och bosatt i Melbourne sedan 1852. Ett tag drev han vinhandel men det gick utför med affärerna och han hade inte klarat sig utan ett lån från släktingar i Hamburg. Den märklige stockholmaren lär ha tackat nej till erbjudandet att bli australisk generalagent för Nobels dynamit och avböjde därmed enligt tidningen Norden chansen att bli Australiens rikaste skandinav. Winkler avled på ett fattighus i Melbourne 1906.

Svenskt och skandinaviskt föreningsliv i Melbourne

Ur kretsen av väletablerade melbournesvenskar växte tanken på sociala aktiviteter som skulle föra landsmännen närmare varandra. Det stod emellertid vid åttiotalets början klart att de etniskt aktiva svenskarna var för få för att ge underlag åt föreningsverksamhet och att samarbete med de andra skandinaviska grupperna var nödvändigt. Corfitz Cronqvist hade utgått från sådana premisser när han 1857 tog initiativ till den skandinaviska föreningen i Ballarat, som emellertid inte kunde stå emot guldgrävarlivets påfrestningar. Ungefär samtidigt gjordes i Melbourne ett annat ofullgånget försök att starta en skandinavisk förening. Misslyckat blev också det initiativ som togs i början av sjuttiotalet med apotekaren Johan Oscar Sellgren från Varberg som en av de drivande krafterna.

Först 1880 bildades en funktionsduglig förening som lockade till sig ett sjuttiotal av stadens ca 800 skandinaver. Det starka gensvaret kan ha varit en efterdyning till 1881 års melbourneutställning, som engagerat de olika invandrargrupperna. Klubben dominerades av danskar och en sådan valdes till ordförande. Sekreterare blev svensken Theodor Theorell. Verksamheten inriktades på fester och samkväm, man startade en dansskola och samlade böcker till ett läsrum. Redan efter något år började luften gå ur sällskapet, då den danske hotellvärd som upplåtit lokaler sålde hotellet. Skandinaverna hade emellertid fått smak på det i Australien så populära klubblivet och bildade nu bl a en sångförening med manskör och dubbelkvartett. En ny sällskapsförening med norsk och svensk majoritet trotsade ödet under några år men fick ge plats åt en svensk förening, bildad i mars 1887, och danska klubben Dannebrog, som stiftades 1889 och kom att bli Melbournes största skandinaviska förening.

Svenska klubben var länge framgångsrik — 51 medlemmar under det livskraftigaste året 1891 — men vid sekelskiftet flämtade livslågan och de tretton kvarstående medlemmarna hade barrikaderat sig bakom höga inträdesavgifter som höll "sämre folk" på avstånd. Klubben ägde då ett bibliotek på 200 band och en vackert möblerad möteslokal med ett fortepiano som klenod. Svenska klubbens självpåtagna exklusivitet gav upphov till den liberalare Svenska föreningen, vilken grundades i februari 1900 med en rad kända svenskar i ledningen.

Försäkringstjänstemannen Claes Anders Adelsköld räknades liksom ståndsbrodern Christian von Schéele som stockholmare. Adelsköld, som ursprungligen var sjökapten, kom som nämnts till Melbourne 1886 och blev en framgångsrik affärsman. Han var son till den kände järnvägsbyggaren, militären och förstakammarledamoten Claes Adolf Adelsköld. Schéele var född 1824 i Fernebo utanför Filipstad och hade varit boktryckare i Stockholm före utvandringen hösten 1896. Bakom den nya föreningen stod också den blivande borgmästaren Carl Alfred Hartsman från Gävle. Hartsman hade 1883 rymt från sitt fartyg i Port Augusta och sju år senare hamnat i Melbourne, där han började som spårvagnskonduktör. När Svenska föreningen bildades hade Hartsman övertagit en bokhandel i förorten Sandringham. Han sålde också försäkringar och fastigheter, gick in i kommunalpolitiken och utsågs 1912 till fredsdomare. Efter den på sidan 145—146 omtalade sejouren som emigrantagent i Sverige 1914, blev Hartsman mer politiskt engagerad och valdes 1923 till Sandringshams första borgmästare. Han satt kvar i borgmästarstolen under två fyraårsperioder. Vid 60 års ålder avvecklade Melbournes sannolikt framgångsrikaste svensk sina affärer och levde i fortsättningen på räntor, en ovanlig livsstil för en australiensvensk. Hartsman avled 1932 och begravdes under officiella hedersbetygelser.

Under så framstående ledare samlade Svenska föreningen 160 medlemmar och absorberade sin äldre konkurrent 1906. Tiderna blev emellertid snart nog kärva också för den nya liberala föreningen, varför man tvingades ge upp klubblokalerna och 1913 flytta till Svenska kyrkans läsrum. Verksamheten hade tynat bort vid andra världskrigets utbrott och sedan dess saknar Melbourne en svensk förening.

Liksom i Amerika fick sången stor betydelse för det svenska föreningslivet i Melbourne och Sydney. Man bildade kvartetter och körer och gav informella konserter. I övrigt hade samvaron en osofistikerad prägel med supéer, kortspel och dans, varvid gärna australiska damer inbjöds. Svenska föreningen var berömd för sina sillsexor. Någon gång ordnades utflykter med matkorgar och ölflaskor. De hjälp- och begravningskassor som oftast instiftades, var som i Amerika ett viktigt moment i rekryteringen av medlemmar. Trots det enorma avståndet till hemländerna var föreningsfolket noga med att högtidlighålla patriotiska minnen och kungliga bemärkelsedagar. Midsommar och jul uppmärksammades alltid. Inte så sällan deltog skandinaverna i Melbournes årliga karnevaler. Under utställningsåren 1881 och 1888 arrangerade man t ex parader av män och kvinnor i skandinaviska folkdräkter. I samband med 1903 års karneval hölls en skandinavisk maskeradbal där deltagarna var utklädda i nationaldräkter. Tablåer sattes upp och följande fingerade telegram från Oscar II upplästes: "Mitt hjärta översvämmas av glädje. Er maskeradbal kommer att innebära ett nytt band mellan Sverige och Norge."

Tidningen Norden

Corfitz Cronqvists idé från 1857 om en nordisk tidning i Australien togs efter 30 år upp av dansken T Söderberg och svensken Seth Franzén. Den senare var sonson till biskopen Frans Michael Franzén. Han var född 1850 i Bygdeå strax norr om Umeå och tog ut attest för emigration till Australien hösten 1868. Försöket med tidningen *Skandinavien* blev emellertid endast en episod i Franzéns liv. Efter mindre än ett år hade tidningen upphört och Franzén hastade vidare mot andra sysselsättningar. Han slog sig ned i Sydney där han tjänstgjorde under många år vid lantmäteridepartementet, alltså som kollega till den nyss nämnde Bergelin. Efter pensioneringen flyttade Franzén till Suva på Fijiöarna, där han avled 73 år gammal 1929. Ende sonen Carl Lancelot stupade som frivillig i första världskriget.

Den borne pennfäktaren Jens Lyng axlade Söderbergs och Franzéns fallna mantlar och började redigera ett kyrkoblad, som skandinaviska församlingen från 1893 gav ut två gånger om året. Detta blev ett religiöst preludium till tidningen *Norden*, som Lyng började publicera den sjätte juni 1896. Norden fortsatte att komma ut var fjortonde dag till 1940, en enastående prestation inom australisk invandrarpress! Bakom tidningen stod från början ett aktiebolag som representerade de tre skandinaviska nationaliteterna och utbjöd 200 aktier på tio shilling stycket. Norden skulle tryckas på de tre skandinaviska språken, vara politiskt och religiöst neutral samt vända sig till nordbor över hela Australien.

Med första numret i bagaget reste därför Jens Lyng till Sydney och Brisbane för att värva aktieägare och prenumeranter. Då det blev för dyrbart att lägga ut sättningsarbetet på ett vanligt tryckeri började redaktören sätta tidningen själv. Svensken Axel Nilsson tog hand om de svenska spalterna och hans arbete blev lättare sedan man rekvirerat de besvärliga typerna å, ä och ö. Senare fick Lyng hjälp av typografen Christian von Schéele. När så en begagnad press inköptes kunde hela tidningen framställas på redaktionen, dvs Lyng författade, satte och tryckte för egen hand. Dessutom var han annonsackvisitör och chef för prenumerantavdelningen. Eftersom redaktören svårligen kunde leva på tidningen förestod han också en 1892 inrättad skandinavisk arbetsförmedling och försökte arbeta upp ett civiltryckeri. Med skäl frågade sig omgivningen om den energiske dansken någonsin fick tid att sova.

Det gick trögt med prenumerationer och annonser och Norden kom sällan ut i mer än några hundra exemplar. I april 1904 nådde upplagan 400 och samma tal noterades 1907. Tidningen gick dåligt utanför Melbournes danska cirklar. Särskilt

Jens Lyng.
(J L Saxon, Australien i våra dagar)

Nordens redaktionshus i Melbourne 1932

starkt tycks köpmotståndet ha varit bland svenskarna, vilka klagade över bristen på svenska artiklar. Gång efter annan försökte redaktionen utöka de svenska spalterna men fann att gensvaret var för svagt. Den 15 september 1906 undrade t ex Norden varför svenskarna skickade in så få bidrag. Berodde detta på att unionskrisen därhemma gjort dem avoga mot norrmän och danskar? Ett nytt försök att rekrytera svenska skribenter och läsare gjordes 1915, då Norden införde en sektion kallad "Sverige" med musikdirektören Magnus Lagerlöf som ansvarig. Redan efter fyra månader strandade "Sverige", enligt redaktionen på det svenska ointresset. En del svenskar började nu tala om en egen tidning och sporrades av skeppsredare Wilhelm Lundgren i Göteborg som lovade stöd, men idén kom bort under de oroliga tiderna kring första världskriget.

Från våren 1909 började Norden influeras av engelska språket. För att överleva måste tidningen anpassa sig till verkligheten, vilket innebar att ett växande antal läsare hade svårigheter med de gamla språken. Första världskriget med dess anglo-australiska nationalism blev en svår prövning för emigranttidningarna. Norden underställdes en censor och kravet att tidningen helt skulle tryckas på engelska släpptes först sedan myndigheterna hört att två av dåvarande redaktörens söner deltog i kriget. Under sin nästan halvsekellånga existens balanserade tidningen ofta på undergångens brant. Otaliga var de insamlingar och välgörenhetsfester som hölls till förmån för Norden. Efter 1906 försökte redaktionen skaffa pengar genom att upplåta spalterna för staten Victorias emigrationspropaganda, men denna inkomst-källa upphörde vid världskrigets utbrott.

Norden blev den starkaste länken mellan australienskandinaverna. I sin egen tidning fick nordborna upplysningar om föreningsliv, gudstjänster och andra aktivi-teter. De kunde läsa om förhållandena bland skandinaver i andra delar av det stora landet och ta del av nyheter från hemländerna. Trots att Lyng, knäckt av dålig ekonomi och en ohanterlig sättningsmaskin, avgått som redaktör 1906, fick läsarna fortsätta att njuta av hans stilistiska elegans och outsinliga kunskaper i ämnet skandinaverna i Australien.

Kyrklig verksamhet med skandinaviskt förtecken

Medan Peter Widemans predikantverksamhet i guldgrävarlägren gått förbi obe-märkt i Melbourne började religiöst intresserade skandinaver samlas till gudstjänst under ledning av lekmannapredikanten Henrik Hansen, som med familj flyttat in från Adelaide 1859. Eftersom pastorn kom från Schleswig och predikade på både danska och tyska var menigheten osäker på om han skulle hållas för dansk eller tysk. Hansen var förresten gift med en syster till den danska amasonen Johanne Jörgen-sen, som efter att ha fått ansiktet vanställt av en sparkande häst drog på sig manskläder och tog värvning som kavallerist i regementet Victorian Light Horse.

Hansens verksamhet aktualiserade tanken på en skandinavisk kyrka, i all synner-het som Melbourne våren 1870 donerade en tomt i de västra utkanterna. Misstänksamheten mot Hansen och de många tyskarna i hans församling blev emellertid oöverstiglig, till vilket kom oron för byggnadskostnaderna. Frågan lades därför på is under resten av sjuttiotalet.

År 1880 skickade de norskamerikanska lutheranerna i Minnesota pastor Lauritz Carlsen som missionär till Australiens skandinaver. Melbourne blev operationsbas för Carlsens vidsträckta predikoturer till Gippsland, Ballarat, Adelaide och Sydney, där en sjömansmission grundades. I juni 1883 fick Carlsen sexton skandinaver att ställa sig bakom en skandinavisk församling i Melbourne. Den lovande prästgärningen avbröts genom att Carlsen kallades tillbaka till Minnesota. Under följande interregnum fungerade svensken G A Forsell som predikant. Han var en särling som kom att sluta som missionär i Marocko. Forsells många kritiker menade att församlingens dagar varit räknade om inte kyrkobyggnadsfonden varit uppe i 80 pund.

Läget ljusnade betydligt när en av Kristianias (Oslos) folkkäraste väckelsepredikanter, Sören Pedersen, vid jultiden 1889 installerades som kyrkoherde. Detta var möjligt sedan 25 församlingsmedlemmar med sina namn garanterat en prästlön på 100 pund om året. Pedersens kompromisslösa attityd i religiösa frågor gjorde honom till klubblivets svurne fiende. Eftersom han hade lätt att ta folk och var praktiskt lagd var det inte svårt att locka emigranterna från föreningarna till kyrkan, där ett brett socialt program utvecklades med läsrum, arbetsförmedling och ungdomsaktiviteter. Kampanjen mot föreningarna medverkade till att Skandinaviska föreningen splittrades och slutligen upphörde medan de danska och svenska klubbarna fick vidkännas svåra åderlåtningar. Denna kamp mellan kyrka och klubbar framstår som en intressant parallell till klyftan mellan världsligt och religiöst i Amerikas svenska stadskolonier.

Snålblåsten under nittiotalet svepte också in över Pedersens blomstrande verksamhet. Planerna på en egen kyrka måste skrinläggas. När en stor del av församlingsborna drabbats av arbetslöshet fick man vara glad åt den trista gudstjänstlokalen i St James' Grammar School. Värre var att prästlönen kom i farozonen. Hur skulle den lilla församlingen kunna försörja Pedersen och hans växande familj när allt fler inte hade råd att betala medlemsavgifterna? Slutet blev att Sören Pedersen reste hem i mars 1895 och att svensken Axel Nilsson fick träda in som lekmannapredikant. Om dagarna hade han ett tungt och hälsovådligt jobb på en benmjölsfabrik och på kvällar och söndagar skulle församlingen skötas. Under tiden sökte man efter ny kyrkoherde. Evangeliska fosterlandsstiftelsen i Stockholm gav ett anbud som inte kunde avböjas – man åtog sig att stå för prästens resa till Australien och lön mot att församlingen bidrog med 75 pund om året och åtog sig att fungera som skandinavisk sjömanskyrka. Fosterlandsstiftelsen sände pastor Karl Fredrik Hultmark, som med sin hustru anlände till Melbourne i december 1896.

Under Hultmarks fasta ledning förverkligades drömmen om egen gudstjänstlokal och efter insatser från några norska affärsmän inköptes en äldre kyrka i West Melbourne. Invigningsgudstjänsten firades i februari 1898. Glädjen över denna framgång kyldes dock ned av slitningarna mellan församlingens svenska och norska medlemmar. Norrmännen, vilka betraktat församlingen som sin under Pedersens tid, började nu finna den växande svenska dominansen svåruthärdlig. Samtidigt nåddes Australien av mullren från unionskrisens Skandinavien. För Hultmark obehagliga skriverier förekom i tidningen Norden och kyrkorådets sammanträden fylldes av knot och knorr. Det gick så långt att kyrkoherden ställde förtroendefråga på sitt och Fosterlandsstiftelsens engagemang i Melbourne. Inför detta hot backade hetsporrarna tillfälligt. Svenskarna fortsatte emellertid att erövra församlingen, vilket 1903 tog sig uttryck i att tre nya svenskar valdes in i kyrkorådet som därmed endast hade en norsk representant kvar. Detta blev signalen till allmänt norskt uppbrott.

Svenska församlingen i Melbourne

Unionsupplösningen fyllde också australiensvenskarna med nationellt patos. Skulle inte en "ren svensk flagga" därhemma kunna motsvaras av en "ren svensk församling" härute? När en storsvensk som Hultmark beslöt sig för att handla i konsekvens med detta hade han de flesta av församlingens ledande män bakom sig, t ex Claes Anders Adelsköld eller göteborgaren James Dickson Waern, som 1890 lämnat sitt sågverk i Dalsland för Västaustraliens guldfält. I Melbourne etablerade han sig som representant för AGA, SKF och andra världsföretag och fungerade som svensk honorärkonsul mellan 1906 och 1925. Bakom Hultmark stod också bröderna Gustaf och Hugo Erikson från Mora som kommit på 1880-talet och tillhörde de ledande hantverkarna i svenskkolonin. Urmakaren Hugo Erikson kom att tjänstgöra som kyrkans sekreterare under 40 år.

Vid tiden för den akuta schismen mellan svenskarna och norrmännen hade också Magnus Lagerlöf och Agnes Janson anlänt till staden. Ingen förkroppsligade som dessa konstnärer svenskhetens bevarande i Australien. Den förstnämnde var syssling med Selma Lagerlöf och född i Filipstad år 1864. Fadern var rektor vid läroverket. Magnus Lagerlöf studerade musik i hemstaden och i Stockholm, där han arbetade som "resepostexpeditör". Någon musikdirektörsexamen tycks aldrig ha blivit avlagd. Han gifte sig 1899 och fick samma år dottern Britta. Tillvaron rämnade någon gång 1901 när Lagerlöf kom i klammeri med rättvisan och äktenskapet gick i kvav. Som så många andra otursdrabbade bättre-mans-söner beslöt han sig då för att fly till världens ände, dvs Australien. 1904 kom han till Melbourne och anställdes snart som Svenska kyrkans organist. Senare blev han kyrkovaktmästare och föreståndare för läsrummet. Lagerlöf tog på sig att föra ut svensk musikkultur i Melbourne och arrangerade otaliga konserter, också med kända musiker. Som introduktör av svensk musik gjorde han så stora insatser att Musikaliska akademin i Stockholm utsåg honom till korresponderande ledamot. I Svenska kyrkan och Svenska föreningen var Lagerlöf dynamon bakom alla evenemang som doftade kultur. Berömda var musiksoaréerna i kyrkan, när hans egen tungfotade lyrik deklamerades och svensk musik framfördes, i bästa fall med Agnes Janson som solist. Lagerlöfs enastående kultursatsning gick över huvudet på flertalet australiensvenskar; att gå på ett Lagerlöf-evenemang framstod som något av ett rökoffer på svenskhetens altare. Till bilden av den trägne kulturarbetaren i förskingringen hörde att han var sällsynt opraktisk och livet igenom utfattig. Att han med åren blev småknarrig är förståeligt. Lagerlöf dog i Melbourne 1950.

Madame Agnes Janson var murardotter från Stockholm, där hon föddes 1861. Hennes röst och begåvning predestinerade till en internationell sångkarriär. Efter grundläggande utbildning i födelsestaden reste hon 1885 till London för mer avancerade studier. På Royal Albert Hall fick Agnes göra debut tillsammans med världssångerskan Kristina Nilsson, med vilken hon ofta jämfördes. Hon sjöng på Covent Garden under fem säsonger och spåddes en lysande framtid som mezzosopran. 1902 reste Agnes till Australien som medlem av en engelsk operatrupp. Den succé hennes Carmen gjorde därnere måste ha varit oförglömlig också för sångerskan, ty fyra år senare utvandrade hon till Melbourne med åttaåriga dottern Andrea — hon hade varit gift med en dansk affärsman och konsul. Agnes Janson avstod från världsstjärnans roll för att bli sångpedagog vid musikkonservatoriet i Melbourne.

Från första stund intresserade sig Australiens mest berömda kvinna av svensk börd för pastor Hultmarks församling. Hennes stöd gav enorm prestige åt kyrkoher-

Magnus Lagerlöf.

Madame Agnes Janson. (Valkyrian, april 1900)

den och hennes välgörenhetskonserter fyllde kassaskrinen med dollar. En air av primadonna och internationell celebritet fläktade in i kyrkbänkarna med Agnes Janson. Hon blev församlingens "grande dame", ofta iförd pälsbrämad kappa med pälsboa och elegant muff i handen. Agnes Janson personifierade mer än någon annan stoltheten över att vara svensk, vilket behövdes i tider när allt icke-brittiskt sattes på undantag. Denna svenskhetens värderade moder i Australien gick 86-årig ur tiden 1947.

För Australiens del innebar den svensk-norska unionsupplösningen 1905 att en svensk generalkonsul installerades i Sydney. Greve Carl Birger Mörner har vi tidigare iakttagit under hans kampanj mot den australiska emigrantvärvningen (sidan 142). Den fjärde december 1906 mottogs Mörner av landsmännen i Melbourne, som arrangerat en storslagen fest på Nissens Exchange Hotel. Ett av de väldigaste smörgåsborden i stadens historia hade dukats upp och när stämningen bland de 50 närvarande elitpersonerna var som högst knackade generalkonsuln i glaset och höll ett av sina mest inspirerade tal, vilket i hans fall innebar ett nittiotalistiskt svall av fosterlandskärlek. Den just överståndna unionskrisen hade enligt Mörner inte varit något nederlag utan en signal till nationell uppryckning. Från ett fosterland fyllt av tillförsikt ville han nu hälsa till landsmännen i förskingringen. Enligt tidningen *Norden* var få ögon torra vid det bombastiska slutackordet: "Jag hälsar Eder från det fönster bakom vilkets rutor I fordom såg kära ansikten. Jag hälsar Eder från staden vid Mälaren. Jag hälsar Eder från Norrlands skummande älvar, från Smålands skogar, från Bohusläns klippor och från Skånes ljusa fält. Jag hälsar

Svenska kyrkan i Melbourne 1935. (Riksföreningen i Göteborg)

Eder från kyrkogårdens almar, under vilkas sus Edra kära sova. Landsman, jag hälsar Dig från Din mor." Glasen höjdes för konungens skål medan festdeltagarnas kinder glödde av puncheldad nationalism.

Mörners besök i Melbourne innebar stimulans för Hultmarks uppbrottstankar. Nu ville kyrkoherden fullfölja planen att skapa en svensk församling. Också Evangeliska fosterlandsstiftelsen var beredd att godkänna ett sådant beslut, men ytterligare tid behövdes för att gå till handling. Nästan ett år efter Birger Mörners första besök i Melbourne samlades de ledande svenskarna under hans ordförandeskap på Svenska föreningen. Beslutet blev enhälligt, en svensk kyrka skulle grundas i Melbourne. Generalkonsuln tolkade den svensksinnade stämningen med att avsluta mötet med det kända uttalandet från Uppsala möte 1593: "Nu är Sverige vordet en man och alla hava vi en Herre och Gud."

Mer än ett kvartssekel av kyrkligt skandinaviskt samarbete var formellt till ända när Svenska församlingen i Melbourne stiftades i mars 1908. Med hjälp av ett stort lån från Evangeliska fosterlandsstiftelsen och bidrag från svenska företag och enskilda byggdes en kyrka. Denna invigdes en kväljande het januaridag 1909 med en kantat som Lagerlöf skrivit och komponerat och där Agnes Janson sjöng solopartierna. Kyrkan låg på gångavstånd från kajerna kring Yarrafloden och den nybyggda Victoria-hamnen, vilket var betydelsefullt för verksamheten bland skandinaviska sjömän. Den röda tegelbyggnaden syntes långt ifrån imponerande, men den uppfyllde de mångskiftande krav som brukar ställas på en utlandskyrka. Ovanför entrén kunde läsas de känsloladdade orden "Svensk kyrka".

Ett svenskcentrum i Melbourne

Kyrkan blev det svenskcentrum som tidigare saknats i Melbourne. Från första stund var det givet att lokalerna skulle upplåtas också åt världsligt betonade aktiviteter — som vi sett flyttade Svenska föreningen dit efter några år. 1911, då församlingen räknade ett 80-tal medlemmar, hölls gudstjänst förmiddag och kväll om söndagarna. En gång i månaden arrangerades aftongudstjänst på engelska. Inte mindre än 42 nykterhetsmöten hölls av Hultmarks skötebarn, nykterhetsföreningen, vilken med sina 107 medlemmar var större än församlingen. Dessutom arrangerades fester, konserter och föreläsningar med skioptikonbilder samt julbasar. Varje månad sammankom församlingens damer under ledning av fru Hultmark. Flertalet kvällar måste kyrkoherden ägna åt besökande sjömän: Hultmark gjorde ca 200 fartygsbesök om året.

Sjömansmissionen intensifierades från 1907 då Rederi AB Transatlantic började upprätthålla reguljära sjöförbindelser mellan Göteborg och Australien. Hösten 1910 besöktes Melbourne och Svenska kyrkan av Transatlantics grundare, skeppsredare Wilhelm R Lundgren, som var mycket optimistisk om möjligheterna för svenskaustralisk handel. Det vid seklets början starkt expansiva Australien erbjöd en lovande marknad för svensk teknisk industri och ullfrakterna till Europa var åter inkomstbringande. Tack vare Lundgren och hans fartyg med de australiska namnen tyckte svenskarna i Melbourne och Sydney att de kommit närmare fosterlandet. Trots att Transatlantic inte var en passagerarlinje fick den något av den ställning Svenska Amerika Linien efter 1917 kom att inta bland svenskamerikanerna.

När Hultmark hösten 1920 återvände till Sverige efterträddes han av en präst med sällsynta gåvor för praktisk skandinavism. Värmlänningen Alfred Guldbrandzen, med svensk mor och norsk far, var inte nöjd med att endast sjömansmissionen var skandinavisk. Tiderna var dåliga och den nödhjälpsfond Guldbrandzen startade 1921 stod öppen för alla nödlidande nordbor. Inom kyrkans ram grundades också en skandinavisk ungdomsklubb och en nordisk nykterhetsförening. I tidningen *Norden* pläderade kyrkoherden för skandinavisk sammanhållning i den arbetslöshet som åter drabbat Melbourne. Inför Guldbrandzens bedövande energi blev de norska och danska ledarna oroliga för att de skandinaviska aktiviteterna skulle läggas under Svenska församlingen. I detta läge bildades en neutral skandinavisk välfärdskommitté med uppgift att samordna sociala och kulturella aktiviteter. Guldbrandzen förenade sin nödhjälpskommitté med denna och blev därmed den ende aktive fältarbetaren bland Melbournes nödlidande skandinaver. Han köpte ett nedlagt hotell nära hamnen och startade sjömanshemmet Scandia. Prästen flyttade själv dit, påtog sig apostolisk fattigdom och drog sig inte för att leva med hamnbusar och andra avsigkomna.

Detta väckte ont blod bland kyrkorådets strikta ledamöter, som började klaga över att Guldbrandzen försummade församlingsarbetet och profanerade ämbetet. Prästen var helt enkelt för evangelisk och skandinavisk för de tongivande i Svenska kyrkan. Ungkarlen Guldbrandzens moraliska vandel började också ifrågasättas när en kvinna plötsligt anklagade honom för brutet äktenskapslöfte. Pastorn lyckades dessutom stöta sig med församlingens faktotum Magnus Lagerlöf som avskedades från vaktmästarsysslan. Alla dessa kontroverser upplöstes med att Guldbrandzen i oktober 1924 sades upp från tjänsten och därmed tvingades avbryta en ovanligt aktiv prästgärning bland Melbournes skandinaver. Typiskt för känsloläget var att de danska och norska kretsarna tog prästens parti och hyllade honom med en guldklocka vid en avskedsfest på Danska klubben.

Också efter Guldbrandzens hemresa lockade Svenska kyrkan till sig medlemmar med ett mångskiftande socialt och kulturellt utbud. Men man var sent ute. Invandringen hade upphört och australiensvenskarna blev alltmer angliserade. De var i allmänhet gifta med brittiska kvinnor och hade barn som var likgiltiga för Sverige. Den anglikanska kyrkan hellre än en luthersk invandrarförsamling ansågs garantera ett bra socialt kontaktnät. Flertalet svenska invandrare hade dålig skolunderbyggnad och svaga kunskaper om det hemland de lämnat i mycket unga år. Hur skulle de kunna känna någonting för den svenska finkultur som Lagerlöf och Agnes Janson förmedlade?

1938, när svenska kolonin i Melbourne räknade 900 själar, var 108 medlemmar inskrivna i församlingen, alltså endast litet mer än var nionde. Utanför denna kärna fanns emellertid ett stort antal sympatisörer. Nämnda år registrerades således 12 000 besökare i kyrkan och av församlingsstatistiken i övrigt framgår att aktivite-

Svenska kyrkan i Toorak Hause 1956.

terna var nästan lika mångskiftande som på Guldbrandzens tid. Efter andra världs-
kriget, då mer skolade och om sin bakgrund medvetna svenskar började dyka upp i
Melbournes svenskkoloni, tillfördes kyrkolivet nya arbetsformer. En större rörlighet
skapades av den ökade sjöfarten och prästens insatser kom alltmer att tas i anspråk
av båtbesök och sjömansfester. För de bofasta svenskarna fortsatte emellertid med-
lemskapet i församlingen att vara ett betryggande band med det gamla landet.

Svenska kyrkans anseende höjdes dramatiskt i hela Melbournes ögon när försam-
lingen 1956 inköpte Toorak House, ett hundraårigt stenpalats med tinnar och torn
som en gång varit bostad för staten Victorias guvernör och var omgivet av en stor
park. Denna ambassadliknande byggnad förvärvades för 67 500 pund, en väldig
summa för församlingen och dess huvudman i Sverige men likafullt ett vrakpris.
Bakom den sensationella affären stod kyrkorådsledamoten Oscar Lundgren, en
arbetarson från Husum i Ångermanland och endast 18 år gammal när han 1922
utvandrade till Melbourne i sällskap med den äldre brodern Erik. Lundgren blev
murare och började eget sedan han 1928 flyttat till Box Hill, där han fick mycket att
göra när den populära förstaden började expandera efter depressionens slut.

Som byggmästare blev Lundgren politiskt engagerad, vilket ledde till att han
valdes in i Box Hills stadsfullmäktige. 1957 utsågs den trygge svensken, som alla
respekterade, till borgmästare och i den rollen satte Lundgren ett mer omtalat

248

Oscar Lundgren vid ett apelsinträd i trädgården i Box Hill. (Emigrantinstitutet)

rekord än han i ungdomen gjort som tävlingscyklist: han valdes för inte mindre än fyra mandatperioder, varav den sista inföll 1972—1973. Från tjugotalets slut var Lundgren aktiv i Svenska kyrkan och blev ledamot av kyrkorådet. Från 1946 och fram till sin död 1981 fungerade han som vice ordförande.

Svenska pionjärer i Sydney

Större delen av de svenskar som anlände till Australien före 1850 kom under kortare eller längre tid att bo i landets dåtida centrum Sydney, vilket gällde de straffångar, sjömän och englandssvenskar som nämnts i andra kapitlet. Av de nio emigranterna på Edward som ankom till Sydney i april 1842 (sidan 39—40), har endast tapetserargesällen Carl Magnus Forssberg identifierats i australiskt källmaterial. 36 år gammal registrerades han för medborgarskap den 23 januari 1856. Han hade då tydligen bott i Sydney sedan 1842 och utövade tapetseraryrket. Hur många som blev bofasta av de andra sex svenskar som 1842 stannade i Sydney — Brodien och Telander fortsatte ju till Tahiti — är fortfarande höljt i dunkel. Carl Magnus Forssberg, som skulle kunna aspirera på titeln "första kända svenskfödda sydneyit", blev staden trogen fram till sin död 1895. När hustrun avled våren 1881 nämner Sydney Morning Herald Forssberg och fem barn som närmast sörjande. Sonen Charles drev vid sekelskiftet en möbelaffär vid William Street. Den nutida sydneysvensken James Sanderson har utfört det imponerande detektivarbete som ligger bakom dessa uppgifter.

Att 1850-talets stora guldrusher avsatte färre svenska spår i Sydney än i Melbourne, förklaras av att guldgrävarna ofta fortsatte från New South Wales till Victoria. Källmaterialet har inte mycket att säga om guldgrävare som stannade i Sydney för att tjäna ihop startkapital för verksamheten kring Bathurst. En genomgång av stadens adresskalender för året 1851 avslöjar emellertid en del svenskklingande namn som specerihandlaren Lawrence Bergin, snickaren Charles Carlson och den

Sydneys hamn ca 1870. (Album of Sydney Views)

Fregatten Eugenie i Stilla Oceanen. (Ny Illustrerad Tidning, 1878)

nämnde C M Forssberg. Möjligen kan personforskaren James Sanderson så små-
ningom identifiera dessa och andra eventuella sydneysvenskar. Vid guldgrävarde-
cenniets slut fanns knappast någon svensk invandrartradition i Sydney, svenskarna
föredrog det mer expansiva Melbourne. När fregatten Eugenie under tio dagar i
oktober 1852 besökte Sydney träffade officerarna tydligen inte på några landsmän
och krönikören Carl Skogman antecknade att staden verkade "i yttersta grad
blottad på allt intresse". En roande tanke är att de svenska flottisterna på Sydneys
gator hösten 1852 var pionjärer för svensk turism i Australien.

Ett av de äldsta svenska vittnesbörden från Sydney är några brev från den 1827 i
Resmo på Öland födde Fredrik Adolf Rydell. Han var en handelsbokhållare i
Stockholm som tvingats utvandra till Australiens torra luft för sina dåliga lungors
skull. I början av 1865 var Rydell framme i Sydney men fortsatte till Brisbane, vars
sandmoln och flugor dock tvingade honom att återvända till New South Wales
huvudstad. Klimatet gjorde honom gott och fast han levde mycket isolerat i den på
landsmän så gott som blottade staden fann han sig väl till rätta. I början av 1866
hade Rydell fått arbete på ett importföretag och i juli samma år berättar han om fyra
landsmän av bättre klass som han lärt känna i staden, nämligen sjökaptenerna
Nyberg och Johan Niklas Sätterholm, troligen från Stockholm och befaren i vattnen

kring Nya Zeeland och Fiji, en finlandssvensk vid namn Colonius samt en van Damme. Sistnämnde var en av malmöbröderna Carl och Peter Damm som vi stött på i guldgrävartidens Melbourne. Enligt Rydell lämnade han Sydney 1866 och bosatte sig i Rockhampton i Queensland för att bli kontorschef vid järnvägen. Om de andra sydneysvenskarnas göranden och låtanden har han inget att berätta.

Fortsättningsvis blir Rydells brev allt dystrare. Han börjar längta bort från ett Sydney där arbetslösheten grep omkring sig. I detta läge träffade han sjökaptenen Peter Wickström, född 1828 i jämtländska Ström och nu utan fartyg men med 300 pund på fickan. Som så många andra äventyrare i sextiotalets Australien drömde Wickström om Fiji, ögruppen i Söderhavet, där smarta män gjorde snabba pengar på infödingarnas bekostnad. Rydell beslöt att följa med kapten Wickström ut på det stora äventyret, varför en ölänning och en jämte hösten 1867 seglade till Fiji. Därmed inleddes för Rydells del en äventyrsfylld tillvaro som affärsman och plantageägare med människoätarnas trummor dunkande i bakgrunden. Kapten Wickström gick det sämre för och han avled den 19 januari 1868 på Fiji.

Fredrik Adolf Rydell. (Björn A Johansson)

Sydneys första kända skandinaviska samlingspunkt var den förening som grundades 1874 av ett femtiotal nordbor. Den svenske sjökaptenen Blix valdes till ordförande och han blev även dirigent för klubbens manskör. Från oktober 1877 känner vi till en storstilad utflykt som nästan gjorde föreningen bankrutt. Man hade hyrt en ångbåt och lejt en musikkår som spelade "Kong Kristian stod ved höjen Mast", när sällskapet stävade ut från The Rocks i Sydneys vackra hamn. De tre skandinaviska flaggorna smattrade för vinden medan ölet och vinflaskorna korkades upp och de inbjudna damerna serverade kyckling från sina korgar. Båtutflykten genom Sydneys vackra hamninlopp tycks ha varit Skandinaviska föreningens höjdpunkt. Kort därefter började nedgångsperioden och omkring 1883 hade verksamheten upphört.

År 1877 startade Sydneys svenska förening Valhalla, som dock endast överlevde ett år trots att det vid denna tid lär ha funnits 300 landsmän i staden. Enligt Jens Lyng, som lyckats reda ut sydneyskandinavernas förvirrade organisationshistoria, var Valhalla omtalat för sina våta gillen som ibland blev så vilda att polisen måste ingripa. Ur resterna av Skandinaviska föreningen uppstod en annan svensk förening, Vikingen. Den grundades av tolv svenskar och var efter ett år uppe i 60 medlemmar, men då hade leden öppnats för danskar och norrmän. Plågad av de ofrånkomliga trätorna brödrafolken emellan reorganiserades Vikingen och blev åter helsvensk. Man skaffade sig en lokal där svenska tidningar kunde läsas, satte upp en nödhjälpsfond och delade ut belöningar åt svenska sjömän som "ådagalagt ädla handlingar". Efter ca sju verksamhetsår upphörde Vikingen någon gång 1890.

Ett skandinaviskt litterärt sällskap instiftades 1888, men verksamheten kändes för exklusiv och två år senare absorberades klubben av en ny skandinavisk sällskapsför-

Circular Quay i Sydney ca 1870. (Album of Sydney Views)

ening. Civilingenjören Carl August Dafgård från Vänersborg var kassör för denna sammanslutning och man möttes på Café Français, där en dansk var krogvärd. En genrebild från detta kafé ges i Barometern den 20 mars 1890 under rubriken "Svensk julfest i Australien". Tidningen berättar om att ett antal svenskar i Sydney abonnerat kaféet för att fira julaftonen 1889. "Salen var festligt dekorerad med flaggor, blommor och grönt. Mitt på golvet stod ett ståtligt julträd, rikligen sirat med ljus och julgrannlåt." Man delade ut julklappar, dansade kring granen och åt gröt. Istället för lutfisk fick man nöja sig med kabeljo. En f d student musicerade från ett piano och "varken den svenska punschen eller glöggen saknades". Skålar dracks för Sverige, "föräldrar och syskon, anförvanter och vänner uppe i Norden".

Också föreningen på Café Français gick omkull efter några år och ersattes 1895 av en dansk klubb som var öppen även för svenskar och norrmän och existerade till tjugotalets slut. En av de mer originella klubbarna i den onekligen imponerande floran av skandinaviska föreningar i Sydney hade det passande namnet Vagabonden. Den hade startats av tre danska män och lika många kvinnor som hade svårt att fördra de långtråkiga engelskpräglade söndagarna. Uppenbarligen helgades inte vilodagen av Vagabond-klubbens medlemmar. Ännu ett försök att stifta en skandinavisk förening strandade 1898 och pastor Hultmarks initiativ att få till stånd en skandinavisk sjömanskyrka 1902 fick för dåligt gensvar. Den skandinaviska splittringen var, om möjligt, mer påfallande i Sydney än i Melbourne.

1910 sammanslöt sig ett femtiotal sydneysvenskar till Svenska klubben. Det blev trögt i portgången men insamlingen till ett monument över forskningsresanden Daniel Solander tycks ha blåst liv i verksamheten. Det år monumentet invigdes, 1914, rekonstruerades föreningen och upplevde därmed sin aktivaste tid. Verksamheten gick emellertid ned igen och tynade bort under tjugotalet. När Hjalmar Bengtsson besökte Sydney i mars 1926 hade Svenska klubben, trots att den enligt Bengtsson blivit en australisk dansklubb under svensk flagg, endast en medlem kvar.

Ett år tidigare hade emellertid en ny exklusivt svensk förening bildats med den dynamiske charkuterihandlaren G H Benson från Västerås som primus motor. 1928 hade den nya svenska föreningen ett trettiotal medlemmar som representerade arbetar- och medelklassen, medan främst affärsmännen engagerat sig i den 1911 grundade Svenska handelskammaren. Svenska föreningen möttes två gånger i månaden i en förhyrd klubblokal. Den lyckades överleva depressionen och firade 14-årsjubileum 1939. Under krigsåren tycks all aktivitet ha upphört. I nutiden med dess intresse för människans rötter och nationella bakgrund har föreningstanken återuppstått bland Sydneys svenskar och hösten 1982 grundades en ny svensk klubb.

Det svenska föreningslivet i Sydney led enligt Hjalmar Bengtsson svårt av bristen på permanenta möteslokaler. Ett annat handikapp var att icke-svenskar, främst då brittiska kvinnor, kom in i klubbarna och gjorde dem australiska. Språket blev engelska och verksamheten ägnades åt dans och nöjen, medan det äktsvenska glömdes bort, klagade storsvensken Bengtsson i tidskriften Allsvensk samling.

Svenska klubben i Sydney på utflykt den 25 november 1928. (Riksföreningen i Göteborg)
Familjen Olsson framför sitt typiska medelklasshem i Sydneys förstad Enfield.
(Riksföreningen i Göteborg)

Svenska handelskammaren och Gustaf Lindergren

Generalkonsulatets öppnande 1906 innebar en väldig stimulans åt svenskheten i Sydney. Ingen gjorde mer för stärkandet av svenskkänslan än Birger Mörner, som under sin tid i Sydney blev en outtröttlig festdeltagare och högtidstalare. Efterträdaren Sigurd von Goës bidrag till svenskheten i Sydney var Svenska handelskammaren, som på hans initiativ bildades i mars 1911 ombord på en av Transatlantics ångare. Syftet var att uppmuntra handelsförbindelserna mellan Sverige och Australien. *The Swedish Chamber of Commerce for Australasia and South Sea Islands* fick omgående 25 medlemmar, huvudsakligen från Sydneys svenskkoloni. Från 1914 gav man ut tidskriften *The Swedish Australasian Trade Journal*, som utkom till 1952. Svenska handelskammaren fick från 1919 understöd av svenska staten och kunde då anställa Gustaf Mauritz Lindergren som sekreterare. Han blev handelskammaren trogen fram till pensioneringen.

Lindergren var född i Stockholm 1886 och hade gått igenom Schartaus handelsinstitut. Efter en tid som svensk handelssekreterare i Liverpool kom han till Australien 1908. Lindergren fick anställning på ett försäkringsbolag, men hade ambitionen att utbilda sig vidare och avlade 1920 akademisk grundexamen i ekonomi. Under första världskriget tjänstgjorde han som censor och översättare och från 1920 var han Svenska handelskammarens sekreterare. Under sitt långa liv – Lindergren avled 97-årig 1981 – blev han Sydneys sannolikt mest kände svensk. Middagstalet var Lindergrens ständiga uppgift i föreningssammanhang och hans jullunch blev ett av de stora årliga evenemangen för sydneysvenskar och australiska affärsmän. Denne svenskhetens aristokrat i Sydney besatt dessutom ett utomordentligt gott minne som omspann mycket av landsmännens öden och äventyr på den antipodiska kontinenten.

Gustaf Lindergren. (Emigrantinstitutet)

William Kopsen

William Kopsen var Lindergrens företrädare som centralgestalt i Sydneys svenskkoloni. Köpsén, som han egentligen hette, föddes 1847 i Vaxholm där fadern var sjötullvaktmästare. I 15-årsåldern blev han föräldralös och togs då om hand av släktingar i Österåker. Privatundervisning fick han av kyrkoherden där, S B Pontén, som varit skeppspräst på fregatten Eugenie och sannolikt väckte pojkens intresse för fjärran länder. Mellan 1864 och utvandringen gick Köpsén i affärslära hos den kände grosshandlaren Frans Schartau i Stockholm. De dåliga tiderna under nödåret 1868 och längtan ut avbröt en sannolikt lovande karriär i Stockholm. På våren detta år slog sig Köpsén ihop med 17-årige Nils Engren och reste via Göteborg till London, där planen att emigrera till Sydafrika ändrades till Australien. Under den långa sjöresan fick Köpsén höra talas om Fijiöarna, vilket skulle få betydelse längre fram i livet.

Eftersom Sydney hösten 1868 plågades av arbetslöshet begav sig de två ungdomarna ut på landsbygden. Som *swagmen* drog de omkring från plats till plats på jakt efter arbete. När pengarna tog slut sköt de papegojor och stekte över lägerelden. Ibland fick de påhugg som fåraherdar eller tegelslagare. Australien visade sig vara ett hårt land och drömmen om Fiji blev alltmer påtaglig. Våren 1870 hade William Kopsen sparat ihop tillräckligt för att kunna resa till sina drömmars mål.

Efter ankomsten till Levuka på Fijiöarna förbättrade Kopsen sin ekonomi enligt metoder som utarbetats av andra penninghungriga européer och amerikaner. Han började med att utrusta en båt med västerländskt krimskrams och seglade därefter

William Kopsen. (Swedish Australasian Trade Journal, 1931)

omkring bland öarna och gjorde affärer med infödingarna. Senare anlade han en bomullsplantage. 1873 var Kopsen bokhållare på en firma i Levuka och fem år senare hade han grundat export- och importföretaget W Kopsen and Co Ship Chandlers, som hade kundkretsen spridd över Söderhavet. Några år senare flyttade han till huvudstaden Suva, där han blev så ansedd att han valdes till borgmästare. Han utnämndes också till svensk konsul. Efter nitton år på de givmilda öarna återvände Kopsen 1889 till Sydney och startade en skeppshandel.

Den alltid rastlöse svensken hade egenheten att göra långa cykelturer. När han under en sådan utfärd hamnade i Kiandra i bergslandet sydväst om nutidens Canberra, råkade han få syn på ett par snöskor som tillverkats av virket från *mountain ash*, som växer i dessa trakter. Kopsen häpnade över askvirkets styrka och elasticitet och fick snilleblixten att använda det till åror och paddlar. Denna nödvändighetsvara på Fijiöarna, som också var oundgänglig i räddningsbåtar och nöjesfarkoster, hade dittills importerats från USA. 1907 anlade Kopsen en fabrik utanför Sydney och började fabricera "The Pioneer Boat Oar", som lär ha varit Australiens första träförädlingsindustri och snabbt konkurrerade ut amerikanarna. William Kopsen blev en antipodisk år- och paddelkung och lade därmed grunden till en stor förmögenhet.

Kopsens verkligt storsvenska insats var initiativet till Solandermonoliten vid Botany Bay. Insamlingen till monumentet över Australiens "svenske upptäckare" betydde mycket för att samla landsmännen och fylla deras bröst med självkänsla. Det bohuslänska granitblocket med minnesinskriptionen är fortfarande det enda svenska monumentet i Australien. Kopsens intresse för Solander tog sig för övrigt uttryck i att sonen och arvtagaren till firman begåvades med dopnamnen Kyle Solander. Den framgångsrike affärsmannen utnämndes 1923 till svensk honorärkonsul och tjänstgjorde en tid som generalkonsul. Kopsen avled 1930. Året efter besökte Lubbe Nordström Sydney och fick tag i Kopsens utvandrardagbok (1868–1874). Den gav underlaget för boken *William Kopsen. Ett svenskt emigrantöde* (1933). Kopsens företag drivs f n av en sonson.

Sir Edward, Sonnerdale, Peters och några till

Birger Mörner var inte bara diplomat utan i ännu högre grad forskningsresande och författare. Generalkonsuln tyckte att Sydneys djurpark var både liten och otidsenlig och lanserade därför idén att ett nytt zoo skulle anläggas i den stora och lättillgängliga Taronga Park. Detta ledde till nutidens storslagna djurpark. Mörner var också hjärnan bakom den naturskyddsförening som bildades på svenska generalkonsulatet.

Den svenske generalkonsulns intresse för Sydneys zoologiska anläggning togs senare upp av svenskättlingen Edward Hallstrom. Denne sonson till en svensk emigrant i England blev mångmiljonär på en kylskåpsindustri i Sydney. Med åren betraktade Hallstrom emellertid kylskåpen som en bisyssla. Han blev djurparkens mecenat och satsade stora pengar på expeditioner till Nya Guinea och andra outforskade områden. En art paradisfåglar fick namnet Hallstrom efter honom och Sten Bergman och andra forskningsresanden hade anledningar att med tacksamhet tala om "Sir Edward" i Sydney — han adlades 1952. Förutom fåglar var Hallstrom lidelsefullt intresserad av känguruer och på hans egendom utanför Sydney hoppade hundratals representanter för detta artrika släkte omkring.

Hallstrom var van att bestämma och betraktade i synnerhet Sydneys zoo som sitt revir. Här bestämde han över det mesta från djurens utfodring till införskaffandet av nya djurarter. Med tiden blev han alltmer mån om att erkännas som vetenskapsman och reste världen runt för att deltaga i naturvetenskapliga symposier. Till Naturhistoriska riksmuseet i Stockholm skänkte han stora samlingar. "Kylskåpen tillverkar jag bara som hobby", yttrade Sydneys kylskåpskung vid ett besök i Stockholm 1953.

En av de verkligt framgångsrika sydneysvenskarna var John Sonnerdale alias Lars Johan Sönnerdahl, född 1859 i Helsingborg och uppväxt i Landskrona, där fadern arbetade som smed vid ett gjuteri. Sonnerdale gick tidigt till sjöss och 1877 förliste hans engelska fartyg i Bass Strait. Trots att han inte kunde simma var den svenske ynglingen en av de få som undkom med livet i behåll. Sonnerdale klamrade sig fast på skeppsgrisens rygg och lät denne stå för simningen. Efter fem veckor på en obebodd ö plockades de överlevande upp av ett fartyg och fördes till Melbourne. Sonnerdale utbildade sig till fartygsmaskinist och arbetade fram till 1911 som maskinbefäl, huvudsakligen på australiska fartyg. Han var över 50 år när han mönstrade av och inledde den karriär som skulle göra honom berömd.

Sonnerdale startade en liten maskinverkstad, där bilisterna snart blev de vanligaste kunderna. Han upptäckte att reservdelar till bilarna måste importeras till höga priser och gjorde därför en och annan del själv. Kugghjul till växellådor gick särskilt ofta sönder och Sonnerdale började därför tillverka sådana i större omfattning. På några år hade verkstaden i Sydney utvecklats till en av Australiens största reservdelsfabriker för bilar. Liksom Hallstrom höll sig Sonnerdale med en lärd hobby, i hans fall vikingatidens historia. 1938 reste han t ex till hemlandet för att studera vikingafynd och göra affärer.

En god företrädare för Sydneys många svenska byggmästare var Thomas Peters, som ursprungligen hette Holmqvist och hade sina rötter i Hässleholm. I mitten på åttiotalet kom han till Sydney utan att kunna många engelska ord. Första jobbet blev att skala potatis på en restaurang och resten av hundåren ägnades åt "bush labor" inom lantbruket i New South Wales. Peters fick så småningom tjänst på en rörläggningsfirma och började studera på teknisk aftonskola. Efter ytterligare några år var han delägare i en anläggningsfirma med vatten och avlopp som specialitet. Genombrottet kom när Peters företag fick uppdraget att bygga den stora kataraktdamm varifrån Sydney skulle ta sitt vatten. 1909 kom han in i ett av landets genom tiderna största byggnadsprojekt, när firman fick ansvaret för gjutandet av den enorma konstbevattningsdammen vid Burrinjuck i södra New South Wales. Detta arbete varade i tio år. Peters yttre beskrivs som lika imponerande som hans yrkesskicklighet och förmåga att leda folk. Han var som australierna föreställer sig en viking — atletisk, blåögd och med blond hårlugg. "En stålman i kroppskrafter och

John Sonnerdale (Emigrantinstitutet) och nedan hans verkstad. (Riksföreningen i Göteborg)

affärer", sade de beundrande landsmännen om Thomas Peters.

En av de många framstående svenskarna i handelskammaren var affärsmannen I H Anderson, som var född 1867 i Östertibble, Västmanlands län, och reste till Sydney 1898 med ett ingenjörsdiplom på fickan. Under första världskriget tjänstgjorde han som t f generalkonsul i Sydney. 1928 utnämndes Anderson till fredsdomare, vilket betraktades som den största hedersbetygelse som visats en sydneysvensk. Sonen John blev en framstående läkare.

Den kanske mest kända andragenerationssvensken i Australien var arkitekten Emil L Södersteen, född i Sydney 1899 och död 1961. Han var son till sjökaptenen Gustaf Södersteen från Norrköping. 1928 utsåg kommittén som hade hand om arkitekttävlingen för minnesbyggnaden över stupade soldater i Canberra Södersteen och kollegan John Crust att utforma den byggnad som skulle bli Australiens kanske främsta nationalmonument. Tidigare hade Södersteen varit arkitekt för stadshuset i Brisbane och senare ritade han skyskrapor åt nyrika försäkringsbolag i Sydney.

DRÖMMEN OM AUSTRALIEN LEVER ÄN!

Vanliga resenärer hade anledning att undra över det stora pressuppbådet kring de människor som tisdagskvällen den 29 maj 1973 bordade en chartrad maskin på Arlanda. Trots att det hela tedde sig som en vanlig sällskapsresa utsattes resenärerna för en korseld kcamerablixtar. På journalisternas frågor kom feriestämda svar som "det är spännande", "det känns lite konstigt" eller "ska bli härligt med ett annat klimat. Jag avskyr vintrar." En del av svaren gav dock besked om att uppståndelsen kring Quantas-planet inte gällde vanliga turister. Rune Andersson från Sundsvall yttrade t ex följande: "Trivs vi inte kommer vi tillbaka om två år" och 15-åriga Ing-Britt Lindqvist förklarade: "Jag ska börja i skolan därnere igen. Det kanske blir lite svårt i början innan jag kan språket ordentligt, men sedan kommer det säkert att gå bra." − "Det ska bli roligt att komma till ett nytt ställe", fyllde 12-åriga Ulf Andersson i.

I själva verket utspelades några historiska ögonblick på Arlandas startplatta den försommardoftande majkvällen 1973. Det var som om tidshjulet plötsligt snurrat ett helt varv bakåt så att det som hänt exakt hundra år tidigare nu repeterade sig, men på landets nyaste internationella flygfält i stället för på gamla nötta Amerikakajen i Göteborg. De 104 svenskar och 49 andra skandinaver som vinkades av i vårblåsten, var ett av de största emigrantsällskap som lämnat Sverige sedan massemigrationens tjugotal. Men resmålet var ingalunda Nordamerika och färdmedlet inte Sverige Amerika Liniens vita ångare utan en Boeing 707:a, som på mindre än ett dygn skulle flyga emigranterna till Sydney. Detta var den fjärde av en serie uppmärksammade grupputvandringar till Australien. De australiska myndigheternas "luftbro" för nordiska emigranter hade lagts ut den 27 mars året innan, då 107 svenskar hade rest. Den andra emigranttransporten skedde i juli och den femte oktober 1972 lämnade 126 svenskar och 37 andra skandinaver Arlanda.

Bakom dessa utflyttningar från ett välfärds-Sverige som många börjat tvivla på, låg den omfattande emigrantvärvarkampanj som inletts efter krigsslutet och som från sextiotalet skördat framgångar också i Sverige. Enligt Australiens *Special Assistance Programme* fick personer mellan 18 och 45 utvandra så gott som gratis om de godkändes av invandringstjänstemännen på australiska ambassaden. Betydelsefullt var att familjeförsörjarna och de ensamstående var arbetsföra, helst kvalificerade arbetare och tekniker. Hur improviserat det kunde gå till när man värvades, skildrade Svante och Monica Runnquist för Mariestads-Tidningen på följande sätt: "Vi var ute och julhandlade i Stockholm då vi råkade passera Australiens ambassad. Vi går in och tittar, föreslog Svante. Efter att ha sett på några broschyrer och talat med folk på ambassaden blev vi inkallade till en intervju med ambassadpersonal. Tydligt var att de ville värva folk som kunde tänka sig att flytta till Australien. Vi blev erbjudna en resa dit för 175 kronor. Villkoret var att vi stannade i två år. Okey, tänkte vi och skrev på ett kontrakt direkt efter intervjun."

De som reste i maj 1973 hade alla genomgått sådana personundersökningar. Varje vuxen hade erlagt 160 kronor för en enkelbiljett, familjemedlemmar under 19 år åkte helt gratis. Emigranterna hade förbundit sig att stanna minst två år i Australien. Under den första veckan därnere iklädde sig myndigheterna kostnaderna för mat och husrum, men därefter skulle en mindre avgift betalas för statens utlägg fram till den dag då invandraren fått arbete och därmed ansågs mogen att lämna lägret. Den som tröttnade på att vänta i de primitiva emigrantlägren bland utvandrare från alla Europas hörn, eller inte accepterade de okvalificerade arbeten som erbjöds i början, kunde resa hem men var då skyldig att betala tillbaka hela kostnaden för flygresan från Sverige.

Denna moderniserade variant av de villkor som Australien hundra år tidigare lockat nordbor med, visade sig framgångsrikare i överflödssamhället än de varit i gamla fattig-Sverige. 1960- och 1970-talen blev nämligen de intressantaste årtiondena i den svensk-australiska utvandringshistorien. På sextiotalet reste 3 400 och på sjuttiotalet 4 885 svenskar, vilket sammanlagt motsvarade 58 % av de australienfarare som den svenska statistiken registrerat sedan 1851. Toppen på denna nya emigrationsvåg blev perioden 1971–1973 (737 respektive 813 och 747 utvandrare), då den svenska ekonomin hamnat i en svacka och tidningarnas uppmärksamhet mer än någonsin riktades mot framtidslandet Australien. Det som skrevs om Australien under 1970-talet var i övervägande grad positivt och därmed emigrationsbefrämjande. Ofta intervjuades australiensvenskar på hembesök och artiklarna försågs med rubriker som "Australien är framtidslandet" eller "Detta är ett framtidsland för den som vill jobba". Betydligt ovanligare var de negativa uttalandena som "Det var verkligen hårda bud. Jag slet som ett djur tio timmar om dagen, unnade mig aldrig någon fridag" (Aftonbladet 19 september 1974) eller "Det svenska systemet är skyhögt överlägset. I Australien måste man ha tur. Annars går man under!" (Arbetet 30 maj 1973).

Emigrationspropagandan, de positiva tidningsartiklarna och konjunktursvackorna här hemma gav grogrund åt den stora australienutvandringen på 1960- och 1970-talen. Men för att bryta upp från en välfärdsstat krävs också starka förhoppningar om att avancera inom sitt yrke, få högre inkomster och lägre omkostnader eller att komma till ett behagligt klimat med en friare livsinställning. Sådana motiv var vanliga när efterkrigstidens australienfarare förklarade sitt utvandringsbeslut. Kritik mot det inrutade svenska samhället med dess förmyndarmentalitet och skattetryck eller mot skolsystemet eller, i ännu högre grad, den seglivade socialdemokra-

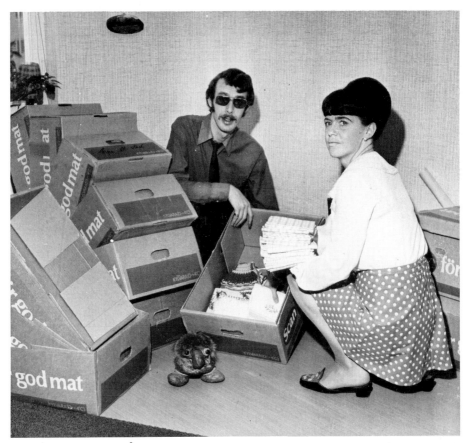

Makarna Bo och Siv Åberg packar inför emigrationen från Arboga till Melbourne 1973.
(Mariestads Tidning 18 maj 1973)

tiska regimen anfördes också som skäl till utvandringen. Ideologiska utvandrarskäl av den arten var vanligare 1973 än hundra år tidigare. Med undantag av några äldre familjemedlemmar var den nya tidens emigranter unga människor, ofta familjer, inställda på hårt arbete som efter några år förväntades ge riklig utdelning i form av egna hem, höga inkomster och innehållsrik fritid.

Australienemigrationens storlek under olika perioder

Det faller utanför denna boks pärmar att berätta om hur det gick för efterkrigstidens australienfarare. Uppgiften är så mäktig att den måste anstå till ett framtida arbete. Här har uppmärksamheten en kort stund riktats mot vår tids mest uppseendeväckande svenska utvandring för att visa att australienemigrationen ingalunda är ett avslutat historiekapitel. Låt oss också utnyttja de höga emigrationstalen kring 1970 som plattform för en statistisk utblick bakåt i tiden!

En sådan visar sig tyvärr bli ganska så dimomhöljd. Eftersom endast en minoritet av 1800-talets australienemigranter reste med flyttningsbetyg och pass är den äldre statistikens siffror mycket tvivelaktiga. Listorna över avhoppade sjömän ger särskilt alarmerande exempel på den svenska utvandrarstatistikens ofullständighet. Enligt denna tidigare obeaktade källa rymde 215 svenska sjömän efter ankomsten till Melbournes hamn 1888, när enligt Sveriges Officiella Statistik endast 152 svenskar utvandrade till Australien. 2 194 svenska fartygsdesertörer antecknades i Melbourne mellan 1882 och 1920 medan den totala svenska australienutvandringen under samma tid enligt statistiken endast uppgick till 2 447. Man kan utgå från att mycket få sjömän finns med i sistnämnda siffra, som alltså minst skulle fördubblas om vi visste hur många svenskar som 1882—1920 lyckades rymma i samtliga hamnar. Mot en sådan bakgrund verkar Olavi Koivukangas inte stå på alltför lös grund när han beräknar att 12 504 svenskar utvandrade till Australien före 1916, trots att den svenska statistiken endast uppger 3 295. Först i vår tid kan Statistiska centralbyråns uppgifter om Australien anses korrekta. Av sådana anledningar vågar man föra minst 10 000 personer till den svenska statistikens uppgift om att 14 216 svenskar utvandrade till Australien mellan 1851 och 1980. I runda tal torde 25 000 svenskar under längre eller kortare tid ha varit bosatta på Den torra kontinenten.

Trots sina brister ger statistiken underlag för iakttagelser om emigrationens toppar och dalar. Enligt nedanstående diagram utvecklade sig den svenska australienemigrationen på samma sätt som den till USA. Efter en första uppgång under

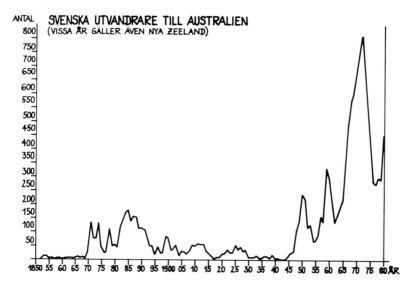

Diagram över den registrerade utvandringen från Sverige till Australien 1851—1980.

1850-talets guldrush kommer nästa kulmen i början på 1870-talet. Precis som den amerikanska sjunker den australiska migrationskurvan vid sjuttiotalets mitt för att sedan nå rekordnivå under åttiotalet och fram till den svåra nittiotalsdepressionen, då kurvan faller lika drastiskt som den amerikanska. Queensländsk emigrationspropaganda och ekonomiska konjunkturer avspeglas i en tillfällig topp 1899 och 1900, medan bl a staten Victorias ansträngningar kan anas bakom den obetydliga uppgången 1909—1913. I stort går kurvan fortfarande parallellt med den amerikanska, vilket också gäller mellankrigstiden, även om amerikaemigrationens sista rekordår 1923 inte avspeglas i det australiska materialet, som har tjugotalets topp förlagd till 1925 och 1927. Från 1948 går den antipodiska emigrationskurvan sin egen väg mot höjder som kraftigt distanserar även 1880-talets toppar. Särskilt anmärkningsvärda är de höga utvandrartalen mellan 1967 och 1975. Från sistnämnda år blev emigrantvärvningen mindre energisk p g a arbetslöshet i Australien och detta avspeglas i fallande men fortfarande jämförelsevis höga tal.

Även när den var som störst framstod utvandringen till Australien som blygsam jämfört med den till USA — totalt utvandrade 1,2 miljoner svenskar till USA före 1930 och även 1960- och 1970-talens amerikautvandring var 3—4 gånger större än den till Australien. Också Kanada var från 1880-talets slut ett vanligare utvandringsmål och vid seklets början reste enligt statistiken nästan fem gånger fler till Kanada. Under 1970-talet registrerades emellertid ca 800 fler utvandrare med australiska visa.

En förgubbad invandrargrupp

Om vi begränsar blickfältet till den "klassiska" emigrationsepoken, dvs 1851—1930, framstår perioden 1878—1900 som den egentliga rushen med 2 102 utvandrare, vilket motsvarar över hälften av de registrerade australienfararna före 1930. Denna koncentration fick, som Koivukangas visat, dramatiska följder för folkgruppens åldersstruktur — 86 % av de svenska män som blivit australiska medborgare före 1920, var mellan 18 och 34 år vid ankomsten till Australien. Eftersom så många emigranter anlänt under en begränsad tid och eftersom nytillskotten blev obetydliga efter sekelskiftet kom invandrargruppen att åldras snabbt. Vid tiden för första världskrigets utbrott var de flesta svenskarna i övre medelåldern och vid 1921 års folkräkning var majoriteten äldre än 50 år. Den obetydliga nyrekryteringen reflekterades också i att 64 % av de svenskfödda enligt 1911 års census bott i landet under minst tjugo år.

En viktig anledning till att den svensk-australiska folkgruppen inte föryngrades, var att överväldigande flertalet emigranter var män och att så många avstod från att bilda familj. Det osäkra i att resa till Australien gjorde denna utvandring betydligt mer mansdominerad än den till USA, dit familjer och ensamstående kvinnor lockades av homesteaderbjudanden och en varierad arbetsmarknad. Den obetydliga familjeemigrationen före 1931 avspeglas i att endast var fjärde australienfarare var kvinna och var sjätte under 16 år (42 % kvinnor och 27 % barn efter 1931 — bland samtliga svenska utvandrare till icke-europeiska länder rådde ett mindre mansöverskott 1851—1930). Lätt räknade var de ensamstående kvinnor som vågade lita på emigrationspropagandans locktoner. Av sådana anledningar fanns det före 1921 tio gånger fler svenskfödda män än kvinnor i Australien. De mer familjecentrerade danska invandrarna — jordbrukarna i Queensland — kunde däremot glädja sig åt att minst var tredje dansk invandrare gick i kjolar och bland tyskarna kunde man räkna 50 kvinnor på 100 män 1891.

Den skeva könsfördelningen gjorde att svenskarna fick osedvanligt svårt på äktenskapsmarknaden. Att gifta sig med en landsmaninna var en nåd att stilla bedja om. Återstod då i första hand "infödingar" av brittisk bakgrund, men chansen var inte stor att en nyanländ svensk med osäker inkomst och stapplande språkfärdigheter skulle hitta en australisk brud. Därför var 58 av 100 svenska män i New South Wales ogifta år 1891. Desto fortare gick svenskorna åt på giftermålsmarknaden: 77 av 100 svenskfödda kvinnor i New South Wales var gifta 1891. I takt med att svensken rotades i invandrarmiljön ökade naturligtvis möjligheten att bli bekant med en engelsktalande kvinna. 1911 var således över hälften av de svenska männen gifta, en andel som ökat till 58 % enligt 1921 års folkräkning. Medan de fåtaliga svenskorna oftast gifte sig med landsmän hade 90 % av svenskarna i New South Wales enligt 1891 och 1901 års folkräkningar gift sig med brittiska kvinnor. Nämnda år vistades var femte maka på annan plats än mannen, vilket kan tolkas som att många varit gifta när de utvandrade och alltså lämnat "australienänkor" efter sig i hembygden. Man kan också undra över hur många tvegiften som begicks i Australien.

Äktenskapet blev svenskhetens nedbrytare

De många ungkarlarna och de sena giftermålen resulterade i att de svenska invandrarna fick få barn och att folkgruppen därmed förblev obetydlig med ålderspyramidens tyngdpunt successivt förskjuten uppåt. När man bildade familj kom så kravet från den brittiska hustrun att mannen skulle anpassa sig till anglosaxiska seder och bli "australisk". Fruns önskan att mannen skulle ta ut medborgarpapper underbyggdes av en bestämmelse från 1870 att hustrun räknades till mannens nationalitet. Men även utan en pådrivande hustru ansågs det nyttigt för en emigrant att genom naturaliseringen skaffa sig bevis på att han kommit för att stanna. Medborgarskapet kunde också underlätta åtkomsten av land och en yrkesmans möjligheter inom sjöfarten, affärslivet och poliskåren. Av sådana anledningar blev 71 % av de svenska män som invandrat 1904—1911 medborgare, en hög andel, särskilt jämfört med att endast var fjärde av dem som anlänt före 1904 skaffat sig medborgarhandlingar. Svenskens förmåga att smälta in i det australiska samhället visas också av att 83 av 100 män enligt 1911 års folkräkning kunde läsa och skriva engelska. Medan fäderna angliserades tills endast språkaccenten fanns kvar växte deras barn upp med minimala kunskaper om Sverige. Ofta hade de inte ens tänkt på att fadern invandrat från ett främmande land. Förutsättningarna att bevara svenskheten kunde knappast vara mindre än i en svenskaustralisk familj.

Vilka arbeten hade de?

De svenska invandrarnas outvecklade känsla för nationell identitet försvagades ändå mer av deras låga samhällsställning. Tidigare har redogjorts för yrkesförhållandena bland städernas svenskar och vi såg där att sjömännen och diversearbetarna dominerade, att hantverkarna också utgjorde en betydelsefull grupp, men att affärsmännen och tjänstemännen var lätträknade. På landsbygden präglades yrkesfördelningen av jordbruket med olika binäringar. Enligt uppgifterna i naturaliseringshandlingarna arbetade 15 % av de svenska män som blivit medborgare före 1904 inom lantbruket, en andel som sjönk till 10 % för dem som naturaliserades mellan 1904 och 1915 men ökade igen till 16 % för perioden 1916–1946. Flertalet jordbrukare var före 1916 egna företagare, medan lantarbetargruppen var förhållandevis obetydlig utom under perioden 1916–1946. En förklaring torde vara att just farmarna skaffat sig medborgarskapshandlingar och att vår källa därför är missvisande. Med största sannolikhet var jordbruksarbetarna betydligt fler än jordbruksföretagarna under hela undersökningsperioden.

En annan på landsbygden viktig yrkesgrupp var gruvarbetarna som före 1946 utgjorde 7 % av den svenskaustraliska arbetarstammen. Naturligtvis arbetade också en stor del av svenskarna inom transport- och servicenäringar liksom hantverk och diversearbete utanför städerna. Den mest slående iakttagelsen när man studerar den svenska yrkesprofilen i Australien, gäller emellertid sjömännen och hamnarbetarna som fram till 1946 utgjorde 25–33 % av de yrkesverksamma. Många svenskar höll alltså kvar vid det yrke som fört dem till Australien. De blev ett sjöfarande folk på Den torra kontinenten. Allt detta enligt Olavi Koivukangas studium av medborgarskapshandlingarna.

Varför saknas svenskbygder?

Den australiska arbetsmarknadens obeständighet – lantarbetarna var t ex nästan alltid ambulerande säsongsarbetare – bidrog till att svenskarna och andra invandrare blev mycket rörliga. Detta försvårade möjligheterna att som i Amerika bilda svenskkolonier och underminerade det lilla som fanns kvar av svenskheten. Det stora undantaget från regeln om arbetsmarknadens rörlighet var farmarna, som genom arrenden och köp var bundna vid gården. De var emellertid för få och bodde för långt från varandra för att som i Amerika ge underlag åt svenskbygder.

Endast svenskarna i storstäderna kunde, om de ville, känna sig som delar av en koloni. De många som arbetade i hamnarna eller inom byggnadsindustrin hade god chans att få svenskar som arbetskamrater. Under alla omständigheter fanns möjligheten att umgås med landsmän, bli medlemmar i en svensk klubb eller, om de bodde i Melbourne, gå i Svenska kyrkan. Inte heller storstädernas svenskar orkade, som vi sett, i längden stå emot likriktningsströmmen utan övergav det svenska kontaktnätet och assimilerade sig. När journalisten och bokförläggaren Johan Lindström Saxon reste genom Australien på tjugotalet upptäckte han att landsmännen höll på att glömma modersmålet. Endast i undantagsfall kunde deras barn något om ursprungslandet. Liknande iakttagelser gjorde Hjalmar Bengtsson, som menade att svenskarna var på god väg att gå under som nationell grupp i Australien.

En viktig anledning till att svenskar och andra skandinaver i Australien hade så svårt att upprätthålla en invandrarkultur var att så få nationella ledargestalter fanns bland dem. De intellektuella och teoretiskt utbildade emigranterna assimilerade sig snabbt för att befrämja karriären eller också fastnade de på nykomlingens diversearbetarnivå med få möjligheter att utveckla sina anlag. De intellektuella invandrarna, som i likhet med Cronqvist och Lagerlöf ägnade sig åt svenskhetens bevarande, var synnerligen lätträknade i Australien. Därmed gick entusiasmen ur svenskhetssträvandena och de nationellt aktiva tvingades gå samman med danskar och norrmän. Som vi sett slets de svensk-dansk-norska organisationerna snart sönder av den i skandinaviska sammanhang ofrånkomliga brödraträtan.

Undantagandes tillfälliga guldgrävarläger och folket kring *squattern* Westblad och fruktodlaren Nobelius kan man inte tala om svenska bosättningsområden i Australien. Svenskarna hamnade bland icke-landsmän och spreds av ödet över hela landets befolkade delar. Det är svårt att leta upp ett samhälle i Australien där inte en svensk någon gång varit bosatt, men det är också svårt att komma till platser där man som i Amerika kan peka på svenskkvarter och svenskgator.

Var slog de sig ner, varifrån kom de, hur många återvände?

I föregående kapitel konstaterade vi att stadsområdena och i synnerhet storstäderna hade så stor dragningskraft på svenskarna att minst hälften kan betecknas som urbaniserade efter 1911. Enligt tabellen på nästa sida drog New South Wales från 1881 och förmodligen också tidigare till sig ungefär en tredjedel av de svenska invandrarna. God tvåa som ''svenskstat'' var Victoria, där minst en femtedel av svenskarna var skrivna. En något mindre andel var skriven i Queensland, medan ungefär var tionde svenskfödd bodde i Sydaustralien. Västaustraliens andel växte kraftigt under det gyllene nittiotalet. Endast ett obetydligt antal svenskar bodde i Tasmanien och Nordterritoriet. Det mest dramatiska i kolumnen för totala antalet svenskfödda var fördubblingen under det invandrarintensiva 1880-talet. Till in på 1940-talet framstod svenskarna som den näst danskarna största nordiska folkgruppen i Australien, medan den finska efterkrigsinvandringen resulterade i att dessa sedan 1950-talets slut står för den starkaste nordiska representationen. 1981 fanns i

Australien 9 500 invandrare från Finland, 7 900 från Danmark, 4 400 från Sverige och 2 950 från Norge.

Varifrån i Sverige kom de som utvandrade till Australien? Både den svenska utvandringsstatistiken och de australiska medborgarhandlingarna ger hygglig information om emigranternas provinsiella bakgrund. En enkel sammanställning av dessa uppgifter visar hur betydelsefullt södra Sverige var som rekryteringsbas. Före första världskriget härstammade en tredjedel av emigranterna från landskapen söder om Väster- och Östergötland. Särskilt betydelsefulla var Malmöhus och Kalmar län från vilka 9 % respektive 10 % av utvandrarna kom. Från det glest befolkade Gotland emanerade 4 % av australienfararna. Emigranternas anknytning till bygder med livlig sjöfart markeras också av att nästan var femte kom från Göteborgs och Bohus län och var sjunde från Stockholm. Något mer än var tionde av de aktuella utvandrarna var norrlänning, huvudsakligen från de industri- och sjöfartsinriktade Gävleborgs och Västernorrlands län, varifrån trävaror sedan 1850-talet exporterats till Australien.

I all utvandring är ungdomens äventyrslystnad och förhoppningar kring en guldkantad framtid en lika viktig som svårmätbar ingrediens. Eftersom australienfararna i så utpräglad grad dominerades av ensamstående unga män som reste utan vederbörliga utflyttningshandlingar kan man utgå från att utvandringsbeslutet i ovanligt hög grad lades i Fru Fortunas hand. Det vore intressant att veta hur många emigranter som verkligen räknade med att stanna i antipoden. De talrika skeppsrymlingarna och guldgrävarna i äldre tid måste ha kalkylerat med en kortvarig vistelse. Man ville helt enkelt pröva sina möjligheter i ett annorlunda invandrarland för att sedan återvända hem eller fortsätta till andra länder. Följaktligen skulle man kunna räkna med att en ovanligt stor del av australienfararna reste hem till Sverige igen.

ANTAL SVENSKFÖDDA I AUSTRALIEN 1871—1966

År	New South Wales	Victoria	Queensland	South Australia	Western Australia	Tasmania	Totalt
1871	?	845	253	?	?	28	?
1881	1 106	825	583	459	21	66	3 120
1891	2 140	1 928	1 173	690	130	150	6 275
1901	2 010	1 302	1 288	559	754	219	6 200
1911	1 797	1 220	1 054	653	740	119	5 586
1921	1 695	1 115	911	560	630	101	5 025
1933	1 333	897	705	426	445	69	3 895
1966	1 010	573	437	262	144	58	2 558
1981	1 789	876	858	258	441	62	4 403

Anmärkning: Talen för 1881, 1891 och 1901 är beräknade

Källa: Koivukangas sid 287; Department of Immigration and Ethnic Affairs, 1981 Census, birthplace by state

Under hela emigrationsepoken fram till 1980 återvände enligt statistiken något mer än hälften av utvandrarna. Den höga återvändarprocenten visar sig emellertid bero på att hela 60 % av dem som reste till Australien 1931—1980 återvände, vilket överensstämmer med den stora rörligheten bland senare tiders emigranter. Om vi emellertid begränsar synfältet till den "klassiska" emigrationsperioden, alltså före 1930, och jämför med amerikaemigrationen visar det sig att endast en obetydligt högre andel av australienemigranterna återvände (25 % jämfört med 18 %). Ändå måste vi räkna med att betydligt fler lämnade Australien efter en period där. Sannolikt åkte man då vidare till Nya Zeeland, Amerika, Sydafrika eller andra områden. Många svenskar hade ju också emigrerat till Australien via USA.

Australienemigranternas sociala bakgrund

Chanstagande och äventyrsvittring torde förklara varför så många ynglingar av borgar- eller överklassbakgrund dök upp i Australien. Siffror är omöjliga att komma med i detta sammanhang och man måste också betänka att denna typ emigranter ofta lämnade brev, dagböcker och andra vittnesbörd efter sig. Även om man tar hänsyn till den för högreståndsemigranter fördelaktiga källsituationen kvarstår intrycket att ovanligt många "bättre-mans-söner" reste till Australien. Granskar vi deras bakgrund närmare tycks påfallande många ha misslyckats med sina studier och företag så att de utvandrade mer eller mindre med familjens välsignelse. Australien var också de svarta fårens land. Raden av medel- och överklassynglingar, som försett fäderna med gråa hår innan de utskeppades till Australien, skulle kunna fylla flera sidor i denna bok med namn ur stats- och adelskalendrarna eller prästmatrikeln. Vi får dock nöja oss med konstaterandet att högreståndsemigranterna i 1800-talets Australien blev uppblandade med landsmän ur jordbrukar- och arbetarklasserna, dvs massemigrationens rekryteringsbas.

Dessa var naturligtvis numerärt sett helt dominerande. Mycket tyder dessutom på att svenskar ur de verkligt obesuttna samhällsklasserna relativt sett i högre grad utvandrade till Australien än till Nordamerika. De många sjömännen hade t ex knappast haft råd att utvandra om de inte skaffat sig gratis resa över haven. De emigranter som utnyttjade Queenslands, Tasmaniens och Victorias erbjudanden om *assisted passage*, tillhörde ofta lantarbetarproletariatet och valde Australien därför att det var billigare än att resa till Amerika. Det sagda gäller främst för 1800-talets emigration, medan senare tiders australienfarare hade en betydligt mer etablerad social och ekonomisk bakgrund — 1960- och 1970-talets utvandrare var i de flesta fall rejält yrkesutbildade och reste med ganska så stinna checkhäften i handbagaget.

1800-talets australienemigranter tycks alltså i påfallande grad ha rekryterats från det svenska klassamhällets flanker. Varför kom då inte fler nationella ledare från den förhållandevis stora skaran bildade emigranter? Sannolikt därför att dessa hade svårt att känna samhörighet med landsmän av proletär bakgrund och att deras språkkunskaper möjliggjorde en snabbare anpassning till samhället.

Australiens syn på svenskarna och svenskarnas på Australien

Hur såg australierna på de svenska invandrarna? Det är inte så lätt att få fram sådana attityder, eftersom invandrade nordbor alltid varit sällsynta och många australier, kanske de flesta, aldrig lärt känna någon invandrare från Sverige. Skandinavernas förmåga att smälta in i Australien har dessutom gjort det svårt att fixera den eller den som svensk. Man har kanske fattat arbetskamratens obetydliga accent som en kvarleva från högländerna eller Irland. "Aldrig nämnde han något om att han kom från Sverige", kunde omgivningen kommentera när man vid en svensks frånfälle fick veta varifrån han härstammade. Minst av allt kan svenskarna i Australien beskyllas för att ha profilerat sig.

Det går emellertid att samla in spridda uttalanden om svenskar i Australien och sammanfoga dem till en enhetlig bild som när man lägger pussel. Helhetsomdömet visar sig då vara påfallande likt svenskens image i USA: blygsam, pålitlig, genomhederlig, plikttrogen, rakryggad och en tusan till arbetskarl. Precis som i Amerika har svensken dessutom hållits för att vara sävlig och aningen lättlurad men knappast på ett löjeväckande sätt, eftersom dessa svagheter ansetts bero på hans noggrannhet och ärlighet. En vanlig åsikt på tal om svenskaustralier torde vara, att de sällan gav upp utan fullföljde arbetet, också under de mest vidriga omständigheter. Svenskens strävan att avvika så litet som möjligt och helst framstå som anonym ur nationell synpunkt uppskattades i ett land som fram till vår tid vårdat en efter engelska mönster tillskuren uniformitet. Den välvilliga synen på svenskar och andra invandrare från Norden tyder på att deras tillvaro inte onödigtvis fördystrats av missunnsamma grannar och avoga arbetskamrater.

För att komma underfund med hur svenskarna fann sig till rätta i Australien bör man ta del av emigranternas egna utsagor, främst då breven hem. Även om australienbreven av naturliga skäl är långt sällsyntare än amerikabreven finns tillräckligt många i Emigrantinstitutets samlingar för att ge en lång rad upplysningar, vilket denna bok är ett vittnesbörd om. Medan amerikabreven var påfallande optimistiska präglas många australienbrev av dystra tongångar. Guldgrävarna Widemans och Billmansons jeremiader fick många efterföljare. Brevskrivarna i städerna upphöll sig ofta vid dåliga tider och svårigheter att finna stadigvarande arbete, medan de brev som är skrivna av lantbrukare gärna skildrar torka och missväxt. Karakteristiskt för australienbreven är att de sällan uppmanar de hemmavarande att komma efter, något som går stick i stäv mot amerikabrevens råd att följa efter till "Det förlovade landet".

En generell förklaring till melankolin i de antipodiska epistlarna var att Australien var ett ovanligt kärvt och motsträvigt land för en svensk att komma till. Naturen och klimatet kunde knappast vara mera främmande. Man skulle t ex vara mycket optimistisk för att rekommendera andra än sina ovänner att komma ut till bushen och bli jordbrukare. Både i städerna och på landsbygden var arbetsmarknaden instabil som kvicksand. Den australiska 1800-talsekonomin var så begränsad och sårbar att en skördekatastrof i New South Wales mycket väl kunde orsaka arbetslöshet i Melbourne. Detta land levde inte bara under avståndets utan också klimatets tyranni. Extremt utsatta för detta var invandrare i allmänhet och lantarbetare i synnerhet. Även under normala år fick lantarbetaren vara nöjd om han hade full sysselsättning under sammanlagt sex månader. Efter skörden och fårklippningen väntade långa arbetslöshetsperioder när han som *swagman* måste vandra från gård till gård eller in till städerna under jakten på arbete.

En stark anledning till pessimismen i så många australienbrev var brevskrivarnas ensamhet, särskilt under den första invandrartiden då de flesta breven skrevs. I Australien var svensken i betydligt större utsträckning än i Amerika utlämnad åt sig själv. Sällan hade han landsmän i omgivningen, ett arbetslag av svenskar var en nåd som någon enstaka gång blev verklighet i gruvområdena, på någon boskapsstation eller i storstäderna. Än mindre kunde australiensvensken hoppas på att en koloni av landsmän skulle uppstå i den trakt där han befann sig. Därmed bortföll det i amerikabreven så vanliga motivet att övertala de hemmavarande att komma ut till en uppväxande svenskkoloni. Vad emigrationsforskaren kallar *the ethnic pull*, den nationella dragkraften, fanns inte bland Australiens svenskar.

Annat källmaterial som dagböcker, levnadsskildringar och intervjuer modifierar de ofta dystra känslor som ventileras i breven. Dessa dokument ger ju inte så många ögonblicksbilder som breven utan täcker långa perioder, kanske en livstid, och färgas därför av att allt ändå gick bra till slut. Emigranten fick så småningom ett hyggligt arbete, kände sig accepterad i samhället, slutade längta hem och fogade sig i tanken att aldrig återse syskonen och hembygden. Gruvarbetaren Albert Nylanders många brev från Ballarat till systern Emma och andra släktingar i Västergötland är utmärkta exempel på en svenskaustraliers besvärliga men lyckosamma anpassning.

"Ett land som kräver många och stora offer men som ger sjufalt igen när man väl blidkat det", yttrade en gammal svensk i Melbourne när jag bad honom sammanfatta ett livs erfarenheter som invandrare. Sannolikt för oss detta uttalande mycket nära den svenska utvandrarens förhållande till Australien, det annorlunda invandrarlandet som kanske blir svenskens vanligaste transoceana utvandringsmål i framtiden.

KÄLLOR OCH LITTERATUR

Otryckt material anges med kursiverad stil

ARBETEN SOM ANVÄNTS I SAMTLIGA KAPITEL

Allsvensk Samling. Tidning utgiven av Riksföreningen för Svenskhetens Bevarande i Utlandet. 1914—1930

Gunnar Andersson, Australien. Natur och Kultur. Studier och minnen. Stockholm 1915

Geoffrey Blainey, The Rush that Never Ended. A History of Australian Mining. Melbourne 1969

Geoffrey Blainey, The Tyranny of Distance. How Distance Shaped Australia's History. Sun Books, Melbourne 1977

C M H Clark, A History of Australia. Fem volymer. Melbourne University Press, 1978—1981

Consice Encyclopedia of Australia and New Zealand, Bay Books. Sydney 1977

R M Crawford, Australia. Hutchinson University Library, London 1971

Gordon Greenwood, Australia. A Social and Political History. Sydney 1967
Intervjuer med australiensvenskar. Emigrantinstitutets ljudbandsarkiv

Olavi Koivukangas, Scandinavian Immigration and Settlement in Australia before World War II. Kokkola 1974

Robert Lacour-Gayet, A Concise History of Australia. Blackburn, Victoria 1976

O R Landelius personhistoriska klipparkiv. Svenskar i Australien

Jens Lyng, The Scandinavians in Australia, New Zealand, and the Western Pacific. Melbourne 1939

E E Morris, Australia's First Century 1788—1888. Facsimile. Hornsby, New South Wales 1980

Norden. Tidning utgiven i Melbourne 1896—1940

Personhistoriskt material om svenskar i Australien insamlat av Sten Almqvist, Ulf Beijbom, O R Landelius och James Sanderson

A G L Shaw, The Economic Development of Australia. Longman Cheshire, Melbourne 1980

UPPTÄCKT OCH KOLONISERING

Robert E Fries, Daniel Solander. Minnesteckning. Stockholm 1940

C Lloyd, Captain Cook. London 1952

Alistair MacLean, Kapten Cook. Stockholm 1981

Sten Selander, Linnélärjungar i främmande länder. Stockholm 1960

Olof H Selling, En Linné-lärjunge i Australien 1770. Tidens kalender, 1954

Anders Sparrman, Resa till Goda Hopps-Udden Södra Pol-Kretsen och Omkring Jordklotet samt till Hottentott- och Caffer-landen åren 1772—76. Del 1—2 (1783, 1802, 1818). Rediviva, Stockholm 1968

Zeewijk. Mönstringsrulla och annat material. Western Australian Maritime Museum. Fremantle, WA

Alf Åberg, När svenskarna upptäckte världen. Från vikingar till gustavianer. Lund 1981

DRÖMMEN OM AUSTRALIEN

C J L Almqvist, Parjumouf. Saga ifrån Nya Holland (1817). Rediviva, Stockholm 1972

Sten Almqvist, Tidningsexcerpter om utvandring till Australien under guldgrävartiden

Sten Almqvist, Svensk sjöfart på Australien. Smålandsposten 27.6.1973

Ebbe Aspegren. De första världsomseglingarna. Forum Navale, 37, 1983

Ebbe Aspegren, Den första världsomseglingen. Sveriges Flotta, 9, 1980

Hjalmar Bengtsson, Från Solander till guldrusningen. Ett kapitel om Australiens svenskar. Ingår i Till trettioårsdagen 1908—1938. Riksföreningen för Svenskhetens Bevarande i Utlandet. Göteborg 1938

Anders E Björks samling

Julie Bremner, Charles Suisted. Ingår i The Advance Guard. Serie II, utgiven av G J Griffiths. Dunedin, Nya Zeeland 1974

D H T Börjeson, Stockholms segelsjöfart. Minnesskrift 1732—1932. Stockholm 1932

Excerpter och fotokopior ur Borås Tidning, Svenska Biet, Aftonbladet m fl om "australienut-vandringen från Västergötland"

"Gouverneur Stirling", excerpter och fotokopior från Göteborgs landsarkiv (Sjömanshuset), samt Battye Library. Perth, WA och samtida tidningar

Rune Haldorsson, Utvandring till Australien? Ulricehamns Tidning 20.10.1977

(Charles Albert Kann), Australien och dess guldregioner. Göteborg 1853

Rune Larsson, Utvandrarmysterium. Borås Tidning 13.11.1977

G M Lindergren, Some Notes on the early Trade between Sweden and Australia. Swedish-Australasian Trade Journal, June 1931

Niklas J Ljungströms samling

Norden. Skandinavisk Tidning i Australien. 1857

Rolf Du Rietz, Daniel Djurbergs namn på Australien. Ymer 1961, 2

Nils Runeby, Den nya världen och den gamla. Amerikabild och emigrationsuppfattning i Sverige 1820–1860. Uppsala 1969 – särskilt sid 172–180

James Sanderson, List of Swedish Subjects who became British Subjects in Sydney, NSW during the 19th Century

James Sanderson, Excerpter från Index to Male Convicts transported to New South Wales och *Register of Naturalization.* Archives Office of New South Wales, Sydney

James Sanderson, Källmaterial om tidiga svenskar i Australien

Georg Sass reseskildring. Norden 28.11.1903

Daniel Solander, Herman Spöring, Joseph Banks, James Cook m fl, Manuskript och samlingar i British Museum och British Museum, Natural History, London

M K Stammers, Black Ball Line. Longitude. Tidskrift från de sju haven, 15 (1979)

Svensk sjöfart till Australien. Excerpter ur passjournaler och andra dokument rörande "Edward" och andra tidiga australienfarare. Korrespondens med Ebbe Aspegren 1982–1983

ANTIPODISK GULDFEBER

Sten Almqvist, Antipodisk post. Postryttaren, 1980

Sten Almqvist, Brev från torr kontinent. Postryttaren, 1978

Sten Almqvist, Efterlyses! En Herrens tjänare. Växjö Stifts Hembygdskalender, 1973 (Wideman)

Sten Almqvist, Samling av kopior och excerpter från källmaterial rörande svenskar i Australien 1837–1899

I F Billmansons samling med kompletterande material sammanställt av Barbro Levinsson och Sten Almqvist (1972–1983)

Corfitz Cronqvist, Vandringar i Australien åren 1857–1859. Göteborg 1859

C A Egerström, Borta är bra, men hemma är bäst. Berättelse om en färd till Ostindien, Nordamerika, Kalifornien, Sandwichs-Öarna och Australien åren 1852–1857. Söderköping 1859 (sid 246–321)

Teodor Fischer, Vagabondlif i Australien. Stockholm 1879

J F W Forsbergs samling sammanställd av E Silfverling, Smedjebacken

Karlskoga bergslags hembygdsförening. Förteckning över emigranter till Australien

Barbro Levinsson, Ivar Feodor Billmansons brevsamling. Utskrift 1972

C A L Lagergren, Minnen från Brasilien, Cap, Australien och Oceanen Åren 1853–1859. Manuskript utarbetat 1869–1875

Lagergrens samling sammanställd av Hedvig Ekbom, Uppsala 1973

Maurice F Linquist. Valkyrian, 1897

Jens Lyng, Skandinaverne i Australien, det Nittende Aarhundrede. Melbourne 1901. (Om svenska guldgrävare sid 87–92)

Hans Norman, Från Bergslagen till Nordamerika. Uppsala 1974 (särskilt sid 78–86, 235–237)

A G Petersson, Bergsmansgården Väsby i Bjurkärn. Bidrag till gårdens och dess ägares historia under 300 år. Kristinehamn u å

A G Petersson, Vittberesta bergsmanssöner från Karlskoga bergslag. Kristinehamn 1933

Peter Magnus Petersson, Australia-Färd (1882)

Johan Anders Stockenbergs samling (Museet i Halmstad)

Mercia Westblade, The Westblade Family in Myall. Australien u å

Miljonarf? Östergötlands Dagblad 22.8.1901 och 23.8.1901 (Widemans guldgrävarbrev)

Personhistoriskt material om P Wideman

VILDMARKENS BESEGRARE

Sten Almqvist, En misslyckad emigrationskampanj till Australien. Värld och Vetande, 9, 1972

Hjalmar Bengtsson, Ernst Hjalmar Fromén − En australiensvensk med gott virke i. Riksföreningen för Svenskhetens Bevarande i Utlandet. Årsbok 1932

Civildepartementets och svenska pressens anti-emigrationskampanj 1914. Handlingar och tidningsklipp

C A Egerström, Borta är bra, men hemma är bäst (sid 246−321)

Hans Erikson, The Rhythm of the Shoe. Brisbane 1964

R F Ericksen, Nobelius. Ingår i Australian Dictionary of Biography, 5. Melbourne 1974

C A Hartsman och hans verksamhet som emigrantagent 1914. Tidningsklipp och excerpter

Kjell Hertzman, Strömsbropojken som blev borgmästare i Australien. Arbetarbladet 27.10.1979 och 2.11.1979

Per Johnson, Mina upplevelser i Australien. Upptecknade 1908. Kristinehamn 1925

Gustaf Kassells brevsamling

Margaret Kiddle, Men of Yesterday. A Social History of the Western District of Victoria, 1834−1890. Melbourne University press, 1980

Karl Erik Larsson, Birger Mörner och Australien. Samfundet Örebro Stads- och länsbiblioteks vänners meddelande 1980−1971

Karl Erik Larsson, Birger Mörner − konsul, resenär och samlare. Samfundet Örebro Stads- och länsbiblioteks vänners meddelande 1967

Carl Lumholtz, Bland Menniskoätare. Fyra års resa i Australien. Stockholm 1889.

Jens Lyng, Emigrantnoveller og Skitser. 2 delar. Melbourne 1901, 1905

Nationalföreningen mot Emigrationen. Australien som emigrationsland. En belysning. Stockholm 1914.

Nationalföreningen mot Emigrationen. Ett nytt emigrations-äfventyr? Efter Brasilien − Australien? Stockholm 1914

KARLAKARLAR I QUEENSLAND

Sten Almqvist, Kopior och excerpter från tidningsartiklar om utvandringen till Queensland 1870−1899

Sten Aminoff, Excerpter ur passagerarlistorna i Hamburg rörande till Australien destinerade svenska emigranter 1850—1894

Hjalmar Bengtsson, På kamel genom känguruns land. Stockholm 1943

Carl Forsstrand, Carl Axel Egerström. Ingår i Svenska lyckoriddare i främmande länder. Stockholm 1916

Conrad Fristedt, På forskningsfärd. Stockholm 1891

Eric Hultman, Svarta diamanter. Bland australnegrer och guldgräfvare. Berättelser från Australien. Göteborg 1910

Eric Hultman, Utan jury och andra berättelser från Australien. Stockholm 1915

Eric Hultman, Vildar mer eller mindre. Skisser från Australien. Stockholm 1907

Magni Håkanssons samling

Teodor Knös, Lifvet i Australien. Reseskildringar. Lund 1875

Rosemary Lawson, Immigration into Queensland 1870—1890. Seminarieuppsats, University of Queensland. Brisbane 1963

Jens Lyng, Scandinavian Migration to Queensland. I The Scandinavians in Australia . . .

Per Olsson-Seffer, Queensland. Framtidslandet i Australien. Brisbane 1902

Queenslands Depôt i Helsingborg

Birger Schöldström, En svensk vid Stilla hafvet. Nornan, 1905

Per Erik Seagren, borgmästare i Cooktown. Diverse handlingar

Vägvisare till Queensland. Utgifven på föranstaltande av Queenslands regering. London 1898

I DEN GYLLENE VÄSTERN

R T Appleyard and Toby Manford, The Beginning. European Discovery and Early Settlement of Swan River, Western Australia. University of Western Australia Press 1980

Hjalmar Bengtsson, Bland Väst-Australiens svenskar. Allsvensk samling 1925, 19

Hjalmar Bengtsson, Tusen mil genom Australien. Studier och äventyr bland vita bushmän och svarta infödingar. Stockholm 1928

Geoffrey Blainey, The Rush that Never Ended (sid 161—207)

Hans Erikson, The Rhythm of the Shoe. Sydney 1964

Handlingar om guldgrävaren Olof (Ola) Olsson Smith (fru Elly Ridhner)

Jens Lyng, Skandinaverne i Australien (sid 84—85 — om guldgrävaren Victor Nelson)

Eric Mjöberg, Bland vilda djur och folk i Australien. Stockholm 1915

Rolf Du Rietz, Minnen från Australien. Bokvännen 1964, 2 (om Rahm)

(C E Rahm), Minnen från Australien af en svensk sjöman. Stockholm 1880

Excerpter om L O Smith och emigrationen till Västaustralien

Wahlqvistsamlingen

Eric Åberg, Åren då jag seglade. Stockholm 1977

Eric Åberg, Åren på bryggan. Stockholm 1977

SVENSKAR I MELBOURNE OCH SYDNEY

Pehr Wilhelm Theodor Bergelins samling

Anders Björks samling

Hjalmar Bengtsson, Svenskhetsrörelsens svårigheter i Sydney. Allsvensk Samling, 1926, 10

Corfitz Cronqvist, Vandringar i Australien åren 1857—1859. Göteborg 1859

Håkan Eilert, Källa invid öknens rand. En bok om svenskar och svenskt kyrkoliv i Melbourne 1856—1981. Melbourne 1981

John Grogg (Georg von Schéele), Från Hafven och Hamnarne. Stockholm 1889

Björn A Johansson, Människoslukarna: dokumentärroman om plantageägaren Adolf Rydell i Fiji. Stockholm 1978

Lars Johan Jonsson, gymnastikdirektör i Melbourne. Personhistoriska handlingar

William Kopsens dagbok 1868—1872 (Xeroxkopia på Emigrantinstitutet)

Magnus Lagerlöf, personhistoriskt material

E Oscar Lundgren, Memoirs of a Migrant

Jens Lyng, The Scandinavians in Australia (sid 45—69)

John Stanley Martin, Scandinavians in Melbourne 1850—1910: A Study in Assimilation. Ingår i The Teaching of Swedish in Melbourne. Department of Germanic Studies, University of Melbourne, 1982

Ludvig Nordström, William Kopsen. Ett svenskt emigrantöde. Stockholm 1933

Register of Ship Deserters, Melbourne 1878—1924. Excerpter framställda under ledning av John S Martin, University of Melbourne

F A Rydells brevsamling 1863—1899

J L Saxon, Australien i våra dagar. Stockholm 1929

C Skogman, Fregatten Eugenies resa omkring jorden åren 1851—1853. 2 volymer. Stockholm 1854, 1855

Svenska (Skandinaviska) Ev Lutherska Församlingen i Melbourne. Ministeriallängd 1896—1963

Hilding Östlund, Stockholmsflickan som blev sångidol i Australien. Utlandssvenskarna, 1955, 3 (om Agnes Janson)

DRÖMMEN OM AUSTRALIEN LEVER ÄN!

Olavi Koivukangas, Scandinavian Immigration and Settlement in Australia . . .

Albert Nylander, Brev från Ballarat m fl platster till släktingar i Västergötland. Borås Museum

Tidningsklipp från svenska tidningar om Australien och emigrationen dit 1970—1980 (Emigrantinstitutet).

Uppgifter om utvandringen till Australien från Sveriges Officiella Statistik 1851—1980

REGISTER

PERSON-, FÖRETAGS-, FÖRENINGS- OCH FARTYGSNAMN

Fartygsnamnen anges med kursiverad stil

GEOGRAFISKA NAMN

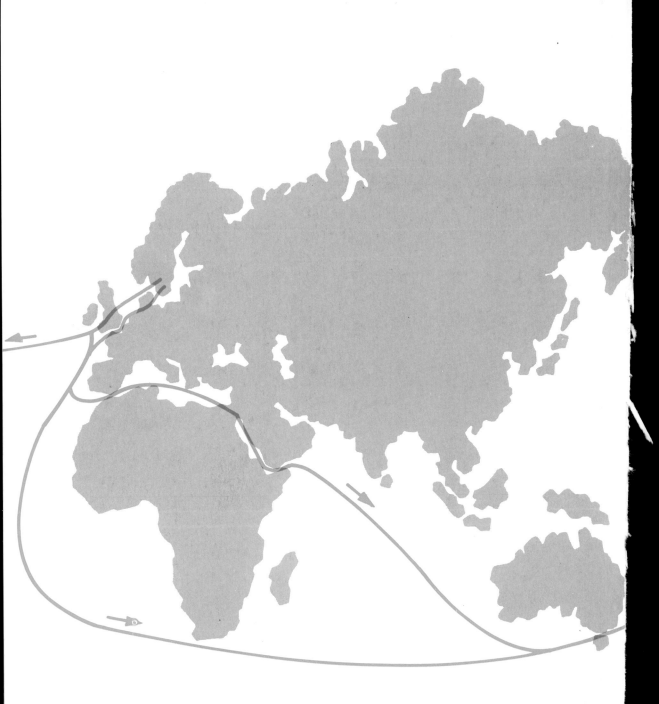

SVENSKA RESVÄGAR